EXERCICES RÉSOLUS

TERMINALES
STI/STL

MATHÉMATIQUES

GÉRARD FRUGIER
MICHEL LE BARS

HACHETTE
Éducation

PRÉFACE

Ce recueil d'exercices corrigés est destiné aux élèves de terminales STI/STL ; il couvre l'essentiel du programme en vigueur dans ces classes.

Au début de chaque chapitre, un bref résumé de cours rappelle les définitions et les résultats importants. Les exercices sont classés dans un ordre de difficulté croissante. Ils ont été choisis afin de permettre à l'utilisateur d'acquérir dans un premier temps les techniques de base, puis de les appliquer ensuite dans des situations variées.

Nous nous sommes efforcés de respecter l'esprit du programme en insistant sur les notions essentielles et en évitant tout excès de technicité.

Pour tirer le maximum d'enseignement de cet ouvrage, nous conseillons à l'utilisateur de ne pas se limiter à la lecture des corrigés. C'est au contraire dans l'élaboration de ses propres solutions et dans leur confrontation à celles que nous proposons qu'il tirera réellement profit de son travail.

Nous espérons que ce manuel pourra être utile aux candidats dans leur préparation au baccalauréat, et remercions par avance tout lecteur qui, par ses critiques ou suggestions, nous permettra d'améliorer la qualité de cet ouvrage.

Les auteurs

Ce livre est découpé en 9 chapitres, chacun d'eux comprenant :

■ un **résumé du cours**, qui rappelle les définitions, propriétés et formules essentielles ;

■ de nombreux **énoncés d'exercices**, classés par thèmes et, à l'intérieur de chaque thème, par ordre de difficulté croissante :

balisage indiqué en regard de l'énoncé	**niveau de difficulté de l'exercice**
aucun losange	exercice de base
♦	exercice nécessitant davantage de méthode et de réflexion
♦♦	exercice plus difficile

■ les **solutions détaillées et commentées** de ces exercices.

SOMMAIRE

1

PROBABILITÉS

RÉSUMÉ DU COURS

Événements

■ Ω est l'univers des éventualités associées à une expérience aléatoire.

■ Les événements sont des parties de Ω.

■ Un événement élémentaire ne contient qu'une éventualité.

■ Le contraire d'un événement A est constitué par les éventualités de Ω qui ne sont pas dans A : non $A = \overline{A} = \{\omega \in \Omega$ tel que $\omega \notin A\}$.

■ L'ensemble vide $\varnothing$ est l'événement impossible, Ω est l'événement certain.

■ Deux événements A et B sont incompatibles lorsqu'ils n'ont pas d'éventualité en commun : $A \cap B = \varnothing$.

Probabilités

■ Une probabilité P associe à chaque événement A un nombre réel compris entre 0 et 1, noté $P(A)$, qui vérifie les propriétés suivantes :

1° $P(\Omega) = 1$, $P(\varnothing) = 0$, et pour tout $A \subset \Omega$, $P(\overline{A}) = 1 - P(A)$;

2° lorsque les événements A et B sont incompatibles : $P(A \cup B) = P(A) + P(B)$;

3° dans le cas général : $P(A \cup B) = P(A) + P(B) - P(A \cap B)$.

■ Lorsque tous les événements élémentaires $\{\omega_i\}$ sont équiprobables, on a :

$$P(A) = \frac{\text{nombre d'éléments de A}}{\text{nombre d'éléments de } \Omega} = \frac{\text{nombre de cas favorables}}{\text{nombre total de cas}}.$$

■ Une variable aléatoire X est une application de Ω dans l'ensemble des nombres réels qui associe à chaque éventualité ω un résultat numérique noté $X(\omega)$.

■ On note $X(\Omega) = \{x_1, x_2, x_3, \ldots, x_n\}$ l'ensemble de toutes les valeurs prises par la variable aléatoire X.

■ À un résultat numérique a correspond l'événement constitué par les éventualités ω telles que $X(\omega) = a$. Cet événement est noté $\{X = a\}$.

■ La probabilité d'obtenir le résultat numérique a est la probabilité de l'événement $\{X = a\}$ que l'on note $P(X = a)$.

■ L'événement « obtenir un résultat numérique inférieur ou égal à un nombre a », que l'on note $\{X \leqslant a\}$, est constitué par les éventualités ω telles que $X(\omega) \leqslant a$. Sa probabilité est $P(X \leqslant a)$.

■ En associant à chaque résultat possible x_i la probabilité $P(X = x_i)$, on obtient **la loi de probabilité de la variable aléatoire X**.

■ Soit $\{x_1, x_2, \ldots, x_n\}$ l'ensemble des résultats possibles et $\{p_1, p_2, \ldots, p_n\}$ les probabilités correspondantes : $p_i = P(X = x_i)$.
L'espérance mathématique $E(X)$ de la variable aléatoire X est la moyenne arithmétique des x_i pondérés par leurs probabilités p_i :

$$\boxed{E(X) = p_1 x_1 + p_2 x_2 + \ldots + p_n x_n}$$

■ La variance $V(X)$ de la variable aléatoire X est la moyenne arithmétique des carrés des écarts $(x_i - E(X))$ pondérés par leurs probabilités p_i :

$$\boxed{V(X) = p_1 (x_1 - E(X))^2 + p_2 (x_2 - E(X))^2 + \ldots + p_n (x_n - E(X))^2}$$

■ Propriété

$V(X)$ est égale à la différence entre la moyenne des carrés des résultats possibles et le carré de leur moyenne :

$$\boxed{V(X) = E(X^2) - (E(X))^2}$$

■ L'écart type $\sigma(X)$ est la racine carrée de la variance :

$$\boxed{\sigma(X) = \sqrt{V(X)}}$$

■ La fonction de répartition d'une variable aléatoire X associe à tout nombre réel x la probabilité d'obtenir un résultat qui lui est inférieur ou égal : $F(x) = P(X \leqslant x)$.

DES EXERCICES ■

Dénombrements - Pourcentages

1.1 En préparant sa soupe de légumes, Berthe a jeté 60 % des épluchures dans un sac poubelle bleu et 40 % dans un sac poubelle noir. Le sac bleu contient 30 % d'épluchures de pommes de terre et 70 % d'épluchures de carottes. Le sac noir contient 20 % d'épluchures de navets et 80 % d'épluchures de carottes.

1° De quelle couleur sont les carottes ?

2° Quelle est la proportion d'épluchures de carottes parmi les épluchures ?

3° Parmi les épluchures de carottes, quelle est la proportion de celles qui sont dans le sac bleu ?

1.2 Paul et Virginie prennent le thé. Le sucrier contient cinq morceaux de sucre différents. De combien de manières différentes peut-on sucrer les deux tasses de thé ? (On ne peut pas partager les morceaux.)

Probabilités

1.3 **1°** Pierre, Paul et Jacques ont commandé deux diabolos menthe et un diabolo grenadine. Le garçon de café est daltonien. En leur apportant leurs consommations, il répartit au hasard les trois verres.
Calculer la probabilité pour que chacun ait ce qu'il a commandé.

2° Ils ont mélangé les trois clefs des chaînes antivol de leurs cyclomoteurs respectifs. En repartant, ils prennent chacun une clef au hasard.
Calculer la probabilité pour que chacun ait pris sa propre clef.

1.4 **1°** Dans le troupeau de maître Cornille, il y a deux moutons blancs et un mouton noir. Le loup prend successivement au hasard deux moutons et les mange.
Calculer la probabilité p pour que ces deux moutons soient blancs.

2° Dans le poulailler de maître Cornille, il y a deux poules blanches et une poule rousse. Le renard attrape au hasard une poule qui lui échappe dans le poulailler. Il revient le lendemain et attrape, de nouveau au hasard, une poule qu'il mange.
Calculer la probabilité q pour qu'il ait attrapé deux fois une poule blanche.

1.5 Une usine de chaussures produit, conformément au plan, 20 % de chaussures droites et 80 % de chaussures gauches. Parmi les chaussures droites, 75 % n'ont pas de lacet, tandis que parmi les chaussures gauches, 60 % n'ont pas de lacet. Boris prend au hasard une chaussure produite par l'usine.

1° Calculer la probabilité pour que ce soit une chaussure sans lacet.

2° Calculer la probabilité pour que ce soit une chaussure gauche, sachant qu'elle n'a pas de lacet.

Variables aléatoires

1.6 Benoît, le fils du pharmacien, a mélangé dans un potiquet les dominos suivants :

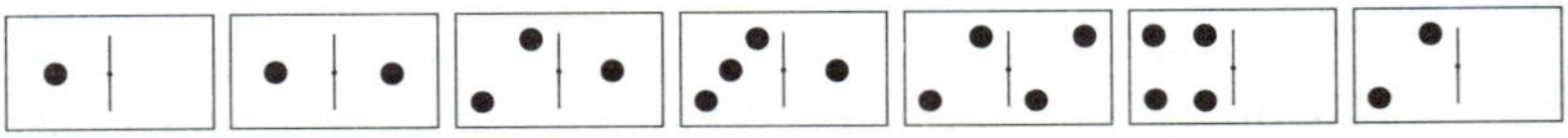

1° Combien y-a-t-il de points noirs ?

2° Benoît prend au hasard un domino et compte ses points noirs. On appelle X la variable aléatoire égale au nombre de points du domino.

a) Déterminer les résultats possibles et leurs probabilités.

b) Calculer l'espérance $E(X)$, la variance $V(X)$ et l'écart type $\sigma(X)$.

c) Tracer la courbe représentative de la fonction de répartition F de la variable aléatoire X.

1.7 Julie a extrait du jeu de crapette de sa grand-mère les cartes suivantes :

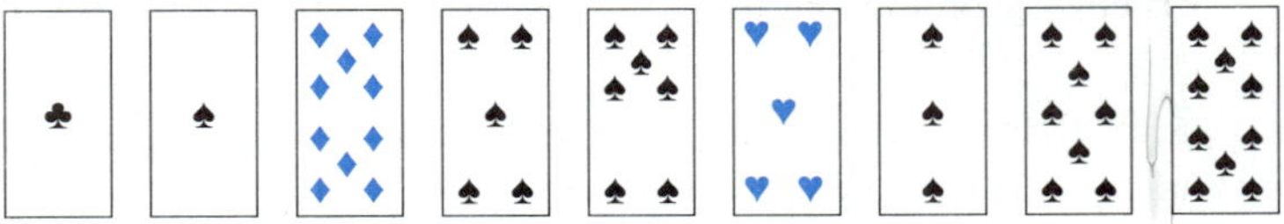

1° Combien y-a-t-il de ♠ dessinés ?

2° Julie prend une carte au hasard et compte les ♠ dessinés sur cette carte. On appelle X la variable aléatoire égale au nombre de ♠ dessinés sur cette carte.

a) Déterminer les résultats possibles et leurs probabilités.

b) Calculer $E(X)$ et $V(X)$.

3° Charlotte prend dans le jeu de bridge de son grand-père les quatre cartes suivantes :

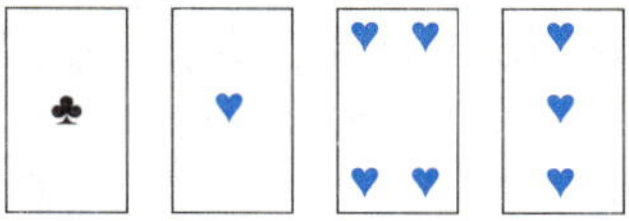

Elle prend deux cartes au hasard et colorie les ♥ dessinés sur ces deux cartes. On appelle Y la variable aléatoire égale au nombre de ♥ dessinés sur ces deux cartes.

a) Déterminer les résultats possibles et leurs probabilités.

b) Calculer $E(Y)$ et $V(Y)$.

1.8 Les quarante voleurs se sont cachés chacun dans une jarre de la réserve d'olives vertes d'Ali Baba. Il y a en tout cent vingt jarres indiscernables (les voleurs sont bien cachés). Ali Baba prend au hasard deux jarres pour en vendre les olives dans la médina. On appelle X la variable aléatoire égale au nombre de voleurs qui occupent les jarres qu'Ali Baba va emporter.

1° Établir la loi de probabilité de la variable aléatoire X.

2° Calculer l'espérance $E(X)$, la variance $V(X)$ et l'écart type $\sigma(X)$.

3° Tracer la courbe représentatrice de la fonction de répartition F de la variable aléatoire X.

1.9 Dans un chapeau melon, on mélange les cartes suivantes :

On en prend une, on la déchire, puis on en prend une deuxième.
On note a le nombre de ♠ de la première carte et b le nombre de ♠ de la deuxième carte.

1° Quels sont les résultats possibles pour le couple (a, b) ? Quelles sont les probabilités correspondantes ?

2° On considère le nombre complexe $\alpha = a\mathrm{e}^{\frac{\mathrm{i}b\pi}{3}}$.

a) Calculer les différentes valeurs possibles de α.

b) Calculer la probabilité de l'événement E = « α est un nombre réel ».

3° On appelle X la variable aléatoire égale au module de α.

a) Établir la loi de probabilité de la variable aléatoire X.

b) Calculer l'espérance $E(X)$, la variance $V(X)$ et l'écart type $\sigma(X)$.

c) Tracer la courbe représentative de la fonction de répartition F de la variable aléatoire X.

♦ **1.10** Le championnat de pétanque de Monte Presto rassemble n triplettes constituées chacune par deux pointeurs et un tireur. On désigne au hasard trois joueurs différents, un par un, pour distribuer les cochonnets et les pieds à coulisse pour mesurer les écarts.

1° Préciser l'ensemble Ω des éventualités de ce tirage.

2° On appelle X_n la variable aléatoire définie de la façon suivante :
si les trois joueurs sont des tireurs, X_n prend la valeur -1 ;
si les trois joueurs sont des pointeurs, X_n prend la valeur 1 ;
dans les autres cas, X_n prend la valeur 0.

a) Établir la loi de probabilité de la variable aléatoire X_n.

b) Calculer l'espérance $E(X_n)$.

c) Déterminer la limite de la suite u_n égale à l'espérance $E(X_n)$ quand n tend vers $+\infty$.

♦ **1.11** Félicien a deux vaches rousses (aux yeux bleus) et quatre blanches (aux yeux noirs). Quand il les conduit au pré, elles sortent une par une de l'étable dans un ordre aléatoire : toutes les répartitions possibles des vaches sont équiprobables.
On appelle X la variable aléatoire égale au nombre de vaches blanches qui précèdent la première vache rousse.

1° Établir la loi de probabilité de la variable aléatoire X.

2° Calculer l'espérance $E(X)$, la variance $V(X)$ et l'écart type $\sigma(X)$.

3° Tracer la courbe représentative de la fonction de répartition F de la variable aléatoire X.

4° Calculer les probabilités des événements suivants : $\{X \leqslant 3\}$, $\{X \geqslant 1\}$, $\{1 < X \leqslant 3\}$ et $\{X > 2\}$.

♦ **1.12** Victor pose chaque matin, à cinq heures, cinq collets dans le bois du duc de Bordeaux et les lève à dix heures, lorsque le garde-chasse commence sa tournée. La probabilité de prendre k lapins dans la journée est le double de la probabilité d'en prendre $k+1$, pour k compris entre 0 et 4 $(0 \leqslant k \leqslant 4)$.
On appelle X la variable aléatoire égale au nombre de lapins pris en une journée par Victor.

1° Établir la loi de probabilité de la variable aléatoire X.

2° Calculer l'espérance $E(X)$, la variance $V(X)$ et l'écart type $\sigma(X)$.

3° Calculer les probabilités des événements suivants : $\{X \leqslant 4\}$, $\{X > 0\}$, $\{1 < X \leqslant 4\}$ et $\{X > 3\}$.

♦ **1.13** Dix pour cent des puces des fox à poil dur ont les yeux verts. Brigitte vient de recueillir deux fox à poil dur qui lui passent chacun une puce. On note X le nombre de ces puces qui ont les yeux verts.

1° Déterminer la loi de probabilité de la variable aléatoire X.

2° Calculer son espérance mathématique $E(X)$ et sa variance $V(X)$.

♦ **1.14** La boulangère de la rue Michel vend des Mistral. Dans la boîte qui contient vingt-cinq Mistral, il y a cinq Mistral gagnants. Claire prend trois Mistral un par un au hasard dans la boîte et les glisse dans son cartable. On appelle X la variable aléatoire égale au nombre de Mistral gagnants parmi ces trois Mistral.

1° Établir la loi de probabilité de la variable aléatoire X.

2° Calculer l'espérance $E(X)$, la variance $V(X)$ et l'écart type $\sigma(X)$.

♦♦ **1.15** 1° On considère n boules numérotées de 1 à n. Soit S_n le nombre d'ensembles différents de deux boules que l'on peut former avec ces n boules (on appelle ces ensembles de deux éléments des paires). On veut calculer S_n en fonction de n.

a) Calculer S_2, S_3 et S_4. Montrer que $S_n = S_{n-1} + (n-1)$.

b) Montrer que la suite (u_n) définie par $u_1 = 1$, et, pour $n > 1$, $u_n = S_{n+1} - S_n$, est arithmétique. Montrer que $S_n = u_1 + u_2 + \ldots + u_{n-1}$. En déduire la valeur de S_n en fonction de n.

2° Une urne contient cinq boules rouges portant le numéro 3, trois boules bleues portant le numéro 2 et deux boules vertes portant le numéro 1.
On tire simultanément au hasard deux boules.

a) Quelle est la probabilité pour que les deux boules soient de même couleur ?

b) Quelle est la probabilité pour que, parmi les deux boules tirées, il y ait au moins une boule rouge ?

c) On appelle X la variable aléatoire égale à la somme des numéros figurant sur les deux boules tirées.

- Établir la loi de probabilité de la variable aléatoire X.
- Calculer l'espérance $E(X)$, la variance $V(X)$ et l'écart type $\sigma(X)$.

1.1 Notons e la quantité totale d'épluchures, eb et en les quantités respectives d'épluchures dans le sac bleu et dans le sac noir, c la quantité totale d'épluchures de carottes, cb et cn les quantités respectives d'épluchures de carottes dans le sac bleu et dans le sac noir.

Nous pouvons traduire les hypothèses par les relations suivantes :

$e = eb + en$; $eb = 0{,}6\ e$; $en = 0{,}4\ e$;

$c = cb + cn$; $cb = 0{,}7\ eb$; $cn = 0{,}8\ en.$

1° Les carottes sont rouge carotte.

2° En exprimant c en fonction de e, nous obtenons :

$$c = cb + cn = 0{,}7\ eb + 0{,}8\ en = 0{,}7 \times 0{,}6\ e + 0{,}8 \times 0{,}4\ e = 0{,}74\ e.$$

Il y a donc 74 % d'épluchures de carottes parmi les épluchures.

3° Exprimons cb en fonction de c :

$$cb = 0{,}7\ eb = 0{,}7 \times 0{,}6\ e = \frac{0{,}7 \times 0{,}6}{0{,}74}\ c \approx 0{,}57\ c.$$

Il y a donc environ 57 % des épluchures de carottes qui sont dans le sac bleu.

Autre méthode : **diagramme de Karnaugh**

On remplit le tableau regroupant les quatre sous-ensembles de l'ensemble des épluchures par les pourcentages correspondants, en utilisant les informations de l'énoncé.

	carotte	autres
sac noir	0,32	0,08
sac bleu	0,42	0,18

Pour déterminer le pourcentage d'épluchures de carottes, il suffit d'ajouter les pourcentages des deux cases correspondantes : $0{,}32 + 0{,}42 = 0{,}74$.

Pour déterminer le pourcentage, parmi les épluchures de carottes, de celles qui sont dans le sac bleu, il suffit de faire le rapport entre le pourcentage d'épluchures de carottes qui sont dans le sac bleu, 0,42, et le pourcentage d'épluchures de carottes, 0,74.

On obtient : $p = \dfrac{0{,}42}{0{,}74} \approx 0{,}57.$

1.2 À chaque morceau de sucre correspondent trois récipients possibles : soit la tasse de Paul, soit la tasse de Virginie, soit le sucrier. Considérons les sucres un par un : le premier sucre donne trois choix possibles. Pour chacun de ces choix, le deuxième donne trois choix possibles, ce qui fait $3 \times 3 = 3^2$ choix pour deux sucres. Chaque nouveau sucre multiplie ainsi le nombre de choix par trois. Il y a donc $3^5 = 243$ manières de sucrer les deux tasses de thé.

1.3 1° L'événement « chacun a ce qu'il a commandé » est réalisé lorsque celui qui a commandé de la grenadine a eu de la grenadine. Il y a une chance sur trois pour que cela arrive.

Par conséquent la probabilité demandée est $p = \frac{1}{3}$.

2° Dénombrons les éventualités correspondantes : le premier a le choix entre trois clefs. Lorsqu'il en a pris une, le deuxième a le choix entre deux clefs. Le troisième prend la clef qui reste. Il y a donc $3 \times 2 = 6$ éventualités équiprobables, dont une seule correspond à l'événement « chacun a la sienne ». La probabilité demandée est donc égale à $p = \frac{1}{6}$.

1.4 1° Lorsque le loup a attrapé le premier mouton, il reste deux moutons dans le troupeau.
Si le premier est noir, les deux restants sont blancs, sinon il reste un noir et un blanc. En notant N le mouton noir, B_1 le premier mouton blanc et B_2 le deuxième mouton blanc, l'ensemble Ω des éventualités est l'ensemble des six couples équiprobables.

$$\Omega = \{(B_1, B_2), (B_2, B_1), (N, B_1), (N, B_2), (B_1, N), (B_2, N)\}.$$

L'événement « le loup a pris deux blancs » est constitué par les deux éventualités (B_1, B_2) et (B_2, B_1).

Sa probabilité est donc $p = \frac{2}{6} = \frac{1}{3}$.

2° En notant R la poule rousse, B_1 la première poule blanche et B_2 la deuxième poule blanche, l'ensemble Ω des éventualités est l'ensemble des neuf couples équiprobables.

$$\Omega = \{(B_1, B_1), (B_1, B_2), (B_1, R), (B_2, B_1), (B_2, B_2), (B_2, R), (R, B_1), (R, B_2), (R, R)\}.$$

L'événement « le renard a pris deux fois une poule blanche » est constitué par les quatre éventualités (B_1, B_1), (B_1, B_2), (B_2, B_1), (B_2, B_2).

Sa probabilité est donc $q = \frac{4}{9}$.

1.5 Déterminons la proportion de chaussures sans lacet parmi toutes les chaussures produites. Soit n le nombre total de chaussures, g le nombre de chaussures gauches, d le nombre de chaussures droites, γ le nombre de chaussures gauches sans lacet, δ le nombre de chaussures droites sans lacet et l le nombre total de chaussures sans lacet.

Nous pouvons traduire les hypothèses par les relations suivantes :

$n = d + g$; $\quad d = 0{,}2\,n$; $\quad g = 0{,}8\,n$;

$l = \delta + \gamma$; $\quad \delta = 0{,}75\,d$; $\quad \gamma = 0{,}6\,g$.

1° Ces relations nous donnent :

$$l = 0{,}75\,d + 0{,}6\,g = 0{,}75 \times 0{,}2\,n + 0{,}6 \times 0{,}8\,n = 0{,}63\,n.$$

Il y a 63 % de chaussures sans lacet, la probabilité de prendre une chaussure sans lacet est donc $p_1 = 0{,}63$.

2° Exprimons γ en fonction de l :

$$\gamma = 0{,}6\,g = 0{,}6 \times 0{,}8\,n = \frac{0{,}6 \times 0{,}8}{0{,}63}\,l = \frac{16}{21}\,l.$$

La proportion de chaussures gauches parmi les chaussures sans lacet est $\frac{16}{21}$.

Sachant que la chaussure n'a pas de lacet, la probabilité pour que ce soit une chaussure gauche est $p_2 = \frac{16}{21} \approx 0{,}76$.

1.6 **1°** Il y a vingt points noirs.

2° *a*) Les résultats possibles sont les entiers compris entre 1 et 4 :

$$X(\Omega) = \{1, 2, 3, 4\}.$$

Les dominos ont chacun une chance sur sept d'être choisis. Il y a un domino avec un point, deux avec deux points, un avec trois points et trois avec quatre points.

La loi de probabilité de la variable aléatoire X est donc :

X	1	2	3	4
P	$\frac{1}{7}$	$\frac{2}{7}$	$\frac{1}{7}$	$\frac{3}{7}$

b) Calculons $E(X)$ et $E(X^2)$:

$$E(X) = \frac{1}{7} \times 1 + \frac{2}{7} \times 2 + \frac{1}{7} \times 3 + \frac{3}{7} \times 4 = \frac{20}{7};$$

$$E(X^2) = \frac{1}{7} \times 1 + \frac{2}{7} \times 4 + \frac{1}{7} \times 9 + \frac{3}{7} \times 16 = \frac{66}{7}.$$

Nous en déduisons la variance et l'écart type :

$$V(X) = E(X^2) - (E(X))^2 = \frac{62}{49} \;;\quad \sigma(X) = \sqrt{V(X)} = \frac{\sqrt{62}}{7} \approx 1{,}12.$$

c) De la relation $F(x) = P(X \leqslant x)$, nous déduisons la fonction de répartition F :

- si $x < 1$, $F(x) = 0$;
- si $1 \leqslant x < 2$, $F(x) = \frac{1}{7}$;
- si $2 \leqslant x < 3$, $F(x) = \frac{3}{7}$;
- si $3 \leqslant x < 4$, $F(x) = \frac{4}{7}$;
- si $x \geqslant 4$, $F(x) = 1$.

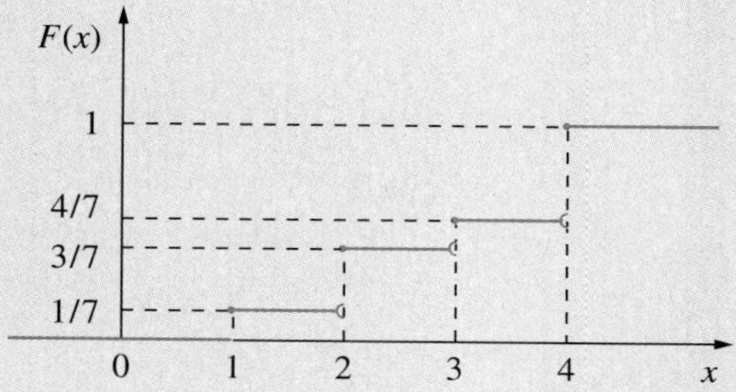

1.7 **1°** Il y a 34 ♠ dessinés.

2° *a*) Chaque carte a la même probabilité d'être choisie. Il y a trois cartes sans ♠, une carte avec un ♠, une avec trois ♠, une avec cinq ♠, une avec sept ♠, une avec huit ♠ et une avec dix ♠. La loi de probabilité de la variable aléatoire X est donc :

X	0	1	3	5	7	8	10
P	$\frac{1}{3}$	$\frac{1}{9}$	$\frac{1}{9}$	$\frac{1}{9}$	$\frac{1}{9}$	$\frac{1}{9}$	$\frac{1}{9}$

b) Calculons $E(X)$ et $E(X^2)$:

$$E(X) = \frac{1}{9} \times 1 + \frac{1}{9} \times 3 + \frac{1}{9} \times 5 + \frac{1}{9} \times 7 + \frac{1}{9} \times 8 + \frac{1}{9} \times 10 = \frac{34}{9} ;$$

$$E(X^2) = \frac{1}{9} \times 1 + \frac{1}{9} \times 9 + \frac{1}{9} \times 25 + \frac{1}{9} \times 49 + \frac{1}{9} \times 64 + \frac{1}{9} \times 100 = \frac{248}{9} .$$

Variance : $V(X) = E(X^2) - (E(X))^2 = \frac{1\,076}{81}$.

3° *a*) L'univers Ω des éventualités est constitué par les ensembles de deux cartes prises parmi les quatre. Dénombrons ces paires de deux cartes :

- il y a trois paires de cartes qui contiennent l'as de ♣ ;
- parmi les **autres paires**, il y en a deux qui contiennent l'as de ♥ ;
- il reste la paire constituée par les troisième et quatrième cartes.

Il y a donc six éventualités. Les tirages sont équiprobables, les résultats possibles sont 1, 3, 4, 5, 7. Nous en déduisons la loi de probabilité de la variable aléatoire Y :

Y	1	3	4	5	7
P	$\frac{1}{6}$	$\frac{1}{6}$	$\frac{1}{3}$	$\frac{1}{6}$	$\frac{1}{6}$

b) Calcul de $E(Y)$ et $E(Y^2)$:

$$E(Y)=\frac{1}{6}\times 1+\frac{1}{6}\times 3+\frac{1}{3}\times 4+\frac{1}{6}\times 5+\frac{1}{6}\times 7=4\ ;$$

$$E(Y^2)=\frac{1}{6}\times 1+\frac{1}{6}\times 9+\frac{1}{3}\times 16+\frac{1}{6}\times 25+\frac{1}{6}\times 49=\frac{58}{3}.$$

Variance : $V(Y)=E(Y^2)-(E(Y))^2=\dfrac{10}{3}.$

1.8 Prenons comme univers Ω des éventualités l'ensemble des couples de deux jarres distinctes prises parmi les cent vingt jarres. Considérons la première jarre du couple. Il y a cent vingt choix possibles. À chacun de ces choix possibles, on peut associer une deuxième jarre prise parmi cent dix-neuf. Il y a donc $120\times 119=14\,280$ éventualités.

1° La variable aléatoire X prend comme valeurs les entiers 0, 1 et 2. Calculons la probabilité de l'événement $\{X=0\}$. Ses éventualités sont les couples de deux jarres distinctes ne contenant pas de voleur :
il y en a $80\times 79=6\,320$.

Nous avons donc $P(X=0)=\dfrac{6\,320}{14\,280}=\dfrac{158}{357}\approx 0{,}44.$

Il y a $40\times 39=1\,560$ couples de jarres contenant deux voleurs.

Nous en déduisons $P(X=2)=\dfrac{1\,560}{14\,280}=\dfrac{39}{357}\approx 0{,}11.$

Nous pourrions dénombrer les éventualités de l'événement $\{X=1\}$.
En utilisant la propriété $P(X=0)+P(X=1)+P(X=2)=1$, nous pouvons éviter ce calcul et obtenir directement :

$$P(X=1)=1-(P(X=0)+P(X=2))=1-\frac{158+39}{357}=\frac{160}{357}\approx 0{,}45.$$

La loi de probabilité de la variable aléatoire X est donc :

X	0	1	2
P	$\dfrac{158}{357}$	$\dfrac{160}{357}$	$\dfrac{39}{357}$

2° Calculons $E(X)$ et $E(X^2)$:

$$E(X)=\frac{160}{357}\times 1+\frac{39}{357}\times 2=\frac{2}{3}\ ;$$

$$E(X^2)=\frac{160}{357}\times 1+\frac{39}{357}\times 4=\frac{316}{357}.$$

Nous en déduisons la variance et l'écart type :

$$V(X) = E(X^2) - (E(X))^2 = \frac{472}{1\,071} \approx 0{,}44 \ ; \quad \sigma(X) = \sqrt{V(X)} \approx 0{,}66.$$

3° Déterminons la fonction de répartition F de la variable aléatoire X :

• si $x < 0$, $F(x) = 0$;
• si $0 \leqslant x < 1$, $F(x) = \dfrac{158}{357}$;
• si $1 \leqslant x < 2$, $F(x) = \dfrac{318}{357}$;
• si $x \geqslant 2$, $F(x) = 1$.

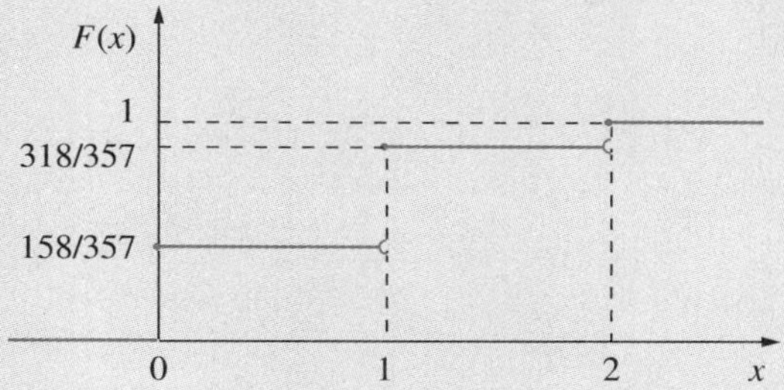

1.9 **1°** Les résultats possibles sont : $\{(1, 2), (1, 3), (2, 1), (2, 3), (3, 1), (3, 2)\}$. Les événements élémentaires correspondants sont équiprobables, de probabilité $p = \dfrac{1}{6}$.

2° *a*) Ces éventualités sont respectivement associées aux nombres complexes :

$\alpha_1 = e^{\frac{2i\pi}{3}}$; $\alpha_2 = e^{i\pi}$; $\alpha_3 = 2\,e^{\frac{i\pi}{3}}$; $\alpha_4 = 2\,e^{i\pi}$; $\alpha_5 = 3\,e^{\frac{i\pi}{3}}$; $\alpha_6 = 3\,e^{\frac{2i\pi}{3}}$.

b) L'événement E correspond aux nombres complexes α_2 et α_4. Sa probabilité est donc $P(\mathrm{E}) = \dfrac{2}{6} = \dfrac{1}{3}$.

3° *a*) La loi de probabilité de X est donc :

X	1	2	3
P	$\frac{1}{3}$	$\frac{1}{3}$	$\frac{1}{3}$

$|\alpha_1| = |\alpha_2| = 1$;
$|\alpha_3| = |\alpha_4| = 2$;
$|\alpha_5| = |\alpha_6| = 3$.

b) Nous avons ainsi :

$$E(X) = \frac{1}{3} \times 1 + \frac{1}{3} \times 2 + \frac{1}{3} \times 3 = 2 \ ;$$

$$E(X^2) = \frac{1}{3} \times 1 + \frac{1}{3} \times 4 + \frac{1}{3} \times 9 = \frac{14}{3}.$$

Nous en déduisons la variance et l'écart type :

$$V(X) = E(X^2) - (E(X))^2 = \frac{2}{3} \ ; \quad \sigma(X) = \sqrt{V(X)} \approx 0{,}82.$$

c) La fonction de répartition F de la variable aléatoire X est donc :

- si $x < 1$, $F(x) = 0$;
- si $1 \leqslant x < 2$, $F(x) = \frac{1}{3}$;
- si $2 \leqslant x < 3$, $F(x) = \frac{2}{3}$;
- si $x \geqslant 3$, $F(x) = 1$.

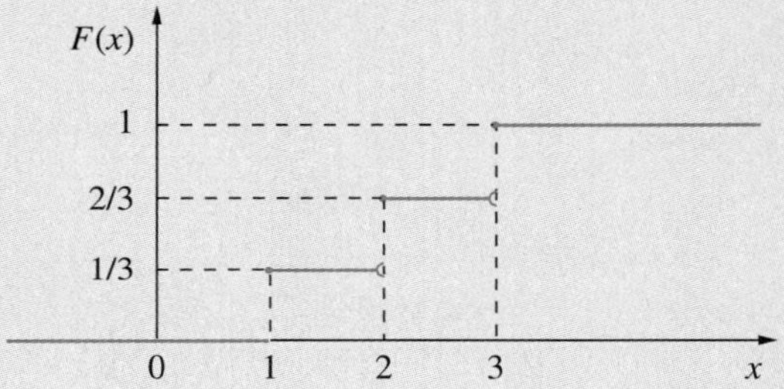

1.10 **1°** Il y a n tireurs et $2n$ pointeurs, donc $3n$ joueurs. Le premier joueur est pris parmi $3n$, le deuxième parmi $3n - 1$ et le troisième parmi $3n - 2$.

L'ensemble Ω est donc constitué de $3n(3n-1)(3n-2)$ triplets équiprobables de joueurs différents.

2° *a*) Dénombrons l'événement $\{X_n = -1\}$ constitué par les triplets de trois tireurs : il y en a $n(n-1)(n-2)$. Pour des raisons analogues, l'événement $\{X_n = 1\}$ contient $2n(2n-1)(2n-2)$ éventualités.

La somme des probabilités étant égale à 1, nous en déduisons la loi de probabilité de la variable aléatoire X_n :

X_n	-1	0	1
P	$\dfrac{(n-1)(n-2)}{3(3n-1)(3n-2)}$	$\dfrac{2n}{3n-1}$	$\dfrac{2(2n-1)(2n-2)}{3(3n-1)(3n-2)}$

b) Nous en déduisons :

$$E(X_n) = \frac{(n-1)(n-2)}{3(3n-1)(3n-2)} \times (-1) + \frac{2(2n-1)(2n-2)}{3(3n-1)(3n-2)} \times 1$$

$$= \frac{(n-1)(7n-2)}{(3n-1)(3n-2)}.$$

c) La suite (u_n) est définie par $u_n = \dfrac{(n-1)(7n-2)}{(3n-1)(3n-2)}$.

Pour $n \neq 0$, nous pouvons écrire :

$$u_n = \frac{n^2\left(1-\frac{1}{n}\right)\left(7-\frac{2}{n}\right)}{n^2\left(3-\frac{1}{n}\right)\left(3-\frac{2}{n}\right)} = \frac{\left(1-\frac{1}{n}\right)\left(7-\frac{2}{n}\right)}{\left(3-\frac{1}{n}\right)\left(3-\frac{2}{n}\right)}.$$

Lorsque n tend vers $+\infty$, les termes en $\dfrac{1}{n}$ tendent vers zéro, ce qui fait que la suite (u_n) tend vers $\dfrac{7}{9}$: $\lim\limits_{n \to +\infty} u_n = \dfrac{7}{9}$.

1.11 1° Les éventualités sont les différentes files de vaches possibles. La première vache peut être prise parmi les six, la deuxième parmi les cinq restantes, la troisième parmi quatre, la quatrième parmi trois, la cinquième parmi deux et la dernière… sera celle qui reste, évidemment.

Il y a donc $6 \times 5 \times 4 \times 3 \times 2 = 720$ éventualités en tout. Les événements élémentaires correspondants sont équiprobables.

La variable aléatoire X prend comme valeurs les entiers de 0 à 4.

• L'événement $\{X = 0\}$ est constitué par les files commençant par une vache rousse, prise parmi deux, suivie de cinq vaches dans un ordre quelconque : il y en a $2 \times (5 \times 4 \times 3 \times 2) = 240$.

• L'événement $\{X = 1\}$ est constitué par les files commençant par une vache blanche, prise parmi quatre, suivie d'une rousse, prise parmi deux, puis de quatre vaches :
il y en a $4 \times 2 \times (4 \times 3 \times 2) = 192$.

• L'événement $\{X = 2\}$ est constitué par les files commençant par une vache blanche, prise parmi quatre, suivie d'une autre blanche, prise parmi trois, suivie d'une rousse, prise parmi deux, puis de trois vaches :
il y en a $4 \times 3 \times 2 \times (3 \times 2) = 144$.

• L'événement $\{X = 3\}$ est constitué par les files commençant par une vache blanche, prise parmi quatre, suivie d'une autre blanche, prise parmi trois, suivie d'une autre blanche, prise parmi deux, suivie d'une rousse, prise parmi deux, puis de deux vaches :
il y en a $4 \times 3 \times 2 \times 2 \times 2 = 96$.

• L'événement $\{X = 4\}$ est constitué par les files où les quatre vaches blanches précèdent les deux rousses :
il y en a $4 \times 3 \times 2 \times 1 \times 2 = 48$.

Nous en déduisons la loi de probabilité de la variable aléatoire X :

X	0	1	2	3	4
P	$\frac{1}{3}$	$\frac{4}{15}$	$\frac{1}{5}$	$\frac{2}{15}$	$\frac{1}{15}$

2° Nous avons ainsi :

$$E(X) = \frac{4}{15} \times 1 + \frac{1}{5} \times 2 + \frac{2}{15} \times 3 + \frac{1}{15} \times 4 = \frac{4}{3} ;$$

$$E(X^2) = \frac{4}{15} \times 1 + \frac{1}{5} \times 4 + \frac{2}{15} \times 9 + \frac{1}{15} \times 16 = \frac{10}{3} .$$

Nous en déduisons la variance et l'écart type :

$$V(X) = E(X^2) - (E(X))^2 = \frac{14}{9} \quad ; \quad \sigma(X) = \sqrt{V(X)} = \frac{\sqrt{14}}{3} \approx 1{,}25.$$

3° La fonction de répartition F de la variable aléatoire X est donc :

- si $x < 0$, $F(x) = 0$;
- si $0 \leqslant x < 1$, $F(x) = \frac{1}{3}$;
- si $1 \leqslant x < 2$, $F(x) = \frac{3}{5}$;
- si $2 \leqslant x < 3$, $F(x) = \frac{4}{5}$;
- si $3 \leqslant x < 4$, $F(x) = \frac{14}{15}$;
- si $x \geqslant 4$, $F(x) = 1$.

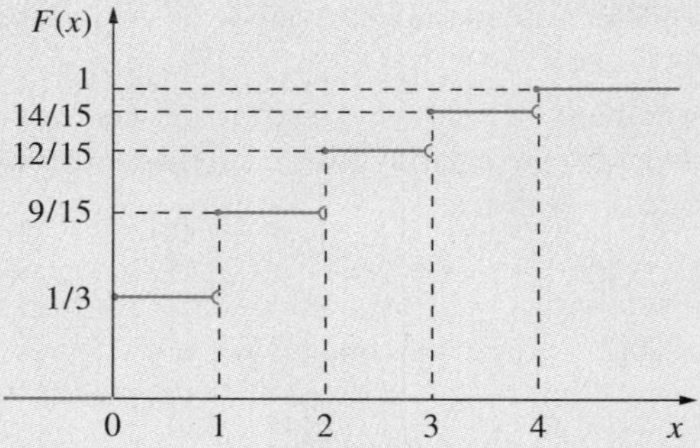

4° • $P(X \leqslant 3) = F(3) = \frac{14}{15}$;

- $P(X \geqslant 1) = 1 - P(X = 0) = 1 - \frac{1}{3} = \frac{2}{3}$;
- $P(1 < X \leqslant 3) = F(3) - F(1) = \frac{14}{15} - \frac{3}{5} = \frac{1}{3}$;
- $P(X > 2) = 1 - P(X \leqslant 2) = 1 - F(2) = 1 - \frac{4}{5} = \frac{1}{5}$.

1.12 1° La variable aléatoire X prend les valeurs entières comprises entre 0 et 5. Notons p_0, p_1, p_2, p_3, p_4 et p_5 les probabilités respectives des événements $\{X=0\}$, $\{X=1\}$, $\{X=2\}$, $\{X=3\}$, $\{X=4\}$ et $\{X=5\}$.
La propriété donnée dans l'énoncé nous permet d'exprimer toutes les probabilités en fonction de p_5 :

$p_4=2p_5$; $p_3=2p_4=4p_5$; $p_2=2p_3=8p_5$;
$p_1=2p_2=16p_5$; $p_0=2p_1=32p_5$.

Comme la somme des probabilités est égale à 1, nous obtenons :

$$p_0+p_1+p_2+p_3+p_4+p_5=32p_5+16p_5+8p_5+4p_5+2p_5+p_5=63p_5=1.$$

Nous en déduisons :

$$p_5=\frac{1}{63}\ ;\quad p_4=\frac{2}{63}\ ;\quad p_3=\frac{4}{63}\ ;\quad p_2=\frac{8}{63}\ ;\quad p_1=\frac{16}{63}\ ;\quad p_0=\frac{32}{63}.$$

La loi de probabilité de la variable aléatoire X est donc :

X	0	1	2	3	4	5
P	$\frac{32}{63}$	$\frac{16}{63}$	$\frac{8}{63}$	$\frac{4}{63}$	$\frac{2}{63}$	$\frac{1}{63}$

2° Nous avons ainsi :

$$E(X)=\frac{16}{63}\times 1+\frac{8}{63}\times 2+\frac{4}{63}\times 3+\frac{2}{63}\times 4+\frac{1}{63}\times 5=\frac{19}{21}\ ;$$

$$E(X^2)=\frac{16}{63}\times 1+\frac{8}{63}\times 4+\frac{4}{63}\times 9+\frac{2}{63}\times 16+\frac{1}{63}\times 25=\frac{47}{21}.$$

Ce qui nous donne la variance et l'écart type :

$$V(X)=E(X^2)-(E(X))^2=\frac{626}{441}\ ;\quad \sigma(X)=\sqrt{V(X)}=\frac{\sqrt{626}}{21}\approx 1{,}19.$$

4° • $P(X\leqslant 4)=1-P(X=5)=\dfrac{62}{63}$; • $P(X>0)=1-P(X=0)=\dfrac{31}{63}$;

• $P(1<X\leqslant 4)=P(X=2)+P(X=3)+P(X=4)=\dfrac{14}{63}$;

• $P(X>3)=P(X=4)+P(X=5)=\dfrac{1}{21}$.

1.13 1° L'ensemble Ω des éventualités est l'ensemble des couples de deux puces.
Il y a 10 % de couples dont la première puce a les yeux verts. Parmi ces couples, il y en a 10 % dont la deuxième puce a les yeux verts, ce qui fait $0{,}1\times 0{,}1=1$ % de couples de deux puces aux yeux verts parmi tous les couples possibles.

Nous avons de même parmi les $10\ \%$ de couples dont la première puce a les yeux verts, $90\ \%$ dont la deuxième puce n'a pas les yeux verts. D'autre part, les couples dont la première puce n'a pas les yeux verts se répartissent en $10\ \%$ dont la deuxième puce a les yeux verts et $90\ \%$ dont la première puce n'a pas les yeux verts.

Nous pouvons rassembler les quatre différents types de couples dans un diagramme, en notant sur la première ligne la couleur des yeux de la première puce et sur la première colonne celle de la deuxième puce. Chaque case indique la proportion de couples correspondants.

	vert	autre
vert	0,01	0,09
autre	0,09	0,81

La loi de probabilité de la variable aléatoire X est donc :

X	0	1	2
P	0,81	0,18	0,01

2° Nous avons ainsi :

$$E(X) = 0{,}18 \times 1 + 0{,}01 \times 2 = 0{,}2\ ;$$
$$E(X^2) = 0{,}18 \times 1 + 0{,}01 \times 4 = 0{,}22.$$

Ce qui nous donne pour la variance :

$$V(X) = E(X^2) - (E(X))^2 = 0{,}18.$$

1.14 Il faut d'abord préciser l'ensemble Ω des éventualités. Supposons que les Mistral sont pris un par un. Le premier est pris parmi 25, il y a donc 25 choix différents possibles pour le premier. Une fois le premier retiré, il reste 24 choix possibles pour le deuxième. Il y a donc 25×24 manières différentes de prendre les deux premiers Mistral. Le troisième sera pris parmi les 23 restants. Il y a donc $25 \times 24 \times 23 = 13\,800$ éventualités différentes.

Dénombrons les éventualités de l'événement $\{X = 0\}$ = « aucun Mistral gagnant » : les trois sont pris parmi les 20 autres Mistral, ce qui fait $20 \times 19 \times 18 = 6\,840$ éventualités.

Dénombrons les éventualités de l'événement $\{X = 1\}$ = « un Mistral gagnant » :

• soit le premier est un Mistral gagnant pris parmi 5, le deuxième est pris parmi 20 et le troisième parmi 19 ;

• soit le deuxième est un Mistral gagnant pris parmi 5, le premier est pris parmi 20 et le troisième parmi 19 ;

• soit le troisième est un Mistral gagnant pris parmi 5, le premier est pris parmi 20 et le deuxième parmi 19.

Il y a donc $3 \times 5 \times 20 \times 19 = 5\,700$ éventualités dans cet événement.

On dénombre l'événement $\{X = 2\}$ de la même manière ; on obtient $3 \times 5 \times 4 \times 20 = 1\,200$ éventualités.

De même, l'événement $\{X = 3\}$ a $5 \times 4 \times 3 = 60$ éventualités.

1° Nous en déduisons la loi de probabilité de la variable aléatoire X :

X	0	1	2	3
P	$\frac{57}{115}$	$\frac{19}{46}$	$\frac{2}{23}$	$\frac{1}{230}$

2° Calculons $E(X)$ et $E(X^2)$:

$$E(X) = \frac{19}{46} \times 1 + \frac{2}{23} \times 2 + \frac{1}{230} \times 3 = 0{,}6\ ;$$

$$E(X^2) = \frac{19}{46} \times 1 + \frac{2}{23} \times 4 + \frac{1}{230} \times 9 = 0{,}8.$$

Ce qui donne, pour la variance et l'écart type :

$$V(X) = E(X^2) - (E(X))^2 = 0{,}44\ ; \quad \sigma(X) = \sqrt{V(X)} = \sqrt{0{,}44} \approx 0{,}66.$$

1.15 **1°** *a*) Pour $n = 2$, il n'y a qu'une paire : $S_2 = 1$.

Pour $n = 3$, les paires possibles sont : $\{b_1, b_2\}$, $\{b_1, b_3\}$, $\{b_2, b_3\}$. Donc $S_3 = 3$.

Pour $n = 4$, les paires possibles sont : $\{b_1, b_2\}$, $\{b_1, b_3\}$, $\{b_1, b_4\}$, $\{b_2, b_3\}$, $\{b_2, b_4\}$, $\{b_3, b_4\}$. Donc $S_4 = 6$.

Considérons l'ensemble E_n des paires de deux boules prises parmi n boules. Cet ensemble est la réunion de l'ensemble E_{n-1} des paires qui ne contiennent pas la boule numéro n avec l'ensemble F_n des $n - 1$ paires qui contiennent la boule numéro n. Comme les ensembles E_{n-1} et F_n n'ont pas d'élément commun, le nombre d'éléments de E_n est la somme de ceux de E_{n-1} et F_n. Nous avons ainsi : $S_n = S_{n-1} + (n - 1)$.

b) Pour $n > 1$, $u_n = S_{n+1} - S_n = n$. La suite (u_n) est donc définie par $u_n = n$. Elle est arithmétique, de raison $r = 1$. Calculons $u_1 + u_2 + \ldots + u_{n-1}$:

$$u_1 + u_2 + \ldots + u_{n-1} = 1 + (S_3 - S_2) + (S_4 - S_3) + (S_5 - S_4) + \ldots + (S_n - S_{n-1}).$$

Les termes $S_k - S_k$ s'éliminent, il reste :

$$S_n = u_1 + u_2 + \ldots + u_{n-1} = \frac{n(n-1)}{2}.$$

(S_n est la somme des $n - 1$ premiers nombres entiers.)

2° Il y a dix boules. L'univers Ω des éventualités est constitué par les ensembles de deux boules prises parmi ces dix.

En utilisant le résultat de la première partie, on obtient le nombre de paires différentes de deux boules : $S_{10} = (10 \times 9)/2 = 45$.

a) De la même manière, on dénombre les paires de boules de la même couleur :
- il y a cinq boules rouges, donc $S_5 = (5 \times 4)/2 = 10$ paires rouges ;
- il y a trois boules bleues, donc $S_3 = 1 + 2 = 3$ paires bleues ;
- il y a deux boules vertes, donc 1 paire verte.

Ces éventualités constituent l'événement A = « les deux boules sont de la même couleur ». La probabilité de prendre deux boules de la même couleur est donc :

$$P(\mathrm{A}) = \frac{10+3+1}{45} = \frac{14}{45}.$$

b) Considérons l'événement contraire $\overline{\mathrm{B}}$ = « aucune des boules n'est rouge ». Ses éventualités sont les paires prises parmi les cinq boules qui ne sont pas rouges. Il y en a $4+3+2+1=10$.
La probabilité d'avoir au moins une boule rouge est donc :

$$P(\mathrm{B}) = 1 - P(\overline{\mathrm{B}}) = 1 - \frac{10}{45} = \frac{7}{9}.$$

c) ■ Les valeurs prises par la variable aléatoire X sont les nombres entiers compris entre 2 et 6 : $X(\Omega) = \{2, 3, 4, 5, 6\}$.

L'événement $\{X=2\}$ correspond à 1 éventualité : la paire verte.

L'événement $\{X=3\}$ correspond à 6 éventualités : les paires constituées par une des deux boules vertes et une des trois bleues. Il y en a $2 \times 3 = 6$.

L'événement $\{X=4\}$ correspond à 13 éventualités : les paires constituées par une des deux boules vertes et une des cinq rouges (il y en a $2 \times 5 = 10$) d'une part, et les paires constituées par deux boules bleues (il y en a $2+1=3$).

L'événement $\{X=5\}$ correspond à 15 éventualités : les paires constituées par une des cinq boules rouges et une des trois bleues. Il y en a $5 \times 3 = 15$.

L'événement $\{X=6\}$ correspond à 10 éventualités : les paires constituées par deux boules rouges. Il y en a $4+3+2+1=10$.

Nous en déduisons, après réduction des fractions, la loi de probabilité de la variable aléatoire X :

X	2	3	4	5	6
P	$\frac{1}{45}$	$\frac{2}{15}$	$\frac{13}{45}$	$\frac{1}{3}$	$\frac{2}{9}$

■ Calculons $E(X)$ et $E(X^2)$:

$$E(X) = \frac{1}{45} \times 2 + \frac{2}{15} \times 3 + \frac{13}{45} \times 4 + \frac{1}{3} \times 5 + \frac{2}{9} \times 6 = 4{,}6\,;$$

$$E(X^2) = \frac{1}{45} \times 4 + \frac{2}{15} \times 9 + \frac{13}{45} \times 16 + \frac{1}{3} \times 25 + \frac{2}{9} \times 36 = \frac{1\,001}{45}.$$

Nous en déduisons la variance et l'écart type :

$$V(X) = E(X^2) - (E(X))^2 = \frac{244}{225}\ ;\quad \sigma(X) = \sqrt{V(X)} = \sqrt{\frac{244}{225}} \approx 1{,}04.$$

2

SUITES NUMÉRIQUES

RÉSUMÉ DU COURS

Suites numériques $u_n = f(n)$

■ f étant une fonction numérique, les propriétés de la suite définie par $u_n = f(n)$ pour chaque entier n se déduisent de l'étude de la fonction f.

Suites croissantes, décroissantes et monotones

■ La suite $(u_n)_{n \in \mathbb{N}}$ est croissante à partir du rang n_0 si, et seulement si, pour tout entier $n \geqslant n_0$: $u_{n+1} \geqslant u_n$.

■ La suite $(u_n)_{n \in \mathbb{N}}$ est strictement croissante à partir du rang n_0 si, et seulement si, pour tout entier $n \geqslant n_0$: $u_{n+1} > u_n$.

■ La suite $(u_n)_{n \in \mathbb{N}}$ est décroissante à partir du rang n_0 si, et seulement si, pour tout entier $n \geqslant n_0$: $u_{n+1} \leqslant u_n$.

■ La suite $(u_n)_{n \in \mathbb{N}}$ est strictement décroissante à partir du rang n_0 si, et seulement si, pour tout entier $n \geqslant n_0$: $u_{n+1} < u_n$.

■ Une suite monotone est une suite soit croissante, soit décroissante.

■ Si la fonction f est une fonction croissante sur $[0, +\infty[$, alors la suite définie par $u_n = f(n)$ est croissante.

Limites des suites de terme général n^2, n^3, $\sqrt{n}$

$$\lim_{n \to +\infty} n^2 = +\infty, \qquad \lim_{n \to +\infty} n^3 = +\infty, \qquad \lim_{n \to +\infty} \sqrt{n} = +\infty$$

Limites des suites de terme général $\frac{1}{n}$, $\frac{1}{n^2}$, $\frac{1}{n^3}$, $\frac{1}{\sqrt{n}}$

$$\lim_{n \to +\infty} \frac{1}{n} = 0, \qquad \lim_{n \to +\infty} \frac{1}{n^2} = 0, \qquad \lim_{n \to +\infty} \frac{1}{n^3} = 0, \qquad \lim_{n \to +\infty} \frac{1}{\sqrt{n}} = 0$$

Limites des suites de terme général $u_n = f(n)$

■ Si la fonction f admet ℓ comme limite en $+\infty$, alors la suite de terme général $u_n = f(n)$ admet ℓ pour limite lorsque n tend vers $+\infty$ (on dit aussi que (u_n) converge vers ℓ).

Suites arithmétiques

■ (u_n) est une suite arithmétique de premier terme u_0 et de raison r si, et seulement si, pour tout entier n :

$$u_{n+1} = u_n + r$$

■ Dans ce cas :

$$u_n = u_0 + nr$$

$$u_0 + u_1 + \ldots + u_n = \frac{(n+1)(u_0 + u_n)}{2} = \frac{(n+1)(2u_0 + nr)}{2}$$

Suites géométriques

■ (u_n) est une suite géométrique de premier terme u_0 et de raison q si, et seulement si, pour tout entier n :

$$u_{n+1} = u_n q$$

■ Dans ce cas :

$$u_n = u_0 q^n$$

$$u_0 + u_1 + \ldots + u_n = u_0 \frac{1-q^{n+1}}{1-q} \quad (\text{si } q \neq 1)$$

■ **Limites :**

si $|q| < 1$, $\lim_{n \to +\infty} q^n = 0$

si $q > 1$, $\lim_{n \to +\infty} q^n = +\infty$

si $q = 1$, $\lim_{n \to +\infty} q^n = 1$

DES EXERCICES ■

2.1 Une boîte d'allumettes coûtait 10 centimes en 1960 et 1 franc en 1994. À quel taux fixe aurait-il fallu placer 10 centimes le 1er avril 1960 pour pouvoir acheter une boîte d'allumettes le 1er avril 1994 ? (À intérêts composés).

2.2 Gargantua naquit avec deux pieds, un gauche et un droit, mesurant chacun vingt pouces. Chaque année, ses pieds s'allongeaient de 12,5 %. À quel âge ses gros orteils ont-ils atteint le fond de ses bottes profondes de cinquante pouces ?

2.3 On considère la fonction numérique f définie sur $]0, +\infty[$ par :

$$f(x) = x \ln\left(1 + \frac{1}{x}\right).$$

1° Calculer $f'(x)$ et $f''(x)$. Calculer $\lim_{x \to +\infty} f'(x)$. Montrer, en étudiant les variations, puis le signe de f', que la suite de terme général $u_n = f(n)$ est croissante à partir d'un terme u_k que l'on précisera.

2° En posant $t = \frac{1}{x}$, déterminer la limite de f en $+\infty$. En déduire la limite de la suite (u_n).

3° On définit la fonction g par $g(x) = \exp(f(x))$ et la suite de terme général $v_n = g(n)$.
Déterminer la limite de g en $+\infty$. En déduire la limite de la suite (v_n).

2.4 Un remorqueur de Camaret doit tirer un morceau de banquise du pôle Nord pendant quatre-vingt-dix jours pour alimenter en glaçons un émir du golf Persique. L'iceberg perd 15 % de sa masse par jour en fondant (de minuit à minuit).

1° Quel doit être la masse initiale de l'iceberg pour obtenir 1 kilogramme de glaçons à l'arrivée ?

2° Le remorqueur consomme, par jour, 200 litres de carburant pour lui-même, auxquels il faut ajouter 1 litre par tonne de glace (à minuit).
Calculer la consommation du remorqueur pendant son périple.

2.5 L'escalope de veau anémié qui cuit dans la poêle rétrécit comme une peau de chagrin. Chaque seconde, elle perd 5 % de sa masse par évaporation. Combien de secondes doit-on la laisser cuire pour qu'elle soit réduite à moins de 10 % de sa masse initiale ?

♦ **2.6** Pour construire une pyramide avec des pavés de la rue Gay-Lussac, on commence par disposer un premier carré de :

$$p \times p \text{ pavés.}$$

Sur cette base, on place un deuxième carré de :

$$(p-1) \times (p-1) \text{ pavés.}$$

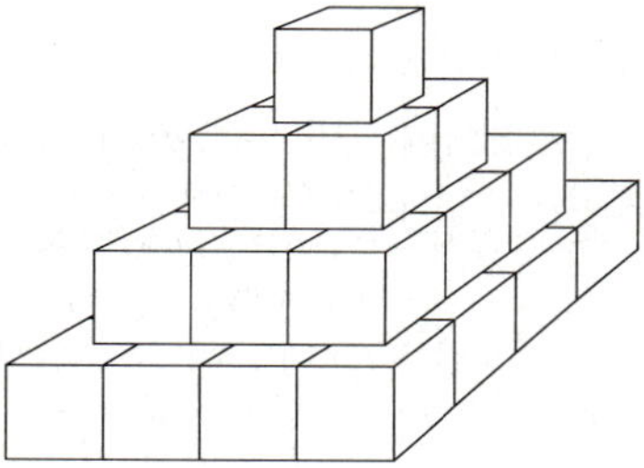

On procède de même pour chaque niveau, jusqu'au sommet constitué d'un seul pavé. On note u_k le nombre de pavés apparents de la k*-ième* couche, en numérotant les couches à partir du sommet.

1° Montrer que la suite (u_n) est une suite arithmétique pour $n > 1$.

2° Calculer le nombre total de pavés apparents sur la pyramide en fonction de p.

3° On considère la suite (v_n) définie par $v_n = \dfrac{n(n+1)(2n+1)}{6}$

et la suite (w_n) définie par $w_n = v_n - v_{n-1}$.

- Exprimer w_n en fonction de n.
- Calculer $w_1 + w_2 + w_3 + \ldots + w_n$ en fonction de v_n.
- Calculer le nombre total de pavés.

♦ **2.7** Guillaume a une provision de n pommes de masses différentes pour l'hiver. À chaque repas, il sélectionne la plus grosse par comparaison : il pose les deux premières sur chacun des plateaux de sa balance, puis échange la plus légère avec la suivante et répète l'opération jusqu'à la dernière pomme.

1° Combien de comparaisons doit-il faire pour sélectionner la pomme du k*-ième* repas $(k < n)$?

2° Combien de comparaisons aura-t-il faites lorsqu'il mangera la dernière pomme ?

2.8 Chaque fois que Pinocchio ment, son nez s'allonge. On note u_n la longueur, en pieds, du nez de Pinocchio après le *n-ième* mensonge. La suite (u_n) est définie pour tout entier n par la relation $u_n = f(n)$, où f est la fonction numérique définie sur $]0, +\infty[$ par :

$$f(x) = 1 + \frac{e^{x+1} - e^{1-x}}{e^x + e^{-x}}.$$

1° Montrer que la suite (u_n) est croissante.

2° Montrer que la suite (u_n) est convergente.
Calculer sa limite.

2.9 Les tailles des bâtons de ski vont de 5 cm en 5 cm. La plus petite taille correspond à des bâtons de 60 cm.

1° Calculer la longueur obtenue en plaçant bout à bout un bâton de chaque taille, sachant qu'il y a n tailles différentes.

2° Déterminer le nombre de tailles de bâtons, sachant que la longueur obtenue est 1 170 cm.

♦ **2.10** Un photographe dispose, pour l'objectif de son Leica, de trois types de filtres : les filtres A qui absorbent 5 % de la lumière qui les traversent, les filtres B qui en absorbent 4 % et les filtres C qui en absorbent 30 %.

1° Combien faut-il superposer de filtres A, d'une part, et de filtres B, d'autre part, pour obtenir deux combinaisons de filtres absorbant la même proportion de lumière ?

2° Son posemètre lui indique une ouverture de $f/11$, pour un temps d'exposition de $1/125$. Pour obtenir la photo qu'il veut, il doit ouvrir son objectif à $f/5{,}6$ sans changer la vitesse de l'obturateur, ce qui quadruple la quantité de lumière devant impressionner la pellicule. Combien de filtres de type C doit-il placer devant son objectif pour obtenir la bonne exposition ?

2.11 On considère la suite de terme général $u_n = \sqrt{n+1} - \sqrt{n}$ et la fonction numérique f définie sur $[0, +\infty[$ par :

$$f(x) = \frac{1}{\sqrt{x+1} + \sqrt{x}}.$$

1° Montrer que pour tout entier n, on a : $u_n = f(n)$.

2° Montrer que la fonction $x \mapsto \sqrt{x+a}$ définie sur $[-a, +\infty[$ est strictement croissante.

3° Étudier les variations de f. En déduire que la suite (u_n) est une suite décroissante convergente. Préciser sa limite.

4° Tracer la courbe (C) représentative de f dans un repère orthogonal, puis représenter sur cette courbe les points correspondant aux dix premiers termes de la suite (u_n).

2.12 On considère une suite (u_n) qui vérifie, pour tout entier n, la relation suivante :

$$\frac{u_{n+1} - u_n}{u_{n+1} + u_n} = 2.$$

1° Montrer que la suite (u_n) est une suite géométrique. Préciser sa raison.

2° Exprimer, en fonction de u_0 et de n, la somme $u_0 + u_1 + \ldots + u_n$.

♦ **2.13** Alphonse, Barnabé et Casimir ont été embauchés dans une société le 1er janvier 1985, avec des contrats différents :

1° Alphonse est embauché avec un salaire mensuel de 7 000 F et ce salaire mensuel est majoré de 6 % le 1er janvier de chaque année.

a) Quel sera le salaire mensuel d'Alphonse au cours de l'année 1985 + n, où n est un entier positif.

b) Déterminer le montant total $S_A(n)$ des rémunérations perçues par Alphonse entre le 1er janvier 1985 et le 31 décembre 1985 + n.

2° Barnabé est embauché avec un salaire mensuel de 6 500 F et ce salaire mensuel est majoré de 800 F le 1er janvier de chaque année.
Déterminer le montant total $S_B(n)$ des rémunérations perçues par Barnabé entre le 1er janvier 1985 et le 31 décembre 1985 + n.

3° Casimir perçoit un salaire annuel fixe de 70 000 F, mais reçoit en outre une prime annuelle, versée en décembre, qui double chaque année. La première prime, en décembre 1985, est fixée à 2 000 F.
Déterminer le montant total $S_C(n)$ des rémunérations perçues par Casimir entre le 1er janvier 1985 et le 31 décembre 1985 + n.

4° Quel est le montant total des rémunérations perçues par ces trois personnes entre le 1er janvier 1985 et le 31 décembre 1994 ?

5° En quelle année Alphonse et Barnabé auront-ils atteint un salaire mensuel supérieur au double de leur salaire d'embauche ?

♦ **2.14** On considère la suite numérique (u_n) définie par :

$$v_0 = 1, \quad 5\,v_{n+1} = v_n + 8.$$

1° Calculer v_1, v_2, v_3, v_4 et v_5.

2° On pose $u_n = v_n - 2$. Calculer $\dfrac{u_n + 1}{u_n}$. Que peut-on en déduire ?

3° Exprimer u_n, puis v_n en fonction de n.

4° Donner une valeur approchée à 10^{-4} près de $\sum_{i=1}^{i=10} v_i$.

5° Montrer que la suite (v_n) est convergente et préciser sa limite.

DES EXERCICES

2.1 Notons $t\,\%$ le taux fixe et u_0 le capital placé en 1960. Chaque année, le capital augmente de $t\,\%$, ce que l'on traduit, en notant u_n le capital en $1960 + n$, par la relation :

$$u_{n+1} = u_n + \frac{t}{100}\,u_n = \frac{100+t}{100}\,u_n.$$

La suite (u_n) est donc une suite géométrique de raison $q = \dfrac{100+t}{100}$ et de terme initial $u_0 = 10$. Le 1er avril 1994, le capital est égal à u_{34}. Comme $u_n = q^n u_0$, on a $u_{34} = q^{34} u_0$, donc $100 = 10q^{34}$. On en tire $q = 10^{\frac{1}{34}} \approx 1{,}07$, ce qui donne $t \approx 7$.

2.2 Notons u_n la longueur de 1 pied à la fin de la n-*ième* année.
On a $u_{n+1} = u_n + 0{,}125\,u_n = 1{,}125\,u_n$. La suite (u_n) est donc une suite géométrique de raison $q = 1{,}125$ et de terme initial $u_0 = 20$.
Il s'agit de déterminer l'entier k tel que $u_k \leqslant 50 < u_{k+1}$.
Comme $u_n = u_0 q^n = 20 \times (1{,}125)^n$, on peut écrire :

$$20 \times (1{,}125)^k \leqslant 50 < 20 \times (1{,}125)^{k+1}.$$

Cherchons le nombre réel x tel que $20 \times (1{,}125)^x = 50$, ce qui donne :

$$\mathrm{e}^{x \ln 1{,}125} = 2{,}5, \text{ soit } x = \frac{\ln 2{,}5}{\ln 1{,}125} \approx 7{,}78.$$

La fonction $x \mapsto 20 \times (1{,}125)^x$ étant strictement croissante et k étant un nombre entier, on a :

$$k < 7{,}78 < k+1, \quad \text{soit} \quad k = 7.$$

Les orteils de Gargantua atteindront le fond de ses bottes lorsqu'il aura plus de sept ans.

2.3 1° La fonction f est de la forme uv, on a donc $f' = u'v + uv'$:

$$f'(x) = \ln\left(1 + \frac{1}{x}\right) + x\left(\frac{\dfrac{-1}{x^2}}{1 + \dfrac{1}{x}}\right) = \ln\left(1 + \frac{1}{x}\right) - \frac{1}{x+1}.$$

Dérivons f' pour étudier ses variations :

$$f''(x) = \left(\frac{\dfrac{-1}{x^2}}{1 + \dfrac{1}{x}}\right) + \frac{1}{(x+1)^2} = \frac{-1}{x(x+1)} + \frac{1}{(x+1)^2} = \frac{-1}{x(x+1)^2}.$$

$f''(x) < 0$ pour tout réel x de $]0, +\infty[$, la fonction f' est donc strictement décroissante.

De plus, comme $\lim\limits_{x \to +\infty} \ln\left(1 + \frac{1}{x}\right) = \ln 1 = 0$ et $\lim\limits_{x \to +\infty} \frac{1}{x+1} = 0$,

on a :
$$\lim_{x \to +\infty} f'(x) = 0.$$

■ Tableau de variation :

La fonction f' est décroissante et tend vers zéro en $+\infty$, elle est donc strictement positive sur $]0, +\infty[$.
On en déduit que la fonction f est strictement croissante sur $]0, +\infty[$.
La fonction f étant croissante, la suite (u_n) définie à partir de $n = 1$ est croissante à partir du terme u_1.

x	0	$+\infty$
$f''(x)$	‖	$-$
$f'(x)$	‖	↘ 0
$f'(x)$	‖	$+$
$f(x)$	‖	↗

2° Posons $t = \frac{1}{x}$, on a : $\lim\limits_{x \to +\infty} f(x) = \lim\limits_{x \to +\infty} x \ln\left(1 + \frac{1}{x}\right) = \lim\limits_{t \to 0} \frac{\ln(1+t)}{t} = 1.$

La fonction f et la suite $u_n = f(n)$ ont la même limite en $+\infty$, donc :
$$\lim_{x \to +\infty} u_n = 1.$$

3° $g(x) = \exp(f(x))$. Comme $\lim\limits_{x \to +\infty} f(x) = 1$, $\lim\limits_{x \to +\infty} g(x) = \exp(1) = \mathrm{e}.$

La fonction g et la suite $v_n = g(n)$ ont la même limite en $+\infty$, donc :
$$\lim_{n \to +\infty} v_n = \mathrm{e}.$$

2.4 1° Notons u_n la masse de l'iceberg le *n-ième* jour à minuit.
On a $u_{n+1} = u_n - 0{,}15\,u_n = 0{,}85\,u_n$. La suite (u_n) est donc une suite géométrique de raison $q = 0{,}85$ et de terme u_{90} égal à 1.
Il s'agit de déterminer u_0.
Comme $u_n = u_0\, q^n$, on a $u_{90} = (0{,}85)^{90}\, u_0 = 1$, soit :
$$u_0 = \frac{1}{(0{,}85)^{90}} \approx 2{,}25 \,.\, 10^6.$$

Il faut donc prendre un iceberg d'au moins $2{,}25 \,.\, 10^3$ tonnes.

2° La consommation du remorqueur est :
$$c = 200 \times 90 + (u_1 + u_2 + \ldots u_{90}) \,.\, 10^{-3} = 200 \times 90 + u_1 \frac{1 - q^{90}}{1 - q} \,.\, 10^{-3}.$$

Ce qui donne : $c \approx 12\,750 + 18\,000 \approx 30\,740$ litres.

2.5 Notons u_n la masse de l'escalope au bout de n secondes de cuisson. On a $u_{n+1} = u_n - 0{,}05u_n = 0{,}95u_n$. La suite (u_n) est donc une suite géométrique, de raison $q = 0{,}95$ et dont le terme initial u_0 représente la masse de l'escalope avant cuisson.

On doit donc déterminer le plus petit entier n tel que $u_n \leqslant 0{,}1\, u_0$.

On a $u_n = u_0\, q^n$, donc $u_0\, q^n \leqslant 0{,}1\, u_0 < u_0\, q^{n-1}$, soit :

$$(0{,}95)^n \leqslant 0{,}1 < (0{,}95)^{n-1}.$$

Cherchons le réel x tel que $(0{,}95)^x = 0{,}1$:

$$(0{,}95)^x = \mathrm{e}^{x \ln 0{,}95} = 0{,}1 \quad \text{si, et seulement si,} \quad x = \frac{\ln 0{,}1}{\ln 0{,}95}.$$

On obtient $x \approx 44{,}89$.

La fonction $x \mapsto (0{,}95)^x$ étant strictement décroissante (car $0 < 0{,}95 < 1$), on a :

$$n - 1 < x \leqslant n, \quad \text{soit} \quad n = 45.$$

Il faut donc 45 secondes pour que l'escalope soit réduite à moins de 10 % de sa masse initiale.

2.6 **1°** Il y a un pavé au sommet, donc $u_1 = 1$.

La deuxième couche est un carré de quatre pavés tous visibles donc $u_2 = 4$.

Pour un carré de $k \times k$ pavés, il y a $4(k-1)$ pavés visibles, si $p \geqslant k \geqslant 2$.

On a ainsi, pour $p \geqslant k \geqslant 2$, $u_k = 4(k-1)$, donc $u_{k+1} = 4k = u_k + 4$.

La suite (u_n) est donc une suite arithmétique de raison 4, à partir de $n = 2$.

2° Le nombre A de pavés apparents est donc $u_1 + u_2 + \ldots + u_p$.

$$A = 1 + \frac{(p-1)(u_2 + u_p)}{2} = 1 + \frac{(p-1)[4 + 4(p-1)]}{2}$$
$$= 1 + 2p(p-1) = 2p^2 - 2p + 1.$$

3° ■ $w_n = v_n - v_{n-1} = \dfrac{n(n+1)(2n+1)}{6} - \dfrac{(n-1)n\,[2(n-1)+1]}{6}$

$$= \frac{n[(n+1)(2n+1) - (n-1)(2n-1)]}{6} = n^2.$$

■ $w_1 + w_2 + w_3 + \ldots + w_n = (v_1 - v_0) + (v_2 - v_1) + (v_3 - v_2) + \ldots$

$\ldots + (v_{n-1} - v_{n-2}) + (v_n - v_{n-1}) = v_n - v_0.$

Comme $w_1 + w_2 + w_3 + \ldots + w_n = 1^2 + 2^2 + 3^2 + \ldots + n^2$ et $v_0 = 0$, on déduit :

$$v_n = \frac{n(n+1)(2n+1)}{6} = 1^2 + 2^2 + 3^2 + \ldots + n^2.$$

■ La *k-ième* couche est constituée de k^2 pavés.
Le nombre total B de pavés est donc :

$$B = 1^2 + 2^2 + 3^2 + \ldots + p^2 = v_p = \frac{p(p+1)(2p+1)}{6}.$$

2.7 1° Avant le *k-ième* repas, il reste $n - k + 1$ pommes à manger. Il doit donc faire $n - k$ comparaisons pour sélectionner la plus grosse.

2° Notons u_k le nombre de comparaisons faites juste avant le *k-ième* repas. $u_k = n - k$, donc $u_{k+1} = n - k - 1 = u_k - 1$. La suite (u_n) est une suite arithmétique de raison $r = -1$ et de terme initial $u_1 = n - 1$.

Lorsqu'il mangera la dernière pomme, il aura fait $c = u_1 + u_2 + \ldots + u_{n-1}$ comparaisons (pour la dernière, il n'y a pas de comparaison à faire), c'est-à-dire :

$$c = \frac{(n-1)(u_1 + u_{n-1})}{2} = \frac{(n-1)(n-1+1)}{2} = \frac{n(n-1)}{2}.$$

2.8 1° Pour montrer que la suite (u_n) est croissante, il suffit de montrer que la fonction f est croissante sur $[0, +\infty[$.
On peut écrire, pour tout réel x :

$$f(x) = 1 + \frac{e^{x+1} - e^{1-x}}{e^x + e^{-x}} = 1 + e\frac{(e^x - e^{-x})}{(e^x + e^{-x})}.$$

Dérivons f :

$$f'(x) = e\left(\frac{(e^x + e^{-x})^2 - (e^x - e^{-x})^2}{(e^x + e^{-x})^2}\right) = e\left(\frac{4e^x e^{-x}}{(e^x + e^{-x})^2}\right) = \frac{4e}{(e^x + e^{-x})^2}.$$

Donc, pour tout réel x, $f'(x) > 0$, la fonction f est strictement croissante et par conséquent la suite (u_n) est croissante.

2° Pour montrer que la suite (u_n) est convergente, il suffit de montrer que la fonction f admet une limite en $+\infty$.

Comme $\lim\limits_{x \to +\infty} \frac{e^x - e^{-x}}{e^x + e^{-x}} = \lim\limits_{x \to +\infty} \frac{e^x}{e^x} = 1$, on a $\lim\limits_{x \to +\infty} f(x) = 1 + e$, et ainsi la suite (u_n) est convergente et sa limite est $\lim\limits_{n \to +\infty} u_n = 1 + e$.

2.9 1° Notons u_n la longueur du bâton de la *n-ième* taille.
On a : $u_1 = 60$, $u_2 = 65$ et $u_{n+1} = u_n + 5$.
La suite (u_n) est donc une suite arithmétique de raison $r = 5$ et de terme initial $u_1 = 60$.

La longueur L obtenue en plaçant bout à bout un bâton de chaque taille est donc :

$$L = u_1 + u_2 + \dots + u_n = \frac{n(u_1 + u_n)}{2} = \frac{n[60 + 60 + 5(n-1)]}{2}$$

$$= 60n + \frac{5n(n-1)}{2} = \frac{5n^2 + 115n}{2}.$$

2° Si $L = 1\,170$, le nombre n de tailles vérifie l'équation :

$$5n^2 + 115n = 2 \times 1\,170 ;$$

c'est-à-dire : $5n^2 + 115n - 2\,340 = 0$;

soit : $n^2 + 23n - 468 = 0$;

on a : $\Delta = 23^2 + 4 \times 468 = 2\,401 = 49^2$; $n' = -36$ et $n'' = 13$.

Le nombre de tailles, étant un entier positif, est donc égal à 13.

2.10 **1°** Notons u_n la quantité de lumière qui traverse le *n-ième* filtre A et v_p la quantité de lumière qui traverse le *p-ième* filtre B.

Notons $u_0 = v_0$ la quantité de lumière arrivant sur les premiers filtres.

On a :

- $u_n + 1 = u_n - 0{,}05u_n = 0{,}95u_n$; la suite (u_n) est géométrique, de raison $q = 0{,}95$ et de terme initial u_0. Par conséquent $u_n = u_0(0{,}95)^n$.
- $v_p + 1 = v_p - 0{,}04v_p = 0{,}96v_p$; la suite (v_p) est géométrique, de raison $q = 0{,}96$ et de terme initial $v_0 = u_0$. Donc $v_p = u_0(0{,}96)p$.

On obtient deux combinaisons respectives de n filtres A et de p filtres B absorbant la même proportion de lumière lorsque $u_n = v_p$, donc :

$$(0{,}95)^n = (0{,}96)^p.$$

En prenant le logarithme népérien de chaque membre de l'égalité, on obtient :

$$n \ln 0{,}95 = p \ln 0{,}96, \quad \text{soit} \quad \frac{n}{p} = \frac{\ln 0{,}96}{\ln 0{,}95} \approx 0{,}8.$$

Cette condition est à peu près remplie avec les combinaisons minimales de quatre filtres A et cinq filtres B.

2° Notons w_n la quantité de lumière qui traverse le *n-ième* filtre C.
La suite (w_n) est géométrique, de raison 0,70 et de premier terme w_0.

Il faut résoudre $w_n = \frac{w_0}{4}$; ce qui donne :

$$(0{,}70)^n = 0{,}25, \quad \text{soit} \quad n = \frac{\ln 0{,}25}{\ln 0{,}7} \approx 3{,}89.$$

En plaçant quatre filtres C devant son objectif, le photographe obtiendra une exposition satisfaisante.

2.11 1° En multipliant le numérateur et le dénominateur de $f(x)$ par la quantité conjuguée $\sqrt{x+1}-\sqrt{x}$ du dénominateur, on obtient :

$$f(x)=\frac{1}{\sqrt{x+1}+\sqrt{x}}=\frac{\sqrt{x+1}-\sqrt{x}}{x+1-x}=\sqrt{x+1}-\sqrt{x}.$$

Par conséquent, pour tout entier n, on a $u_n=f(n)$.

2° Si $-a\leqslant x_1<x_2$, alors $0\leqslant x_1+a<x_2+a$.
Les nombres positifs sont dans le même ordre que leur racine carré :
si $-a\leqslant x_1<x_2$, alors $0\leqslant x_1+a<x_2+a$, donc $\sqrt{x_1+a}<\sqrt{x_2+a}$.
La fonction $x\mapsto\sqrt{x+a}$ définie sur $[-a,+\infty[$ est strictement croissante.
On en déduit que la fonction $x\mapsto\sqrt{x+1}+\sqrt{x}$ qui est la somme de deux fonctions de ce type est strictement croissante et positive sur $[0,+\infty[$. Donc la fonction inverse, f, est strictement décroissante et positive sur $[0,+\infty[$.
De plus, comme $\lim\limits_{x\to+\infty}\sqrt{x+1}+\sqrt{x}=+\infty$, on a $\lim\limits_{x\to+\infty}f(x)=0$.

3° La fonction f étant strictement décroissante, de limite 0 en $+\infty$, la suite (u_n) est une suite décroissante, convergente et de limite 0.

4° Courbe (C) représentative de f.

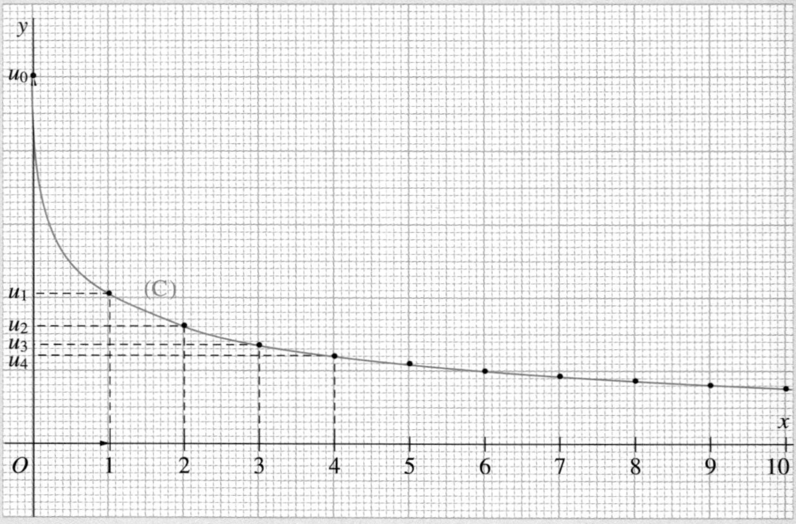

2.12 1° Si $\dfrac{u_{n+1}-u_n}{u_{n+1}+u_n}=2$, on peut écrire :

$$u_{n+1}-u_n=2(u_{n+1}+u_n),\ \text{soit}\ u_{n+1}=-3u_n.$$

La suite u_n est donc une suite géométrique, de raison $q=-3$.

Comme $u_{n+1}+u_n \neq 0$, les termes de la suite ne peuvent pas êtres tous nuls, le terme initial u_0 est donc différent de 0.

2° $u_0+u_1+\ldots+u_n=u_0\left(\dfrac{1-q^{n+1}}{1-q}\right)=u_0\left(\dfrac{1-(-3)^{n+1}}{4}\right).$

2.13 **1°** *a*) Notons a_n le salaire mensuel d'Alphonse au cours de l'année $1985+n$.

On a $a_{n+1}=a_n+0{,}06a_n=1{,}06a_n$. La suite (a_n) est une suite géométrique de raison 1,06 et de terme initial $a_0=7\,000$.

Donc : $a_n=7\,000\times(1{,}06)^n$.

b) $S_A(n)=12(a_0+a_1+\ldots+a_n)$

$$=12\times 7\,000\ \frac{1-(1{,}06)^{n+1}}{1-1{,}06}=1\,400\,000[(1{,}06)^{n+1}-1].$$

2° Notons b_n le salaire mensuel de Barnabé au cours de l'année $1985+n$.
On a $b_{n+1}=b_n+800$. La suite (b_n) est une suite arithmétique, de raison 800 et de terme initial $b_0=6\,500$.

Donc : $b_n=6\,500+800n$.

$$\begin{aligned}S_B(n)&=12(b_0+b_1+\ldots+b_n)\\&=\frac{12(n+1)(b_0+b_n)}{2}\\&=\frac{12(n+1)(13\,000+800n)}{2}=12(n+1)(6\,500+400n).\end{aligned}$$

3° Notons c_n le salaire annuel de Casimir et p_n la prime de décembre au cours de l'année $1985+n$.

On a $p_{n+1}=2p_n$ et $c_n=70\,000+p_n$. La suite (p_n) est une suite géométrique, de raison 2 et de terme initial $p_0=2\,000$.

Donc : $c_n=70\,000+2^n\times 2\,000$.

$$\begin{aligned}S_C(n)&=c_0+c_1+\ldots+c_n=70\,000(n+1)+2\,000\ \frac{1-2^{n+1}}{1-2}\\&=70\,000(n+1)+2\,000(2^{n+1}-1).\end{aligned}$$

4° ■ $S_A(9)=1\,400\,000[(1{,}06)^{10}-1]\approx 1\,107\,186{,}77$;

■ $S_B(9)=12\times 10\times(6\,500+400\times 9)=1\,212\,000$;

■ $S_C(9)=70\,000\times 10+2\,000\,(2^{10}-1)=2\,746\,000$.

5° ■ Pour Alphonse, on cherche la plus petite valeur de n telle que $a_n\geqslant 2a_0$.
Comme $a_n=a_0\times(1{,}06)^n$, on obtient : $(1{,}06)^n\geqslant 2$.

Résolvons, dans $\mathbb{R}$, $(1{,}06)^x = 2$, on obtient : $x = \dfrac{\ln 2}{\ln 1{,}06} \approx 11{,}9$; ce qui donne $n = 12$, en prenant le nombre entier qui suit x, c'est-à-dire en 1997.

■ Pour Barnabé, on cherche la plus petite valeur de n telle que $b_n \geqslant 2b_0$. Comme $b_n = b_0 + 800n$, on obtient : $800n \geqslant 6\,500$.

En résolvant, dans $\mathbb{R}$, l'équation $800x = 6\,500$, on obtient : $x = 8{,}125$; ce qui donne $n = 9$, c'est-à-dire en 1994.

2.14 **1°** $v_1 = \dfrac{1}{5}(1+8) = \dfrac{9}{5}$; $\quad v_2 = \dfrac{1}{5}\left(\dfrac{9}{5} + 8\right) = \dfrac{49}{25}$;

$$v_3 = \frac{1}{5}\left(\frac{49}{25} + 8\right) = \frac{249}{125}\,; \qquad v_4 = \frac{1}{5}\left(\frac{249}{125} + 8\right) = \frac{1\,249}{625}\,;$$

$$v_5 = \frac{1}{5}\left(\frac{1\,249}{625} + 8\right) = \frac{6\,249}{3\,125}.$$

2° $$\frac{u_{n+1}}{u_n} = \frac{v_{n+1} - 2}{v_n - 2} = \frac{\dfrac{v_n + 8}{5} - 2}{v_n - 2} = \frac{\dfrac{(v_n + 8 - 10)}{5}}{v_n - 2} = \frac{v_n - 2}{5(v_n - 2)} = \frac{1}{5}.$$

La suite (u_n) est donc une suite géométrique de raison $\dfrac{1}{5}$ et de terme initial $u_0 = -1$.

3° On a donc :

$$u_n = -\left(\frac{1}{5}\right)^n \quad \text{et} \quad v_n = u_n + 2 = 2 - \left(\frac{1}{5}\right)^n.$$

4° $$\sum_{i=1}^{i=10} v_i = 10 \times 2 + \sum_{i=1}^{i=10} u_i = 20 - \frac{1}{5}\,\frac{1 - \left(\dfrac{1}{5}\right)^{10}}{1 - \dfrac{1}{5}}$$

$$= 20 - 0{,}25\left[1 - (0{,}2)^{10}\right] \approx 19{,}750\,0.$$

5° Comme $\lim\limits_{n \to \infty} \left(\dfrac{1}{5}\right)^n = 0$, la suite (v_n) est convergente et sa limite est égale à 2.

3

FONCTIONS NUMÉRIQUES

RÉSUMÉ DU COURS

Parité

■ f est paire si, et seulement si, pour tout réel x de l'ensemble de définition D_f, $-x$ est dans D_f et $f(-x)=f(x)$. Dans ce cas, la courbe représentative de f est symétrique par rapport à la droite $x=0$ (l'axe Oy), dans un repère orthogonal.

■ f est impaire si, et seulement si, pour tout réel x de l'ensemble de définition D_f, $-x$ est dans D_f et $f(-x)=-f(x)$. Dans ce cas, la courbe représentative de f est symétrique par rapport à l'origine du repère.

Limites

■ $\lim\limits_{x \to a} f(x)=b$ si, et seulement si, $\lim\limits_{h \to 0} [f(a+h)-b]=0$.

■ Pour tout entier $n>0$, $\lim\limits_{x \to +\infty} x^n=+\infty$, $\lim\limits_{x \to +\infty} \sqrt{x}=+\infty$.

■ Lorsque $\lim\limits_{x \to +\infty} f(x)=b$, la droite $y=b$ est asymptote horizontale en $+\infty$ à la courbe $y=f(x)$.

■ Lorsque $\lim\limits_{x \to -\infty} f(x)=b$, la droite $y=b$ est asymptote horizontale en $-\infty$ à la courbe $y=f(x)$.

■ Pour tout entier $n > 0$, $\lim\limits_{x \to +\infty} \dfrac{1}{x^n} = 0$, $\lim\limits_{x \to +\infty} \dfrac{1}{\sqrt{x}} = 0$.

■ Lorsque $\lim\limits_{x \to a} f(x) = +\infty$, la droite $x = a$ est asymptote à la courbe $y = f(x)$.

■ Lorsque $\lim\limits_{x \to a} f(x) = -\infty$, la droite $x = a$ est asymptote à la courbe $y = f(x)$.

■ Si $\lim\limits_{x \to a} f(x) = 0$ et si $f(x) > 0$ dans un intervalle contenant a, alors :

$$\lim_{x \to a} \frac{1}{f(x)} = +\infty.$$

■ Si, pour tout x de $[A, +\infty[$, $f(x) \leqslant g(x)$ et si $\lim\limits_{x \to +\infty} f(x) = +\infty$, alors :

$$\lim_{x \to +\infty} g(x) = +\infty.$$

■ Si $\lim\limits_{x \to a} f(x) = b$ et si $\lim\limits_{y \to b} g(y) = \ell$, alors :

$$\lim_{x \to a} (g \circ f)(x) = \lim_{x \to a} g[f(x)] = \ell \quad (a,\ b \text{ et } \ell \text{ pouvant être infinis}).$$

Asymptote

■ La droite d'équation $y = ax + b$ est asymptote à la courbe $y = f(x)$ en $+\infty$ (respectivement en $-\infty$) si, et seulement si, il existe une fonction ε telle que, pour tout x dans D_f:

$$f(x) = ax + b + \varepsilon(x) \quad \text{et} \quad \lim_{x \to +\infty} \varepsilon(x) = 0 \quad \left(\text{respectivement } \lim_{x \to -\infty} \varepsilon(x) = 0\right).$$

■ Le signe de $\varepsilon(x)$ donne la position de la courbe $y = f(x)$ par rapport à l'asymptote : si $\varepsilon(x) > 0$, la courbe est au-dessus, si $\varepsilon(x) < 0$, la courbe est au-dessous.

Dérivée

■ Une fonction f définie sur un intervalle $I =]a, b[$ contenant x_0 est dérivable en x_0 s'il existe un réel A et une fonction ε telle que :

$$f(x_0 + h) = f(x_0) + Ah + h\varepsilon(h), \quad \text{avec} \quad \lim_{h \to 0} \varepsilon(h) = 0.$$

On note alors $A = f'(x_0)$.

■ f est dérivable en x_0 si, et seulement si, le taux d'accroissement $\dfrac{f(x_0 + h) - f(x_0)}{h}$ admet une limite finie lorsque h tend vers 0. Cette limite est alors la dérivée de f en x_0.

■ Si f est dérivable en x_0, la tangente en $M_0(x_0, f(x_0))$ à la courbe d'équation $y = f(x)$ a pour coefficient directeur $f'(x_0)$ et pour équation :

$$y - f(x_0) = f'(x_0)(x - x_0).$$

■ Si f admet un nombre dérivé en tout point de l'intervalle $I =]a, b[$, on dit que f est dérivable sur I et sa fonction dérivée f' est la fonction qui associe à tout réel x de I le nombre dérivé $f'(x)$:

$$f' : x \mapsto f'(x).$$

■ Soit f une fonction dérivable sur $I =]a, b[$.
- Si f' est positive sur I, f est croissante sur I.
- Si f' est nulle sur I, f est constante sur I.
- Si f' est négative sur I, f est décroissante sur I.

■ • Si f est dérivable sur $I =]a, b[$, et s'il existe deux réels x_0 et x_1 de I tels que $f(x_0) < 0$ et $f(x_1) > 0$, alors il existe au moins un réel c de I compris entre x_0 et x_1 tel que $f(c) = 0$.
- Si f' est de signe constant entre x_0 et x_1, alors ce nombre c est unique.

■ Si f est dérivable sur un intervalle I et admet un minimum local ou un maximum local pour un réel x_0 différent des bornes de I, alors $f'(x_0) = 0$. Cette condition n'est pas suffisante.

■ Soit f une fonction dérivable sur un intervalle I. Si $f'(x_0) = 0$ pour tout réel x_0 et si f' change de signe en x_0, alors f admet un extremum local en x_0.

■ Si f est dérivable sur un intervalle I, et si, pour tout réel x de l'intervalle J, $ax + b$ appartient à I, alors la fonction $x \mapsto f(ax + b)$ est dérivable sur J, et sa dérivée est la fonction définie par $x \mapsto af'(ax + b)$.

Primitives

■ La fonction F est une primitive de f sur un intervalle I si, et seulement si, f est la fonction dérivée de F sur I :

$$F' = f.$$

■ Si F est une primitive de f sur un intervalle I, alors les autres primitives de f sur l'intervalle I sont les fonctions $x \mapsto F(x) + C$, où C est une constante réelle.

Dérivées successives

■ Si f est dérivable sur un intervalle I et si f' est dérivable sur I, alors la dérivée de f' est la dérivée seconde de f. On la note f''.

■ On note $f'(x) = \dfrac{\mathrm{d}f}{\mathrm{d}x}$ et $f''(x) = \dfrac{\mathrm{d}^2 f}{\mathrm{d}x^2}$.

■ • La fonction sinus est périodique, de période 2π ; pour tout x :

$$\sin(x + 2\pi) = \sin x.$$

• La fonction sinus est impaire ; pour tout x :

$$\sin(-x) = -\sin x.$$

■ • La fonction cosinus est périodique, de période 2π ; pour tout x :

$$\cos(x + 2\pi) = \cos x.$$

• La fonction cosinus est paire ; pour tout x :

$$\cos(-x) = \cos x.$$

■ La fonction tangente n'est pas définie pour les valeurs $\frac{\pi}{2} + k\pi$, k étant un entier relatif.

• La fonction tangente est périodique, de période π ; pour tout x :

$$\tan(x + \pi) = \tan x.$$

• La fonction tangente est impaire ; pour tout x :

$$\tan(-x) = -\tan x.$$

■ Dérivées

Pour tout x :

$$\sin'(x) = \cos x\ ;$$

$$\cos'(x) = -\sin x\ ;$$

$$\tan'(x) = 1 + \tan^2 x = \frac{1}{\cos^2 x}.$$

■ Formules de transformation

■ Pour écrire $a\cos x + b\sin x$ sous la forme $K\cos(x + \varphi)$, on pose :

$$K = \sqrt{a^2 + b^2}\ ;$$

$$\cos\varphi = \frac{a}{K}\ ;$$

$$\sin\varphi = \frac{-b}{K}.$$

■ Pour écrire $a\cos x + b\sin x$ sous la forme $K\sin(x + \varphi)$, on pose :

$$K = \sqrt{a^2 + b^2}\ ;$$

$$\cos\varphi = \frac{b}{K}\ ;$$

$$\sin\varphi = \frac{a}{K}.$$

Fonction	Dérivée
$f(x)$	$f'(x)$
C	0
x^n	nx^{n-1}
$\frac{1}{x}$	$-\frac{1}{x^2}$
$\frac{1}{x^n}=x^{-n}$	$-nx^{-n-1}=\frac{-n}{x^{n+1}}$
$\sqrt{x}=x^{\frac{1}{2}}$	$\frac{1}{2}x^{-\frac{1}{2}}=\frac{1}{2\sqrt{x}}$
$u^n(x)$	$nu^{n-1}(x)\,u'(x)$
$[u(x)\neq 0]$ $\frac{1}{u(x)}$	$-\frac{u'(x)}{u^2(x)}$
$[u(x)\neq 0]$ $\frac{1}{u^n(x)}=u^{-n}(x)$	$-nu^{-n-1}(x)\,u'(x)=-\frac{nu'(x)}{u^{n+1}(x)}$
$[u(x)>0]$ $\sqrt{u(x)}=u^{\frac{1}{2}}(x)$	$\frac{1}{2}u^{-\frac{1}{2}}(x)\,u'(x)=\frac{u'(x)}{2\sqrt{u(x)}}$
$f(ax+b)$	$af'(ax+b)$
$u(x)\,v(x)$	$u'(x)\,v(x)+u(x)\,v'(x)$
$[v(x)\neq 0]$ $\frac{u(x)}{v(x)}$	$\frac{u'(x)\,v(x)-u(x)\,v'(x)}{v^2(x)}$
$\sin(\omega x+\varphi)$	$\omega\cos(\omega x+\varphi)$
$\cos(\omega x+\varphi)$	$-\omega\sin(\omega x+\varphi)$
$\tan x$	$\frac{1}{\cos^2 x}=1+\tan^2 x$

C : constante réelle.

Fonction	Primitive
$f(x)$	$F(x)$
0	C
$(n > 0) \quad x^n$	$\dfrac{x^{n+1}}{n+1} + C$
$\dfrac{1}{x^2}$	$-\dfrac{1}{x} + C$
$(n > 0)$ $(n \neq 1)$ $\quad \dfrac{1}{x^n} = x^{-n}$	$\dfrac{x^{-n+1}}{-n+1} + C = \dfrac{1}{(-n+1)\,x^{n-1}} + C$
$\dfrac{1}{x}$	$\ln \lvert x \rvert + C$
$\dfrac{1}{\sqrt{x}}$	$2\sqrt{x} + C$
$(n > 0) \quad u^n(x)\,u'(x)$	$\dfrac{u^{n+1}(x)}{n+1} + C$
$[u(x) \neq 0] \quad \dfrac{u'(x)}{u^2(x)}$	$-\dfrac{1}{u(x)} + C$
$(n > 0)$ $(n \neq 1)$ $\quad \dfrac{u'(x)}{u^n(x)}$	$\dfrac{-1}{(n-1)\,u^{n-1}(x)} + C$
$[u(x) \neq 0] \quad \dfrac{u'(x)}{u(x)}$	$\ln \lvert u(x) \rvert + C$
$[u(x) > 0] \quad \dfrac{u'(x)}{\sqrt{u(x)}}$	$2\sqrt{u(x)} + C$
$f'[u(x)]\,u'(x)$	$f[u(x)] + C$
$(\omega \neq 0) \quad \sin(\omega x + \varphi)$	$-\dfrac{1}{\omega}\cos(\omega x + \varphi) + C$
$(\omega \neq 0) \quad \cos(\omega x + \varphi)$	$\dfrac{1}{\omega}\sin(\omega x + \varphi) + C$
$\dfrac{1}{\cos^2 x} = 1 + \tan^2 x$	$\tan x + C$

C : constante réelle.

DES EXERCICES

Asymptotes

3.1 On considère la fonction numérique f définie, sur $\mathbb{R} \setminus \{1, -2\}$, par :

$$x \mapsto f(x) = \frac{2x^2}{(x-1)(x+2)}.$$

1° Calculer les limites de f en 1, -2, $+\infty$ et $-\infty$.

2° En déduire les asymptotes de la courbe (C) représentative de f.

3.2 On considère la fonction numérique f définie, sur $\mathbb{R}$, par :

$$x \mapsto f(x) = 2x + 1 + \frac{1}{x^2+2}.$$

1° Calculer les limites de f en $+\infty$ et $-\infty$.

2° Montrer que la droite d'équation $y = 2x + 1$ est asymptote à la courbe (C) représentative de f en $+\infty$ et en $-\infty$.

3° Déterminer la position de la courbe (C) par rapport à son asymptote.

3.3 Montrer que la fonction numérique f définie, sur $\mathbb{R}^*$, par :

$$x \mapsto f(x) = \frac{(x+1)(x-1)^2}{x^2} + x + 3,$$

s'écrit :

$$f(x) = ax + b + \varepsilon(x), \text{ avec } \lim_{x \to +\infty} \varepsilon(x) = 0.$$

En déduire que la courbe (C) représentative de f admet une asymptote oblique en $+\infty$.

Études de fonctions

3.4 On considère la fonction numérique de f définie, sur $\mathbb{R} \setminus \{2\}$, par :

$$x \mapsto f(x) = \frac{x^2 - 9x + 18}{x-2}.$$

1° Étudier les variations de la fonction f.

2° Déterminer les nombres a, b et c tels que, pour tout réel x différent de 2 :

$$f(x) = ax + b + \frac{c}{x-2}.$$

3° Déterminer les équations des asymptotes de la courbe (C) représentative de f et donner la position de (C) par rapport à l'asymptote oblique.

4° Déterminer les points d'intersections de (C) avec les axes du repère.

5° Montrer que le point $I(2, -5)$ est centre de symétrie de (C).

6° Donner une équation de la tangente (T) au point A d'abscisse 1.

7° Déterminer les coordonnées des points d'intersection P_1 et P_2 de (T) avec les asymptotes à (C). Montrer que A est le milieu du segment $[P_1, P_2]$.

8° Montrer qu'il existe une deuxième tangente à (C) parallèle à (T). Donner son équation.

9° Tracer la courbe (C), ses asymptotes et la tangente (T) dans un repère orthogonal $(O\,;\vec{i},\vec{j})$.

♦ **3.5** On considère la fonction numérique de f définie, sur $\mathbb{R} \setminus \{-1, 3\}$, par :

$$x \mapsto f(x) = \frac{x^2 - 2x - 11}{x^2 - 2x - 3}.$$

1° Étudier les variations de la fonction f.

2° Tracer la courbe (C) dans un repère orthogonal $(O\,;\vec{i},\vec{j})$.

3° Montrer que la droite (D) d'équation $x = 1$ est axe de symétrie de la courbe (C).

4° Discuter, suivant les valeurs du paramètre réel m, le nombre de solutions de l'équation d'inconnue réelle x :

$$x^2 - 2x - 11 - m(x^2 - 2x - 3) = 0.$$

Retrouver graphiquement ces résultats.

3.6 On considère la fonction numérique de f définie, sur $\mathbb{R} \setminus \{-1\}$, par :

$$x \mapsto f(x) = \frac{3x^2 - 5x + 4}{x+1}.$$

1° Déterminer les nombres a, b et c tels que, pour tout réel x différent de -1 :

$$f(x) = ax + b + \frac{c}{x+1}.$$

2° Étudier les variations de la fonction f.

3° Déterminer les équations des asymptotes à la courbe (C) représentative de f.

4° Déterminer les points d'intersections de (C) avec les droites $x = 0$, $y = 1$ et $y = 4$.

5° Tracer la courbe (C) et ses asymptotes dans un repère orthogonal $(O\,;\vec{i},\vec{j})$.

♦ **3.7** On considère la fonction numérique de f définie, sur $\mathbb{R} \setminus \{-1\}$, par :

$$x \mapsto f(x) = 3x - 1 - \frac{x-1}{(x+1)^2}.$$

1° Déterminer les équations des asymptotes de la courbe (C) représentative de f. Préciser la position relative de (C) avec l'asymptote oblique (D).

2° Déterminer les points d'intersections de (C) avec les droites d'équations $y = 0$ et $y = 2$.

3° Démontrer que $f'(x)$ peut s'écrire sous la forme :

$$f'(x) = \frac{x\,g(x)}{(x+1)^3}.$$

4° Étudier les variations de la fonction f.

5° Tracer la courbe (C) et ses asymptotes dans un repère orthogonal $(O\,;\vec{i},\vec{j})$.

3.8 On considère la fonction numérique de f définie, sur $\mathbb{R}$, par :

$$x \mapsto \sin(2x) - \sqrt{3}\cos(2x).$$

1° Montrer que la fonction f est périodique.

2° Écrire $f(x)$ sous la forme :

$$f(x) = A\cos(\omega x + \varphi), \quad \text{avec } A > 0.$$

3° Étudier les variations de f.

4° Tracer la courbe (C) dans un repère orthogonal $(O\,;\vec{i},\vec{j})$.

5° Déterminer la primitive de la fonction f qui s'annule pour $x = \frac{\pi}{3}$.

♦ **3.9** On considère la fonction numérique de f définie, sur $\mathbb{R}$, par :

$$x \mapsto f(x) = \frac{x^3 + 9x}{x^2 + 1}.$$

1° Montrer que $f(x)$ peut s'écrire sous la forme :

$$f(x) = ax + \frac{bc}{x^2 + 1}.$$

2° Montrer que la fonction f est impaire. Étudier les limites et les variations de f.

3° Montrer que la courbe (C) représentative de f admet un centre de symétrie et une asymptote. Préciser la position de (C) par rapport à son asymptote.

4° Tracer la courbe (C) et son asymptote dans un repère orthogonal $(O ; \vec{i}, \vec{j})$.

5° Discuter, suivant les valeurs du paramètre réel m, le nombre de points d'intersection de (C) avec la droite d'équation :

$$y = x + m.$$

Expliquer graphiquement ces résultats.

3.1 **1°** ■ Lorsque $x \to 1$, $2x^2 \to 2$ et $x+2 \to 3$.

• Lorsque $x \to 1$ par valeurs supérieures, $x-1 \to 0$ par valeurs positives, donc :

$$\lim_{\substack{x \to 1 \\ x > 1}} f(x) = +\infty.$$

• Lorsque $x \to 1$ par valeurs inférieures, $x-1 \to 0$ par valeurs négatives, donc :

$$\lim_{\substack{x \to 1 \\ x < 1}} f(x) = -\infty.$$

■ Lorsque $x \to -2$, $2x^2 \to 8$ et $x-1 \to -3$.

• Lorsque $x \to -2$ par valeurs supérieures, $x+2 \to 0$ par valeurs positives, donc :

$$\lim_{\substack{x \to -2 \\ x > -2}} f(x) = -\infty.$$

• Lorsque $x \to -2$ par valeurs inférieures, $x+2 \to 0$ par valeurs négatives, donc :

$$\lim_{\substack{x \to -2 \\ x < -2}} f(x) = +\infty.$$

■ Pour les limites en $+\infty$ et $-\infty$, écrivons $f(x)$ sous la forme :

$$f(x) = \frac{2x^2}{x^2\left(1 - \frac{1}{x}\right)\left(1 - \frac{2}{x}\right)}.$$

Lorsque $x \to +\infty$ ou $x \to -\infty$, $\frac{1}{x} \to 0$ et $\frac{2}{x} \to 0$. On a donc :

$$\lim_{x \to +\infty} f(x) = \lim_{x \to +\infty} \frac{2x^2}{x^2} = 2,$$

de même :

$$\lim_{x \to -\infty} f(x) = \lim_{x \to -\infty} \frac{2x^2}{x^2} = 2.$$

2° La courbe admet donc les droites d'équations $x = 1$, $x = -2$ et $y = 2$ comme asymptotes.

3.2 **1°** Lorsque $x \to +\infty$ ou $x \to -\infty$, $\frac{1}{x^2+2} \to 0$, donc :

$$\lim_{x \to +\infty} f(x) = \lim_{x \to +\infty} 2x = +\infty \; ; \quad \lim_{x \to -\infty} f(x) = \lim_{x \to -\infty} 2x = -\infty.$$

2° En posant $\varepsilon(x) = \dfrac{1}{x^2+2}$, $f(x)$ s'écrit :

$$f(x) = 2x + 1 + \varepsilon(x), \quad \text{avec} \lim_{x \to +\infty} \varepsilon(x) = 0 \quad \text{et} \lim_{x \to -\infty} \varepsilon(x) = 0.$$

On en déduit que la droite d'équation $y = 2x + 1$ est asymptote à la courbe (C) représentative de f en $+\infty$ et en $-\infty$.

3° La fonction ε est strictement positive, la courbe (C) est donc au-dessus de son asymptote.

3.3

En développant, on obtient :

$$\frac{(x+1)(x-1)^2}{x^2} + x + 3 = \frac{x^3 - x^2 - x + 1}{x^2} + x + 3$$
$$= x - 1 - \frac{1}{x} + \frac{1}{x^2} + x + 3$$
$$= 2x + 2 - \frac{1}{x} + \frac{1}{x^2}.$$

Posons $\varepsilon(x) = -\dfrac{1}{x} + \dfrac{1}{x^2}$.

Comme $\lim\limits_{x \to +\infty} \dfrac{1}{x} = 0$ et $\lim\limits_{x \to +\infty} \dfrac{1}{x^2} = 0$, $f(x)$ s'écrit :

$$f(x) = 2x + 2 + \varepsilon(x), \quad \text{avec} \lim_{x \to +\infty} \varepsilon(x) = 0.$$

On en déduit que la courbe (C) représentative de f admet la droite d'équation $y = 2x + 2$ comme asymptote oblique en $+\infty$.

Remarque : cette droite est également asymptote en $-\infty$.

3.4

1° ■ Limites

• Pour les limites en $+\infty$ et $-\infty$, on peut écrire $f(x)$ sous la forme :

$$f(x) = \frac{x^2\left(1 - \dfrac{9}{x} + \dfrac{18}{x^2}\right)}{x\left(1 - \dfrac{2}{x}\right)}.$$

Lorsque $x \to +\infty$ ou $x \to -\infty$, $\dfrac{-9}{x} \to 0$, $\dfrac{18}{x^2} \to 0$ et $\dfrac{2}{x} \to 0$, donc :

$$\lim_{x \to +\infty} f(x) = \lim_{x \to +\infty} x = +\infty \ ; \qquad \lim_{x \to -\infty} f(x) = \lim_{x \to -\infty} x = -\infty.$$

• Lorsque $x \to 2$, $x^2-9x+18 \to 4$.

• Lorsque $x \to 2$ par valeurs supérieures, $x-2 \to 0$ par valeurs positives, donc :

$$\lim_{\substack{x \to 2 \\ x > 2}} f(x) = +\infty.$$

• Lorsque $x \to 2$ par valeurs inférieures, $x-2 \to 0$ par valeurs négatives, donc :

$$\lim_{\substack{x \to 2 \\ x < 2}} f(x) = -\infty.$$

■ Dérivée

La fonction est de la forme $\dfrac{u}{v}$, sa dérivée est donc $\dfrac{u'v-uv'}{v^2}$, ce qui donne :

$$f'(x) = \frac{(2x-9)(x-2)-(x^2-9x+18)}{(x-2)^2}$$

$$= \frac{x^2-4x}{(x-2)^2}.$$

Le dénominateur $(x-2)^2$ étant toujours positif, $f'(x)$ est du signe de :

$$x^2-4x = x(x-4).$$

■ Tableau de variation de f

x	$-\infty$		0		2		4		$+\infty$
$f'(x)$		$+$	0	$-$	‖	$-$	0	$+$	
$f(x)$	$-\infty$	↗	-9	↘	$-\infty$ ‖ $+\infty$	↘	-1	↗	$+\infty$

2° Réduisons $ax+b+\dfrac{c}{x-2}$ au même dénominateur :

$$ax+b+\frac{c}{x-2} = \frac{ax^2+(b-2a)x+c-2b}{x-2}.$$

En identifiant à $f(x)$, on obtient :

$$a=1,\quad b-2a=-9 \quad \text{et} \quad c-2b=18,$$

ce qui donne :

$$a=1\,; \quad b=-7\,; \quad c=4.$$

donc :

$$f(x) = x-7+\frac{4}{x-2}.$$

3° Posons $\varepsilon(x) = \dfrac{4}{x-2}$.
Comme $\lim\limits_{x \to +\infty} \varepsilon(x) = 0$ et $\lim\limits_{x \to -\infty} \varepsilon(x) = 0$, la droite d'équation $y = x - 7$ est asymptote à la courbe (C).
La position de la courbe par rapport à cette asymptote dépend du signe de $\varepsilon(x)$, donc de $x-2$:

- lorsque $x < 2$, $\varepsilon(x) < 0$ et la courbe (C) est au-dessous de la droite d'équation $y = x - 7$;
- lorsque $x > 2$, $\varepsilon(x) > 0$ et la courbe (C) est au-dessus de la droite d'équation $y = x - 7$.

D'autre part, comme $\lim\limits_{\substack{x \to 2 \\ x > 2}} f(x) = +\infty$ et $\lim\limits_{\substack{x \to 2 \\ x < 2}} f(x) = -\infty$, la droite d'équation $x = 2$ est asymptote à la courbe (C).

4° • Intersection avec l'axe $x = 0$: $f(0) = -9$. Le point d'intersection M_1 de la courbe (C) avec la droite $x = 0$ a pour coordonnées $M_1(0, -9)$.

• Intersection avec l'axe $y = 0$: l'équation $f(x) = 0$ est équivalente à $x^2 - 9x + 18 = 0$. Les solutions sont $x' = 3$ et $x'' = 6$. Les points d'intersection M_2 et M_3 de la courbe (C) avec la droite $y = 0$ ont pour coordonnées $M_2(3, 0)$ et $M_3(6, 0)$.

5° En prenant comme origine d'un nouveau repère $(I\,;\vec{i}, \vec{j})$ le point $I(2, -5)$, les nouvelles coordonnées (X, Y) d'un point M sont liées aux anciennes (x, y) par la relation déduite de $\overrightarrow{OM} = \overrightarrow{OI} + \overrightarrow{IM}$.

$$x = 2 + X \quad \text{et} \quad y = -5 + Y.$$

L'équation de la courbe (C) devient :

$$-5 + Y = (2 + X) - 7 + \frac{4}{(2+X)-2}, \quad \text{soit} \quad Y = X + \frac{4}{X}.$$

La fonction $X \mapsto X + \dfrac{4}{X}$ est une fonction impaire, sa courbe représentative (C) est donc symétrique par rapport à l'origine I du nouveau repère.

6° $f(1) = -10$, $f'(1) = -3$, le point A a pour coordonnées $A(1, -10)$ et la tangente (T) a pour équation $y + 10 = -3(x-1)$, donc :

$$y = -3x - 7.$$

7° • L'ordonnée du point d'intersection P_1 de (T) avec l'asymptote $x = 2$ est $y = -3 \times 2 - 7 = -13$.
On a donc $P_1(2, -13)$.

• L'abscisse du point d'intersection P_2 de (T) avec l'asymptote $y = x - 7$ vérifie l'équation $-3x - 7 = x - 7$, donc $x = 0$.
On en déduit : $y = -7$ et $P_2(0, -7)$.

• On en tire les coordonnées des vecteurs $\overrightarrow{AP_1}\begin{pmatrix} 1 \\ -3 \end{pmatrix}$ et $\overrightarrow{AP_2}\begin{pmatrix} -1 \\ 3 \end{pmatrix}$.
Comme $\overrightarrow{AP_1} = -\overrightarrow{AP_2}$, A est le milieu du segment $[P_1, P_2]$.

8° S'il existe une deuxième tangente à (C) parallèle à (T) en x_0, son coefficient directeur $f'(x_0)$ est égal à -3. On a donc :

$$f'(x_0) = \frac{x_0^2 - 4x_0}{(x_0 - 2)^2} = -3, \text{ soit } x_0^2 - 4x_0 + 3 = 0.$$

Cette équation du second degré a deux solutions : 3 et 1.
On a donc : $x_0 = 3$ ($x_0 = 1$ correspondant au point A).
$f'(3) = -3$, $f(3) = 0$, l'équation de la tangente à (C) parallèle à (T) est donc :

$$y = -3(x - 3) = -3x + 9.$$

9°

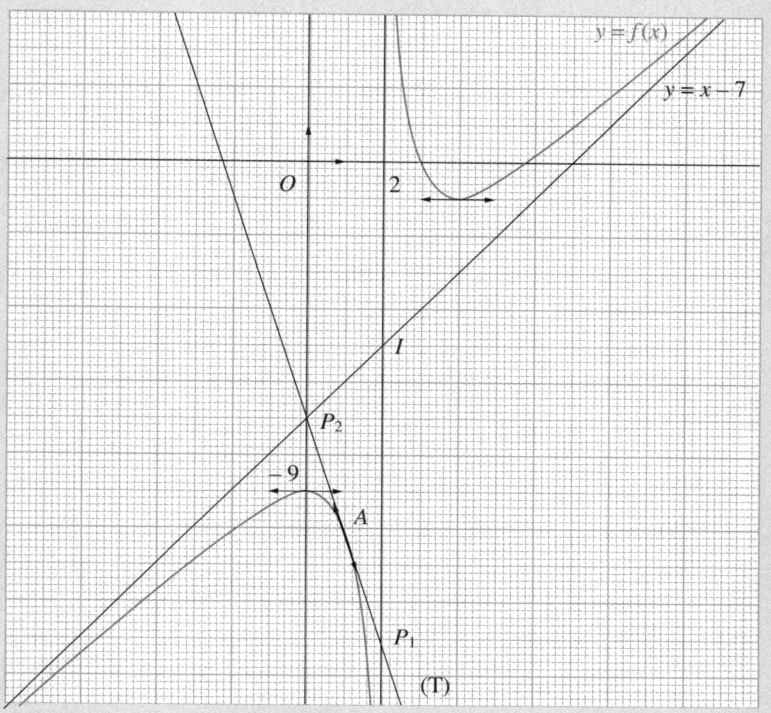

3.5 1° ■ Limites

• Pour les limites en $+\infty$ et $-\infty$, on peut écrire $f(x)$ sous la forme :

$$f(x)=\frac{x^2\left(1-\frac{2}{x}-\frac{11}{x^2}\right)}{x^2\left(1-\frac{2}{x}-\frac{3}{x^2}\right)}.$$

Lorsque $x\to+\infty$ ou $x\to-\infty$, $\frac{2}{x}\to 0$, $\frac{11}{x^2}\to 0$, $\frac{2}{x}\to 0$ et $\frac{3}{x^2}\to 0$,

donc :

$$\lim_{x\to+\infty} f(x)=\lim_{x\to+\infty}\frac{x^2}{x^2}=1\ ;$$

et

$$\lim_{x\to-\infty} f(x)=\lim_{x\to-\infty}\frac{x^2}{x^2}=1.$$

On peut écrire :

$$f(x)=\frac{x^2-2x-11}{x^2-2x-3}=\frac{x^2-2x-11}{(x+1)(x-3)}.$$

• Lorsque $x\to-1$, $x^2-2x-11\to-8$ et $x-3\to-4$.

• Lorsque $x\to-1$ par valeurs supérieures, $x+1\to 0$ par valeurs positives, donc :

$$\lim_{\substack{x\to-1\\x>-1}} f(x)=+\infty.$$

• Lorsque $x\to-1$ par valeurs inférieures, $x+1\to 0$ par valeurs négatives, donc :

$$\lim_{\substack{x\to-1\\x<-1}} f(x)=-\infty.$$

• Lorsque $x\to 3$, $x^2-2x-11\to-14$ et $x+1\to 4$.

• Lorsque $x\to 3$ par valeurs supérieures, $x-3\to 0$ par valeurs positives, donc :

$$\lim_{\substack{x\to 3\\x>3}} f(x)=-\infty.$$

• Lorsque $x\to 3$ par valeurs inférieures, $x-3\to 0$ par valeurs négatives, donc :

$$\lim_{\substack{x\to 3\\x<3}} f(x)=+\infty.$$

La courbe (C) admet comme asymptotes les droites d'équations $x=-1$, $x=3$ et $y=1$.

■ Dérivée

La fonction est de la forme $\frac{u}{v}$, sa dérivée est donc $\frac{u'v-uv'}{v^2}$, ce qui donne :

$$f'(x)=\frac{(2x-2)(x^2-2x-3)-(2x-2)(x^2-2x-11)}{(x^2-2x-3)^2}=\frac{16(x-1)}{(x^2-2x-3)^2}.$$

$f'(x)$ est du signe de $x-1$.

■ Tableau de variation de f

x	$-\infty$		-1		1		3		$+\infty$
$f'(x)$		$-$	‖	$-$	0	$+$	‖	$+$	
$f(x)$	1	↘	$-\infty$ ‖ $+\infty$	↘	3	↗	$+\infty$ ‖ $-\infty$	↗	1

2°

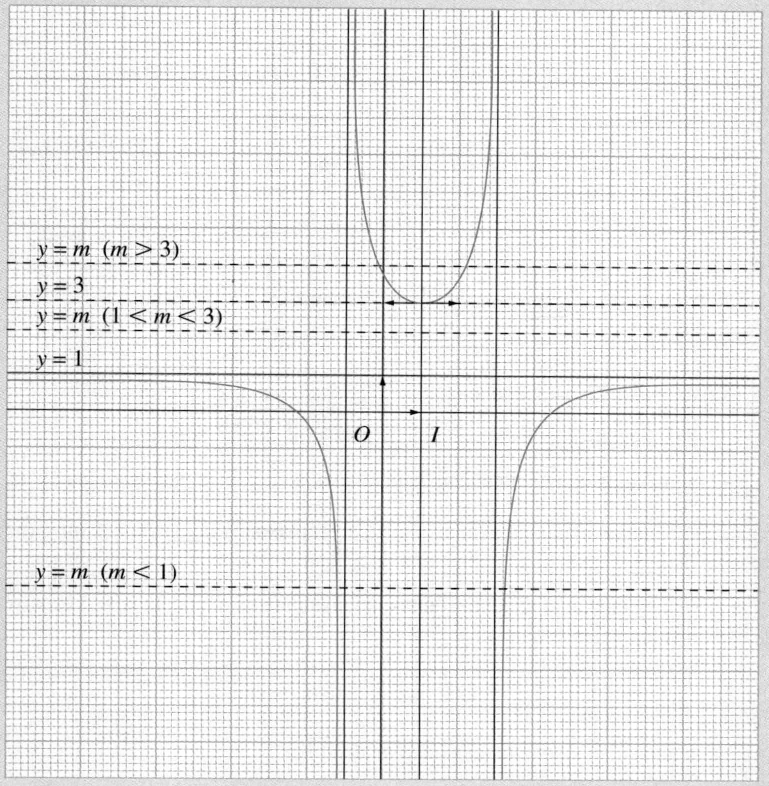

3° En prenant comme origine d'un nouveau repère $(I\,;\vec{i},\vec{j})$ le point $I(1, 0)$, les nouvelles coordonnées (X, Y) d'un point M sont liées aux anciennes (x, y) par la relation :

$$x = 1 + X \quad \text{et} \quad y = Y.$$

L'équation de la courbe (C) devient :

$$Y = \frac{(1+X)^2 - 2(1+X) - 11}{(1+X)^2 - 2(1+X) - 3}, \quad \text{soit} \quad Y = \frac{X^2 - 12}{X^2 - 4}.$$

La fonction $X \mapsto \dfrac{X^2-12}{X^2-4}$ est une fonction paire, sa courbe représentative (C) est donc symétrique par rapport à la droite $X = 0$ dans le nouveau repère, c'est-à-dire $x = 1$ dans le repère initial.

4° L'équation :

$$x^2 - 2x - 11 - m(x^2 - 2x - 3) = 0$$

peut s'écrire :

$$(1-m)x^2 + 2(m-1)x - 11 + 3m = 0.$$

• Si $m \neq 1$, l'équation est du second degré, son discriminant est :

$$\Delta = 4(m-1)^2 - 4(1-m)(-11+3m) = 16(m-1)(m-3).$$

• Lorsque $1 < m < 3$, $\Delta < 0$, l'équation n'a pas de solution.

• Lorsque $m > 3$ ou $m < 1$, $\Delta > 0$, l'équation a deux solutions distinctes.

• Lorsque $m = 3$, $\Delta = 0$, l'équation a une solution double.

• Lorsque $m = 1$, l'équation s'écrit $-11 + 3 = 0$. Elle n'a pas de solution.

-1 et 3 n'étant pas solutions, l'équation :

$$x^2 - 2x - 11 - m(x^2 - 2x - 3) = 0$$

peut s'écrire :

$$\frac{x^2 - 2x - 11}{x^2 - 2x - 3} = m.$$

Elle est donc équivalente à $f(x) = m$.

Le nombre de solutions est égal au nombre de points d'intersection de la courbe (C) avec la droite d'équation $y = m$.

• Lorsque $1 \leqslant m < 3$, il n'y a pas de point d'intersection, l'équation n'a pas de solution.

• Lorsque $m > 3$ ou $m < 1$, il y a deux points d'intersection, l'équation a deux solutions distinctes.

• Lorsque $m = 3$, la droite $y = m$ est tangente à (C), l'équation a une solution double.

3.6 1° Réduisons $ax+b+\dfrac{c}{x+1}$ au même dénominateur :

$$ax+b+\frac{c}{x+1}=\frac{ax^2+(a+b)x+b+c}{x+1}$$

En identifiant à $f(x)$, on obtient :

$$a=3,\ \ a+b=-5\ \text{ et }\ b+c=4,$$

ce qui donne :

$$a=3,\ \ b=-8\ \text{ et }\ c=12,$$

donc :

$$f(x)=3x-8+\frac{12}{x+1}.$$

2° ■ Lorsque $x\to+\infty$ ou $x\to-\infty$, $\dfrac{12}{x+1}\to 0$, donc :

$$\lim_{x\to+\infty}f(x)=\lim_{x\to+\infty}3x=+\infty\ ;$$

et

$$\lim_{x\to-\infty}f(x)=\lim_{x\to-\infty}3x=-\infty.$$

• Lorsque $x\to-1$, $3x-8\to-11$.

• Lorsque $x\to-1$ par valeurs supérieures, $x+1\to 0$ par valeurs positives, donc :

$$\lim_{\substack{x\to-1\\x>-1}}f(x)=+\infty.$$

• Lorsque $x\to-1$ par valeurs inférieures, $x+1\to 0$ par valeurs négatives, donc :

$$\lim_{\substack{x\to-1\\x<-1}}f(x)=-\infty.$$

■ Dérivée

$$f'(x)=3-\frac{12}{(x+1)^2}=\frac{3[(x+1)^2-4]}{(x+1)^2}=\frac{3(x+3)(x-1)}{(x+1)^2}.$$

$f'(x)$ est du signe de $(x+3)(x-1)$ qui s'annule pour $x'=-3$ et $x''=1$.

■ Tableau de variation de f

x	$-\infty$		-3		-1		1		$+\infty$
$f'(x)$		$+$	0	$-$	‖	$-$	0	$+$	
$f(x)$	$-\infty$	↗	-23	↘	$-\infty$ ‖ $+\infty$	↘	1	↗	$+\infty$

3° Soit $\varepsilon(x) = \dfrac{12}{x+1}$.

$f(x)$ s'exprime sous la forme :

$$f(x) = 3x - 8 + \varepsilon(x), \text{ avec } \lim_{x \to +\infty} \varepsilon(x) = 0 \text{ et } \lim_{x \to -\infty} \varepsilon(x) = 0.$$

La droite d'équation $y = 3x - 8$ est asymptote à la courbe (C).
La courbe (C) admet comme deuxième asymptote la droite d'équation $x = -1$.

4° • Intersection de (C) avec la droite $x = 0$: $P_1(0, 4)$.

• Intersection de (C) avec la droite $y = 1$:

$$f(x) = 1 \text{ si, et seulement si, } 3x^2 - 5x + 4 = x + 1,$$

soit :

$$3x^2 - 6x + 3 = 3(x - 1)^2 = 0.$$

La droite $y = 1$ et la courbe (C) ont un point commun $P_2(1, 1)$.
Comme $x = 1$ est racine double de l'équation, la droite est tangente à la courbe (voir le minimum relatif dans le tableau de variation).

• Intersection de (C) avec la droite $y = 4$:

$$f(x) = 4 \text{ si, et seulement si, } 3x^2 - 5x + 4 = 4x + 4,$$

soit :

$$3x^2 - 9x = 3x(x - 3) = 0.$$

La droite $y = 4$ et la courbe (C) ont deux points communs $P_1(0, 4)$ et $P_3(3, 4)$.

5°

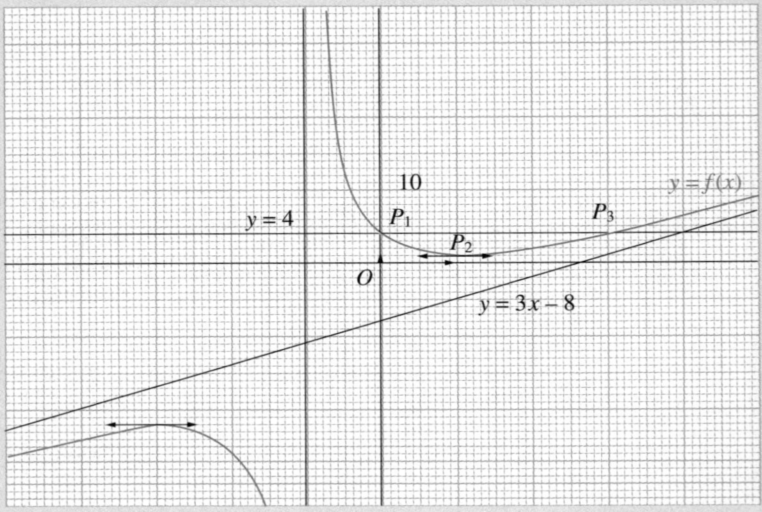

3.7 1° Posons $\varepsilon(x) = -\dfrac{x-1}{(x+1)^2}$.

Pour les limites en $+\infty$ et $-\infty$, on peut écrire $\varepsilon(x)$ sous la forme :

$$\varepsilon(x) = -\frac{x-1}{(x+1)^2} = -\frac{x\left(1-\dfrac{1}{x}\right)}{x^2\left(1+\dfrac{1}{x}\right)^2} = -\frac{\left(1-\dfrac{1}{x}\right)}{x\left(1+\dfrac{1}{x}\right)^2}.$$

Ce qui donne :

$$\lim_{x \to +\infty} \varepsilon(x) = 0 \quad \text{et} \quad \lim_{x \to -\infty} \varepsilon(x) = 0,$$

la droite (D) d'équation $y = 3x - 1$ est asymptote à la courbe (C).

La position de la courbe par rapport à cette asymptote dépend du signe de $\varepsilon(x)$, donc de $1 - x$:

- Lorsque $x < 1$, $\varepsilon(x) > 0$ et la courbe (C) est au-dessus de la droite (D) d'équation $y = 3x - 1$.
- Lorsque $x > 1$, $\varepsilon(x) < 0$ et la courbe (C) est au-dessous de la droite (D).
- Lorsque $x \to -1$, $3x - 1 \to -4$, $x - 1 \to -2$ et $(x+1)^2 \to 0$, de plus $(x+1)^2 > 0$, donc :

$$\lim_{x \to -1} f(x) = +\infty.$$

La courbe (C) admet comme asymptote la droite d'équation $x = -1$.

2° Cherchons les points d'ordonnées 0 de la courbe (C) :

$$f(x) = 0 \text{ si, et seulement si, } 3x - 1 = \frac{x-1}{(x+1)^2},$$

soit :

$$(x+1)^2(3x-1) = x - 1.$$

En développant, on obtient l'équation :

$$3x^3 + 5x^2 = 0, \quad \text{soit } x^2(3x+5) = 0.$$

Les points d'intersections de (C) avec la droite d'équation $y = 0$ sont les points $P_1\left(\dfrac{-5}{3}, 0\right)$ et $O(0, 0)$.

(L'équation a une racine double $x = 0$, la droite $y = 0$ est tangente à (C) en O.)

Cherchons les points d'ordonnées 2 de la courbe (C) :

$$f(x) = 2 \text{ si, et seulement si, } 3x - 3 = \frac{x-1}{(x+1)^2},$$

soit :

$$3(x+1)^2(x-1) = x - 1.$$

En factorisant, on obtient l'équation :

$$(x-1)[3(x+1)^2-1]=0.$$

Cette équation a trois solutions :

$$x_1 = 1, \quad x_2 = -1+\frac{\sqrt{3}}{3} \quad \text{et} \quad x_3 = -1-\frac{\sqrt{3}}{3}.$$

Les points d'intersections de (C) avec la droite d'équation $y=2$ sont les points $P_2\left(-1+\frac{\sqrt{3}}{3}, 2\right)$, $P_3\left(-1-\frac{\sqrt{3}}{3}, 2\right)$ et $P_4(1, 2)$.

3° La fonction ε est de la forme $\frac{u}{v}$, sa dérivée est donc $\frac{u'v-uv'}{v^2}$, ce qui donne :

$$\begin{aligned}\varepsilon'(x) &= -\frac{(x+1)^2-(x-1)(2x+2)}{(x+1)^4} \\ &= -\frac{(x+1)[(x+1)-2(x-1)]}{(x+1)^4} \\ &= \frac{x-3}{(x+1)^3}.\end{aligned}$$

donc :

$$\begin{aligned}f'(x) &= 3+\frac{x-3}{(x+1)^3} \\ &= \frac{3(x+1)^3+x-3}{(x+1)^3} = \frac{x(3x^2+9x+10)}{(x+1)^3}.\end{aligned}$$

La fonction f' s'écrit :

$$f'(x) = \frac{xg(x)}{(x+1)^3}, \quad \text{avec} \quad g(x) = 3x^2+9x+10.$$

4° ▪ Le signe de $f'(x)$ dépend du signe de x, de $x+1$ et de $g(x)$.

Comme $3x^2+9x+10 = 3\left(x+\frac{3}{2}\right)^2+\frac{13}{4}$, la fonction g est strictement positive.

▪ Tableau de variation de f

x	$-\infty$		-1		0		$+\infty$
$f'(x)$		$+$	‖	$-$	0	$+$	
$f(x)$	$-\infty$	↗	$+\infty$ ‖ $+\infty$	↘	0	↗	$+\infty$

5°

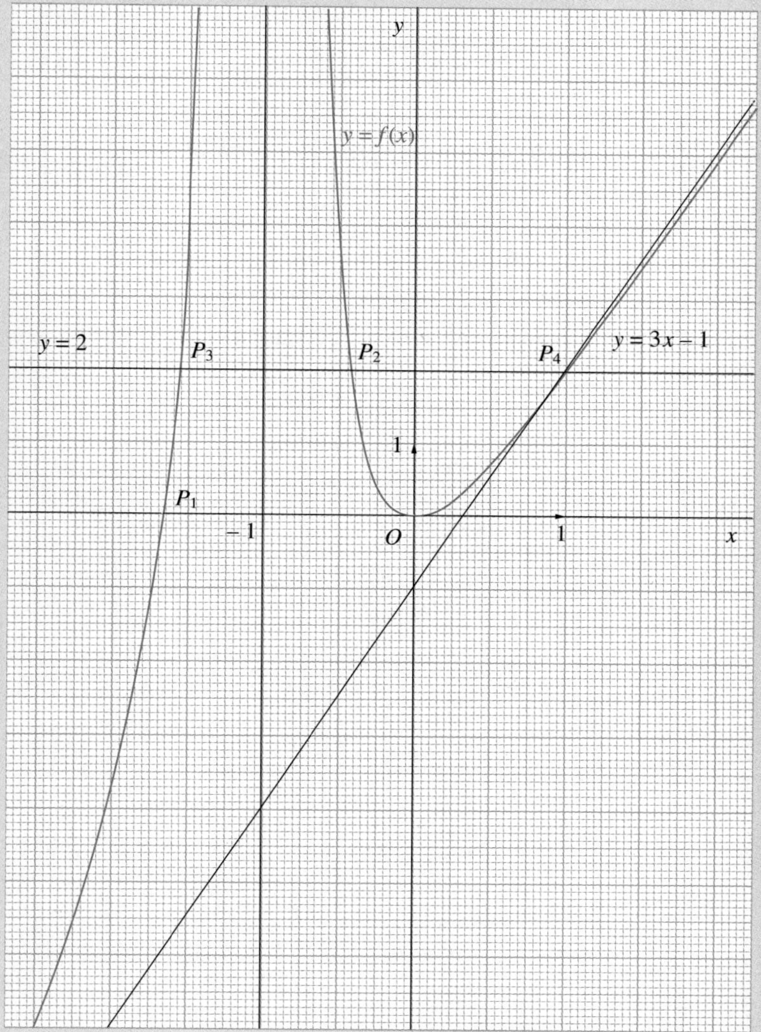

3.8 1° $f(x+\pi) = \sin[2(x+\pi)] - \sqrt{3}\cos[2(x+\pi)]$
$= \sin(2x+2\pi) - \sqrt{3}\cos(2x+2\pi)$
$= \sin(2x) - \sqrt{3}\cos(2x)$
$= f(x).$

La fonction f est donc périodique, de période π.

2° $\sin(2x) - \sqrt{3}\cos(2x) = 2\left(\frac{1}{2}\sin(2x) - \frac{\sqrt{3}}{2}\cos(2x)\right)$

$$= 2\left[-\sin\left(\frac{-5\pi}{6}\right)\sin(2x) + \cos\left(\frac{-5\pi}{6}\right)\cos(2x)\right]$$

$$= 2\cos\left(2x - \frac{5\pi}{6}\right).$$

$$f(x) = 2\cos\left(2x - \frac{5\pi}{6}\right).$$

3° ■ La fonction étant de période π, il suffit de l'étudier sur l'intervalle $[0, \pi]$.

$$f'(x) = -4\sin\left(2x - \frac{5\pi}{6}\right).$$

$f'(x) = 0$ si, et seulement si, il existe un entier relatif k tel que :

$$2x - \frac{5\pi}{6} = k\pi, \text{ donc } x = \frac{5\pi}{12} + k\frac{\pi}{2}.$$

Dans $[0, \pi]$, f' s'annule pour les valeurs $\frac{5\pi}{12}$ et $\frac{11\pi}{12}$.

• Lorsque $0 \leqslant x < \frac{5\pi}{12}$, $-\frac{5\pi}{6} \leqslant 2x - \frac{5\pi}{6} < 0$, donc $f'(x) > 0$,

car $\sin\left(2x - \frac{\pi}{6}\right) < 0$.

• Lorsque $\frac{5\pi}{12} < x < \frac{11\pi}{12}$, $0 < 2x - \frac{5\pi}{6} < \pi$, donc $f'(x) < 0$.

• Lorsque $\frac{11\pi}{12} < x \leqslant \pi$, $\pi < 2x - \frac{5\pi}{6} \leqslant \frac{7\pi}{6}$, donc $f'(x) > 0$.

■ Tableau de variation de f

x	0		$\frac{5\pi}{12}$		$\frac{11\pi}{12}$		π
$f'(x)$	2	$+$	0	$-$	0	$+$	2
$f(x)$	$-\sqrt{3}$	↗	2	↘	-2	↗	$-\sqrt{3}$

4°

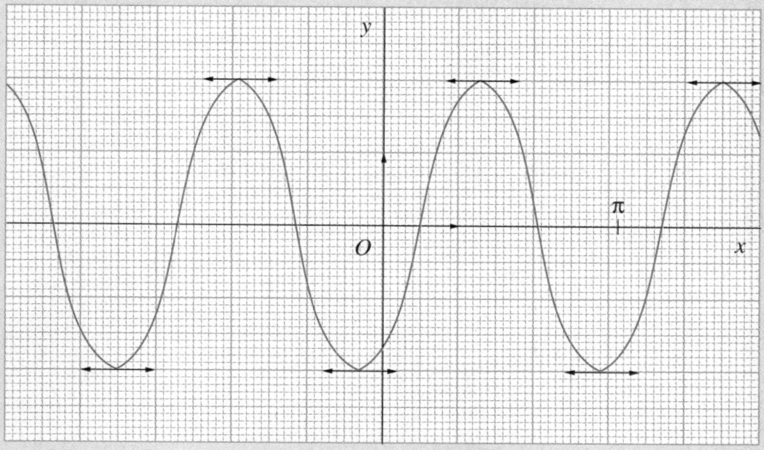

5° Si F est une primitive de la fonction f, alors :

$$F(x) = \sin\left(2x - \frac{5\pi}{6}\right) + C.$$

Avec la condition $F\left(\frac{\pi}{3}\right) = 0$, on obtient :

$$\sin\left(\frac{2\pi}{3} - \frac{5\pi}{6}\right) + C = \sin\left(\frac{-\pi}{6}\right) + C$$

$$= -\frac{1}{2} + C = 0.$$

On en déduit $C = \frac{1}{2}$, ce qui donne :

$$F(x) = \sin\left(2x - \frac{5\pi}{6}\right) + \frac{1}{2}.$$

3.9 **1°** Comme $ax + \frac{bx}{x^2+1} = \frac{ax^3 + (a+b)x}{x^2+1}$.

Par identification, on obtient :

$$a = 1 \quad \text{et} \quad b = 8.$$

Ce qui donne l'expression :

$$f(x) = x + \frac{8x}{x^2+1}.$$

2° $$f(-x)=\frac{(-x)^3-9x}{x^2+1}=-\frac{x^3+9x}{x^2+1}=-f(x).$$

La fonction f est impaire, il suffit de l'étudier sur $[0,+\infty[$.

■ Posons $\varepsilon(x)=\dfrac{8x}{x^2+1}$.

Pour la limite en $+\infty$, on peut écrire $\varepsilon(x)$ sous la forme :

$$\varepsilon(x)=\frac{8x}{x^2+1}=\frac{8x}{x^2\left(1+\dfrac{1}{x^2}\right)}=\frac{8}{x\left(1+\dfrac{1}{x^2}\right)}.$$

Ce qui donne :

$$\lim_{x\to+\infty}\varepsilon(x)=0.$$

On en déduit :

$$\lim_{x\to+\infty}f(x)=\lim_{x\to+\infty}x=+\infty.$$

De plus, la droite d'équation $y=x$ est asymptote à la courbe (C) en $+\infty$ et, par symétrie, en $-\infty$.

■ Dérivée

$$f'(x)=\frac{(3x^2+9)(x^2+1)-2x(x^3+9x)}{(x^2+1)^2}$$
$$=\frac{x^4-6x^2+9}{(x^2+1)^2}$$
$$=\frac{(x^2-3)^2}{(x^2+1)^2}.$$

La dérivée f' est positive et s'annule pour $x=\sqrt{3}$ sur $[0,+\infty[$, la fonction f est donc strictement croissante.

■ Tableau de variation de f

x	0		$\sqrt{3}$		$+\infty$
$f'(x)$		$+$	0	$+$	
$f(x)$	0	↗		↗	$+\infty$

3° La fonction f est impaire, par conséquent la courbe (C) représentative de f admet le point $O(0,0)$ comme centre de symétrie.

La position de la courbe par rapport à l'asymptote d'équation $y = x$ dépend du signe de $\varepsilon(x)$:

• Lorsque $x > 0$, $\varepsilon(x) > 0$, car $x^2 + 1 > 0$ pour tout x, et la courbe (C) est au-dessus de la première bissectrice d'équation $y = x$.

• Lorsque $x < 0$, $\varepsilon(x) < 0$ et la courbe (C) est au-dessous.

4°

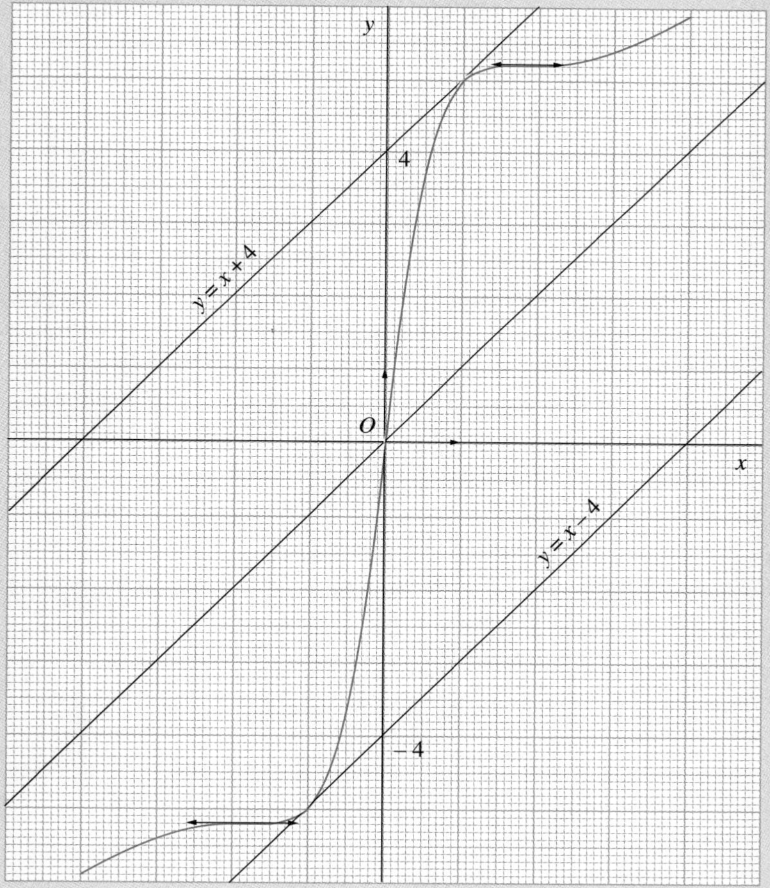

5° Les points d'intersection de (C) avec la droite d'équation $y = x + m$ sont les points dont l'abscisse vérifie l'équation :

$$f(x) = x + m, \text{ soit } \frac{8x}{x^2 + 1} = m,$$

c'est-à-dire : $$mx^2 - 8x + m = 0.$$

Lorsque $m \neq 0$, cette équation est du second degré en x et son discriminant est :

$$\Delta = 64 - 4m^2 = 4(4 - m)(4 + m).$$

• Lorsque $-4 < m < 4$ et $m \neq 0$, $\Delta > 0$, l'équation a deux solutions, il y a alors deux points d'intersection.

• Lorsque $m < -4$ ou $m > 4$, $\Delta < 0$, l'équation n'a pas de solution, il n'y a pas de point d'intersection.

• Lorsque $m = -4$ ou $m = 4$, $\Delta = 0$, l'équation a une solution double, il y a alors un point de contact entre (C) et la droite d'équation $y = x + m$.

• Lorsque $m = 0$, l'équation devient $-8x = 0$, donc $x = 0$, il y a alors un seul point d'intersection $O(0, 0)$.

La droite d'équation $y = x + m$ est parallèle à la première bissectrice, m représente son ordonnée à l'origine.

Les deux positions limites de cette droite sont les deux tangentes :

$$y = x - 4 \text{ et } y = x + 4.$$

Entre ces deux positions limites, pour $m \neq 0$, il y aura deux points d'intersection, en dehors de ces deux positions limites, il n'y aura pas de point d'intersection.

Pour $m = 0$, on obtient l'asymptote $y = x$ qui n'a qu'un point d'intersection avec la courbe.

4

LA FONCTION LOGARITHME NÉPÉRIEN

RÉSUMÉ DU COURS

Définition

On appelle fonction logarithme népérien la primitive de la fonction $x \mapsto \frac{1}{x}$ sur $]0, +\infty[$ qui s'annule pour $x = 1$:

$$\ln x = \int_1^x \frac{1}{t}\,\mathrm{d}t \quad \text{pour } x > 0.$$

Propriétés

■ Quels que soient les réels strictement positifs a et b :

$$\ln(ab) = \ln a + \ln b \;;\quad \ln\frac{1}{a} = -\ln a \;;\quad \ln\frac{a}{b} = \ln a - \ln b \;;\quad \ln\sqrt{a} = \frac{1}{2}\ln a$$

■ Quels que soient le réel strictement positif a et le rationnel r :

$$\ln a^r = r \ln a.$$

■ La fonction ln est dérivable sur $]0, +\infty[$ et $\dfrac{d}{dx}(\ln x) = \dfrac{1}{x}$.

■ Quels que soient les réels strictement positifs a et b :

■ $\ln a = \ln b$ si, et seulement si, $a = b$ (la fonction ln est injective) ;

■ $\ln a < \ln b$ si, et seulement si, $a < b$ (la fonction ln est strictement croissante sur $]0, +\infty[$).

En particulier : $\ln x \leqslant 0$ si, et seulement si, $0 < x \leqslant 1$;
$\ln x \geqslant 0$ si, et seulement si, $x \geqslant 1$.

■ Il existe un réel, noté e, tel que $\ln e = 1$ ($e \approx 2{,}718\,28$).

■ $\lim\limits_{x \to +\infty} \ln x = +\infty$; $\lim\limits_{\substack{x \to 0 \\ x > 0}} \ln x = -\infty$; $\lim\limits_{x \to +\infty} \dfrac{\ln x}{x} = 0$;

$\lim\limits_{\substack{x \to 0 \\ x > 0}} x \ln x = 0$; $\lim\limits_{\substack{x \to 0 \\ x > 0}} \dfrac{\ln(1+x)}{x} = 1$.

■ Tableau de variation de la fonction ln :

x	0		1		e		$+\infty$
f'	‖			+			
f	‖ $-\infty$	↗	0	↗	1	↗	$+\infty$

■ Représentation graphique de la fonction ln :

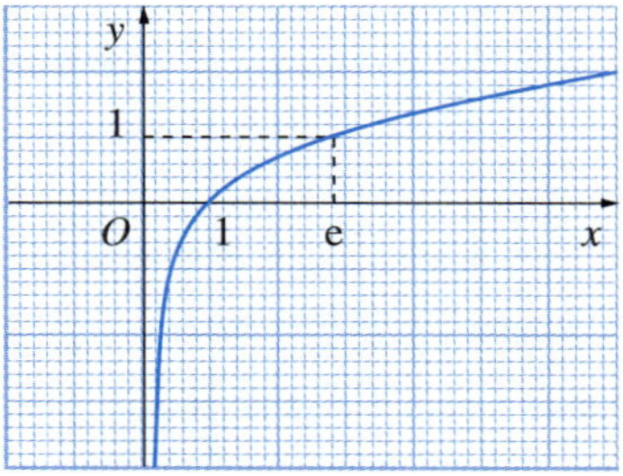

■ Si u est une fonction dérivable sur $I =]a, b[$ et si $u(x) \neq 0$ pour tout x de I, alors la fonction $x \mapsto \ln|u(x)|$ est dérivable sur I et admet pour fonction dérivée la fonction $x \mapsto \dfrac{u'(x)}{u(x)}$.

■ Si u est une fonction dérivable sur $I =]a, b[$ et si $u(x) \neq 0$ pour tout x de I, alors la fonction $x \mapsto \frac{u'(x)}{u(x)}$ admet pour primitives, sur I, les fonctions :

$$x \mapsto \ln|u(x)| + C, \text{ où } C \text{ est une constante.}$$

La fonction logarithme décimal

■ On appelle fonction logarithme décimal, la fonction, notée log, définie sur $]0, +\infty[$ par :

$$\boxed{\log x = \frac{\ln x}{\ln 10}}$$

■ Pour tout entier relatif n, $\log 10^n = n$.

■ Quels que soient les réels strictement positifs a et b :

$$\log(ab) = \log a + \log b\ ; \qquad \log \frac{1}{a} = -\log a$$

$$\log \frac{a}{b} = \log a - \log b\ ; \qquad \log \sqrt{a} = \frac{1}{2} \log a$$

DES EXERCICES

Calcul numérique

4.1 **1°** Exprimer les réels suivants en fonction de $\ln 2$:

$$A = \frac{\ln 2\sqrt{2} - \ln 4}{\ln 2} + \ln 16 \; ; \qquad B = \frac{\ln 8\sqrt{2} + \ln \frac{1}{8} - (\ln 2\sqrt{2})^2}{\ln 2 + \ln \frac{\sqrt{2}}{2}} .$$

Comparer A et B.

2° Développer $(\sqrt{2} + 1)^2$.

En déduire que $\frac{3}{8} \ln(3 + 2\sqrt{2}) - 2\ln(1 + \sqrt{2}) = \frac{5}{4} \ln(\sqrt{2} - 1)$.

Équations et inéquations

4.2 Préciser l'ensemble de définition puis résoudre, dans $\mathbb{R}$, les équations suivantes :

a) $\ln(x^2) + 3\ln x = 5$;

b) $\ln\sqrt{x} + \ln x = \ln 5 + \ln(x^2)$;

c) $2\ln(x - 4) = \ln x - 2\ln 2$;

d) $\ln(x^2 - 4) = \ln(x + 2) + \ln(x - 2)$;

e) $\ln\left(\frac{1}{x}\right) = 1 - \ln x$;

f) $(\ln x)^2 - \ln\left(\frac{1}{x}\right) = 0$.

4.3 Soit $P(x) = x^3 - 2\sqrt{2}x^2 - 2x + 4\sqrt{2}$.

1° Montrer que $P(\sqrt{2}) = 0$.
En déduire une écriture de $P(x)$ sous la forme d'un produit de trois facteurs du premier degré en x.

2° Déduire, de la question précédente, les solutions de l'équation :

$$2\sqrt{2}\ln x + 4(\ln x)^2 - \sqrt{2}(\ln x)^3 = 8.$$

4.4 Préciser l'ensemble de définition puis résoudre, dans $\mathbb{R}$, les inéquations suivantes :

a) $\ln[x(x - 1)] \leqslant 0$;

b) $\ln(x + 1) + \ln(x - 2) \geqslant -1$;

c) $\ln x - \ln(x - 1) \leqslant 1 - \ln(x^2 - 1)$;

d) $(\ln x)^2 + 2\ln x \geqslant 3$.

Dérivées et primitives

4.5 Déterminer la fonction dérivée de chacune des fonctions suivantes :

a) $f :]0, +\infty[\to \mathbb{R}$

$$x \mapsto x \ln x - x \,;$$

b) $f :]0, +\infty[\to \mathbb{R}$

$$x \mapsto \frac{(\ln x)^2}{x} \,;$$

c) $f : \mathbb{R} \setminus \{-2, 1\} \to \mathbb{R}$

$$x \mapsto \ln \left| \frac{x-1}{x+2} \right| \,;$$

d) $f :]0, +\infty[\to \mathbb{R}$

$$x \mapsto \ln(x^2) + \frac{\ln(x\sqrt{x})}{x}.$$

4.6 Déterminer la primitive de chacune des fonctions suivantes qui s'annule pour $x = 1$.

a) $f : \left]\frac{1}{2}, +\infty\right[\to \mathbb{R}$

$$x \mapsto \frac{3}{2x-1} \,;$$

b) $f :]-\infty, 2[\to \mathbb{R}$

$$x \mapsto \frac{-1}{3x-6} \,;$$

c) $f : \left]-\frac{1}{2}, +\infty\right[\to \mathbb{R}$

$$x \mapsto \frac{3}{2x+1} + \frac{1}{(2x+1)^2} \,;$$

d) $f : \mathbb{R} \to \mathbb{R}$

$$x \mapsto \frac{-4x}{x^2+1} \,;$$

e) $f : \mathbb{R} \to \mathbb{R}$

$$x \mapsto \frac{3x + \frac{9}{2}}{x^2 + 3x + 5}.$$

4.7 **1°** Soit f la fonction définie sur $]1, +\infty[$ par $f(x) = \dfrac{3}{(x+2)(x-1)}$.

a) Déterminer deux réels a et b tels que :

$$f(x) = \frac{a}{x+2} + \frac{b}{x-1} \quad \text{pour tout } x > 1.$$

b) En déduire les primitives de f sur $]1, +\infty[$.

2° Reprendre les questions précédentes avec la fonction :

$g :]-2, 1[\to \mathbb{R}$

$$x \mapsto \frac{3}{(x+2)(x-1)}.$$

Études de fonctions

♦ **4.8** On considère les fonctions f et g définies sur $D =]0, +\infty[$ par :

$$f(x) = \ln x - \frac{x-1}{x} \quad \text{et} \quad g(x) = x - 1 - \ln x.$$

1° Calculer $f'(x)$ puis étudier le signe de $f'(x)$ lorsque $x \in D$.

2° Calculer les limites de f aux bornes de D.

3° En déduire le tableau de variation de f.

4° Reprendre les questions précédentes avec la fonction g.

5° Déduire des études précédentes que, pour tout réel x strictement positif :

$$\frac{x-1}{x} \leqslant \ln x \leqslant x - 1.$$

6° Soit n un entier supérieur ou égal à 2.
Appliquer l'inégalité précédente à $x = \sqrt[n]{e}$.

En déduire que : $$\left(1 + \frac{1}{n}\right)^n \leqslant e \leqslant \frac{1}{\left(1 - \frac{1}{n}\right)^n}.$$

7° On pose $n = 10^5$. À l'aide de la calculatrice, écrire un encadrement de e d'amplitude 10^{-4}.

4.9 On considère la fonction f définie sur $]-1, 1[$ par :

$$f(x) = \frac{1}{2} \ln\left(\frac{1+x}{1-x}\right).$$

1° Montrer que f est impaire.

2° Calculer $f'(x)$. Étudier le signe de $f'(x)$ lorsque $x \in [0, 1[$.

3° Calculer $\lim\limits_{\substack{x \to 1 \\ x < 1}} f(x)$. Que peut-on en déduire ?

4° Construire le tableau de variation de f.

5° Donner une équation de la tangente (T) à la courbe représentative (C) de f au point d'abscisse $x = 0$.

6° Construire (C) et (T) dans un même repère.

4.10 **A -** On considère la fonction f définie sur $D =]-\infty, 0[\cup]1, +\infty[$ par $f(x) = x - 1 + \ln\left(\frac{x-1}{x}\right)$ et on note (C) sa courbe représentative dans un repère orthonormé $(O\,; \vec{i}, \vec{j})$.

1° Calculer les limites de f aux bornes de D.

2° En déduire que (C) possède deux asymptotes verticales dont on précisera les équations.

3° Soit (Δ) la droite d'équation $y = x - 1$.

a) Montrer que (Δ) est asymptote à (C).

b) Étudier, suivant les valeurs de x, le signe de $f(x) - (x - 1)$. En déduire la position de (C) par rapport à (Δ).

4° Montrer que le point $I\left(\frac{1}{2}, -\frac{1}{2}\right)$ est centre de symétrie de (C). Que peut-on en déduire ?

5° Calculer $f'(x)$ et étudier le signe de $f'(x)$ lorsque $x \in]1, +\infty[$.

6° Construire le tableau de variation de f pour $x > 1$.

7° Construire (C) et (Δ).

B - Soit F_a la fonction numérique définie sur $]-a, +\infty[$ par :

$$F_a(x) = (x + a)\ln(x + a) - x, \text{ où } a \text{ est un réel fixé.}$$

1° Calculer $F_a'(x)$.

2° En déduire une primitive sur $]1, +\infty[$ des fonctions $x \mapsto \ln(x - 1)$ et $x \mapsto \ln x$.

3° Soit t un réel appartenant à l'intervalle $]1, 2[$.

a) Calculer l'aire $\mathscr{A}(t)$ du domaine plan délimité par la courbe (C), définie dans la partie **A**, et par (Δ) et les droites d'équation $x = t$ et $x = 2$.

b) Calculer la limite de $\mathscr{A}(t)$ lorsque t tend vers 1 par valeurs supérieures.

♦♦ **4.11** **1°** Soit g la fonction définie sur $D =]0, 1[\cup]1, +\infty[$ par :

$$g(x) = \frac{\ln x + 2}{\ln x}.$$

À l'aide d'un tableau de signes, étudier le signe de $g(x)$ lorsque $x \in D$.

2° On considère la fonction f définie sur D par $f(x) = \dfrac{1}{x(\ln x)^2}$ et on note (C) sa courbe représentative dans un repère orthogonal $(O ; \vec{i}, \vec{j})$.

a) Calculer les limites de f aux bornes de D (on admettra que, si $n \in \mathbb{N}^*$, $\lim\limits_{\substack{x \to 0 \\ x > 0}} x(\ln x)^n = 0$).

b) En déduire que (C) possède trois asymptotes dont on précisera les équations.

c) Calculer $f'(x)$.

d) Déterminer, à l'aide de la question **1°**, le signe de $f'(x)$ lorsque $x \in \mathrm{D}$. En déduire le tableau de variation de f.

e) Donner une équation de la tangente (T) à (C) au point d'abscisse e.

f) Construire (C) et (T) dans un même repère.

Application à la chimie

4.12 L'acidité d'une solution est mesurée par son pH (potentiel hydrogène). Le pH est défini par $\mathrm{pH} = -\log[H_3O^+]$ où $[H_3O^+]$ représente la concentration de la solution en ions H_3O^+ (nombre de moles de H_3O^+ par litre de solution).

1° Quel est le pH d'une solution contenant $5 \cdot 10^{-5}$ moles d'ions H_3O^+ par litre ?

2° Quelle est la concentration en ions H_3O^+ d'une solution dont le pH est 3 ? 10 ?

3° Comparer les concentrations en ions H_3O^+ de deux solutions dont les pH sont respectivement 3 et 4.

4° Les concentrations en ions H_3O^+ et OH^- d'une solution aqueuse à 25 °C sont liées par la relation $[H_3O^+] \times [OH^-] = 10^{-14}$.

a) Lorsque l'eau est pure, $[H_3O^+] = [OH^-]$. Quel est le pH de l'eau pure ?

b) Une solution est dite acide si son pH est strictement inférieur à 7, basique si son pH est strictement supérieur à 7.
Quels sont les ions majoritaires dans une solution acide ? dans une solution basique ?

4.1 **1°**

$$A = \frac{\ln 2\sqrt{2} - \ln 4}{\ln 2} + \ln 16$$

$$= \frac{\ln 2^{\frac{3}{2}} - \ln 2^2}{\ln 2} + \ln 2^4 \left(\text{car } \sqrt{2} = 2^{\frac{1}{2}}\right)$$

$$= \frac{\frac{3}{2}\ln 2 - 2\ln 2}{\ln 2} + 4\ln 2$$

$$= \frac{-\frac{1}{2}\ln 2}{\ln 2} + 4\ln 2$$

$$= -\frac{1}{2} + 4\ln 2.$$

$$B = \frac{\ln 8\sqrt{2} + \ln \frac{1}{8} - (\ln 2\sqrt{2})^2}{\ln 2 + \ln \frac{\sqrt{2}}{2}}$$

$$= \frac{\ln 2^{\frac{7}{2}} + \ln 2^{-3} - \left(\ln 2^{\frac{3}{2}}\right)^2}{\ln 2 + \ln 2^{-\frac{1}{2}}}$$

$$= \frac{\frac{7}{2}\ln 2 - 3\ln 2 - \left(\frac{3}{2}\ln 2\right)^2}{\ln 2 - \frac{1}{2}\ln 2}$$

$$= \frac{\frac{1}{2}\ln 2 - \frac{9}{4}(\ln 2)^2}{-\frac{1}{2}\ln 2}$$

$$= \frac{-2\ln 2\left(\frac{1}{2} - \frac{9}{4}\ln 2\right)}{\ln 2}$$

$$= -1 + \frac{9}{2}\ln 2.$$

Étudions le signe de $A - B$.

$$A - B = -\frac{1}{2} + 4\ln 2 - \left(-1 + \frac{9}{2}\ln 2\right)$$

$$= \frac{1}{2} - \frac{1}{2}\ln 2$$

$$= \frac{1}{2}(1 - \ln 2).$$

Or $\ln 2 < 1$ car la fonction logarithme est croissante et $\ln e = 1$ $(e > 2)$.
Par conséquent $A - B > 0$, ce qui prouve que $A > B$.

2° $(\sqrt{2} + 1)^2 = 2 + 2\sqrt{2} + 1$

$= 3 + 2\sqrt{2}.$

On en déduit :

$$\frac{3}{8}\ln(3+2\sqrt{2})-2\ln(1+\sqrt{2}) = \frac{3}{8}\ln(1+\sqrt{2})^2-\ln(1+\sqrt{2})^2$$

$$= -\frac{5}{8}\ln(1+\sqrt{2})^2$$

$$= -\frac{5}{4}\ln(1+\sqrt{2})$$

$$= \frac{5}{4}\ln\left(\frac{1}{1+\sqrt{2}}\right)$$

$$= \frac{5}{4}\ln\left[\frac{\sqrt{2}-1}{(\sqrt{2}+1)(\sqrt{2}-1)}\right]$$

$$= \frac{5}{4}\ln(\sqrt{2}-1).$$

4.2 *a*) $\ln(x^2)+3\ln x=5$.

L'expression $\ln(x^2)+3\ln x$ n'est définie que si $x>0$.

On peut alors écrire :

$$2\ln x+3\ln x=5$$
$$5\ln x=5$$
$$\ln x=1 \quad \text{d'où } x=\mathrm{e}.$$

b) $\ln\sqrt{x}+\ln x=\ln 5+\ln(x^2)$.

L'expression $\ln\sqrt{x}-\ln x$ n'a de sens que si $x>0$.

On obtient alors successivement :

$$\frac{1}{2}\ln x+\ln x=\ln 5+2\ln x$$

$$-\frac{1}{2}\ln x=\ln 5$$

$$\ln x=-2\ln 5$$

$$\ln x=\ln\frac{1}{5^2} \quad \text{d'où } x=\frac{1}{5^2}=\frac{1}{25}.$$

c) $2\ln(x-4)=\ln x-2\ln 2$.

Il faut $x-4>0$ et $x>0$, soit $x>4$.

Alors on peut écrire :

$$\ln(x-4)^2=\ln x-\ln 4$$

$$\ln(x-4)^2=\ln\frac{x}{4}.$$

Par conséquent, $(x-4)^2 = \frac{x}{4}$ soit $4x^2 - 33x + 64 = 0$.

$\Delta = 65$, le trinôme possède donc deux racines :

$$x_1 = \frac{33 + \sqrt{65}}{8} \quad \text{et} \quad x_2 = \frac{33 - \sqrt{65}}{8}.$$

Or $x_2 < 4$; donc, seule la racine x_1 convient.

En conclusion, l'équation ne possède qu'une solution : le réel $\frac{33 + \sqrt{65}}{8}$.

d) $\ln(x^2 - 4) = \ln(x+2) + \ln(x-2)$.

Les deux membres de l'égalité ne sont définis que si $x^2 - 4 > 0$, $x + 2 > 0$ et $x - 2 > 0$.

Ces trois inégalités sont simultanément vérifiées si, et seulement si, $x > 2$.
On peut alors écrire :

$$\ln(x^2 - 4) = \ln(x+2)(x-2)$$
$$\ln(x^2 - 4) = \ln(x^2 - 4).$$

Cette égalité est évidemment vérifiée pour tout x strictement supérieur à 2.
L'équation possède donc pour solutions tous les réels de l'intervalle $]2, +\infty[$.

e) $\ln\left(\frac{1}{x}\right) = 1 - \ln x$.

Il faut $x > 0$.
On obtient alors :

$$-\ln x = 1 - \ln x \quad \text{soit} \quad 0 \ln x = 1.$$

Cette égalité n'est vérifiée pour aucun réel x.
L'équation ne possède pas de solution.

f) $(\ln x)^2 - \ln\left(\frac{1}{x}\right) = 0$.

L'expression $(\ln x)^2 - \ln\left(\frac{1}{x}\right)$ n'a de sens que si $x > 0$.

Dans ce cas, on peut écrire :

$$(\ln x)^2 + \ln x = 0$$
$$\ln x(\ln x + 1) = 0.$$

Soit, $\ln x = 0$ ou $\ln x = -1$ d'où l'on tire $x = 1$ ou $x = \frac{1}{\mathrm{e}}$.

L'équation possède deux solutions : les réels 1 et $\frac{1}{\mathrm{e}}$.

4.3 **1°** $P(\sqrt{2}) = (\sqrt{2})^3 - 2\sqrt{2}\,(\sqrt{2})^2 - 2\sqrt{2} + 4\sqrt{2}$

$$= 2\sqrt{2} - 4\sqrt{2} - 2\sqrt{2} + 4\sqrt{2}$$

$$= 0.$$

$\sqrt{2}$ est une racine du polynôme $P(x)$; on peut donc factoriser $P(x)$ par $(x - \sqrt{2})$.

$$\begin{aligned} P(x) &= (x - \sqrt{2})(ax^2 + bx + c) \\ &= ax^3 + (b - \sqrt{2}\,a)\,x^2 + (c - \sqrt{2}\,b)\,x - \sqrt{2}\,c. \end{aligned}$$

En identifiant les coefficients, on obtient :

$$\begin{cases} a = 1 \\ b - \sqrt{2}\,a = -2\sqrt{2} \\ c - \sqrt{2}\,b = -2 \\ -\sqrt{2}\,c = 4\sqrt{2} \end{cases} \quad \text{soit} \quad \begin{cases} a = 1 \\ b = -\sqrt{2} \\ c = -4. \end{cases}$$

Donc, $P(x) = (x - \sqrt{2})(x^2 - \sqrt{2}\,x - 4)$.

Les racines du trinôme $x^2 - \sqrt{2}\,x - 4$ sont $2\sqrt{2}$ et $-\sqrt{2}$.

Donc : $$P(x) = (x - \sqrt{2})(x - 2\sqrt{2})(x + \sqrt{2}).$$

2° L'expression $2\sqrt{2}\ln x + 4(\ln x)^2 - \sqrt{2}\,(\ln x)^3$ n'est définie que si $x > 0$.
Posons $X = \ln x$.

L'équation s'écrit alors : $2\sqrt{2}\,X + 4X^2 - \sqrt{2}\,X^3 = 8$,

ou encore : $$\sqrt{2}\,X^3 - 4X^2 - 2\sqrt{2}\,X + 8 = 0,$$

soit $X^3 - 2\sqrt{2}\,X^2 - 2X + 4\sqrt{2} = 0$ en divisant les deux membres par $\sqrt{2}$.

En utilisant la factorisation obtenue dans la question **1°**, on obtient :

$$(X - \sqrt{2})(X - 2\sqrt{2})(X + \sqrt{2}) = 0$$

d'où l'on tire : $X = \sqrt{2}$ ou $X = 2\sqrt{2}$ ou $X = -\sqrt{2}$.

Par conséquent, x est solution de l'équation si, et seulement si : $\ln x = \sqrt{2}$ ou $\ln x = 2\sqrt{2}$ ou $\ln x = -\sqrt{2}$. D'où l'on tire :

$$x = \mathrm{e}^{\sqrt{2}} \text{ ou } x = \mathrm{e}^{2\sqrt{2}} \text{ ou } x = \mathrm{e}^{-\sqrt{2}}.$$

L'équation possède trois solutions : les réels $\mathrm{e}^{\sqrt{2}}$, $\mathrm{e}^{2\sqrt{2}}$ et $\mathrm{e}^{-\sqrt{2}}$ (les trois réels obtenus sont positifs).

4.4 *a*) $\ln[x(x-1)] \leqslant 0$.

Le logarithme de $x(x-1)$ n'est défini que si $x(x-1) > 0$, c'est-à-dire si $x < 0$ ou $x > 1$.

Remarque : le signe de $x(x-1)$ s'obtient à l'aide d'un tableau de signes.

Dans ces conditions, $\ln[x(x-1)] \leqslant 0$ si, et seulement si :
$x(x-1) \leqslant 1$ (car la fonction logarithme est croissante), soit $x^2 - x - 1 \leqslant 0$.

Le trinôme $x^2 - x - 1$ a pour racines les réels $x_1 = \dfrac{1-\sqrt{5}}{2}$ et $x_2 = \dfrac{1+\sqrt{5}}{2}$.

Par conséquent, $x^2 - x - 1 \leqslant 0$ si, et seulement si :

$$\frac{1-\sqrt{5}}{2} \leqslant x \leqslant \frac{1+\sqrt{5}}{2}.$$

L'inéquation est donc vérifiée lorsque l'on a simultanément :

$$(x < 0 \text{ ou } x > 1) \text{ et } \left(\frac{1-\sqrt{5}}{2} \leqslant x \leqslant \frac{1+\sqrt{5}}{2}\right):$$

Les réels situés dans les parties hachurées ne satisfont pas l'une ou l'autre des conditions.

L'ensemble des solutions de l'inéquation est :

$$S = \left[\frac{1-\sqrt{5}}{2}, 0\right[\cup \left]1, \frac{1+\sqrt{5}}{2}\right].$$

b) $\ln(x+1) + \ln(x-2) \geqslant -1$.

Le membre de gauche n'est défini que si $x+1 > 0$ et $x-2 > 0$ soit $x > 2$.

On peut alors écrire : $\ln[(x+1)(x-2)] \geqslant \ln \dfrac{1}{e}$.

Puisque la fonction logarithme est croissante, cette inégalité est équivalente à $(x+1)(x-2) \geqslant \dfrac{1}{e}$ ou encore $ex^2 - ex - 2e - 1 \geqslant 0$.

Étudions le signe du trinôme : $\Delta = e^2 + 4e(2e+1) = 9e^2 + 4e$.

Les racines du trinôme sont donc : $x_1 = \dfrac{e - \sqrt{9e^2+4e}}{2e}$

et $x_2 = \dfrac{e+\sqrt{9e^2+4e}}{2e} = \dfrac{1}{2} + \sqrt{\dfrac{9e^2+4e}{4e^2}} = \dfrac{1}{2} + \sqrt{\dfrac{9}{4} + \dfrac{1}{e}}$.

Le trinôme est positif lorsque $x \leqslant x_1$ ou $x \geqslant x_2$.

Or $x_1 < 0$ car $\sqrt{9e^2+4e} > e$ et $x_2 > 2$ car $x_2 > \dfrac{1}{2} + \sqrt{\dfrac{9}{4}}$.

La condition initiale est donc vérifiée dès que $x \geqslant x_2$.

L'inéquation admet comme ensemble de solutions l'intervalle :

$$\left[\frac{1}{2} + \sqrt{\frac{9}{4} + \frac{1}{e}}, +\infty\right[.$$

c) $\ln x - \ln(x-1) \leqslant 1 - \ln(x^2-1)$.

Il faut $x > 0$, $x-1>0$ et $x^2-1>0$.

Les trois conditions sont réalisées lorsque $x > 1$. On peut alors écrire les inéquations équivalentes :

$\ln\left(\dfrac{x}{x-1}\right) \leqslant \ln\left(\dfrac{\text{e}}{x^2-1}\right)$, car $\ln \text{e} = 1$,

$\dfrac{x}{x-1} \leqslant \dfrac{\text{e}}{x^2-1}$, car la fonction logarithme est croissante,

$x \leqslant \dfrac{\text{e}}{x+1}$, en multipliant les deux membres par $x-1$ ($x-1>0$ car $x>1$),

$x^2+x \leqslant \text{e}$, en multipliant les deux membres par $x+1$ ($x+1>0$).

Soit, finalement : $\qquad x^2+x-\text{e} \leqslant 0$.

Le trinôme admet pour racines les réels :

$$x_1 = \frac{-1-\sqrt{1+4\text{e}}}{2} \quad \text{et} \quad x_2 = \frac{-1+\sqrt{1+4\text{e}}}{2}.$$

Par conséquent, $x^2+x-\text{e} \leqslant 0$, si, et seulement si, $x_1 \leqslant x \leqslant x_2$.

Or $x_1 < 0$ et $x_2 > 1$; on en déduit que l'inéquation a pour ensemble de solutions l'intervalle : $\left]1, \dfrac{-1+\sqrt{1+4\text{e}}}{2}\right]$.

d) $(\ln x)^2 + 2\ln x \geqslant 3$.

Il faut $x > 0$.

Posons $X = \ln x$; l'inéquation s'écrit : $X^2+2X-3 \geqslant 0$.

Les racines du trinôme sont les réels 1 et -3 et l'inégalité est vérifiée si, et seulement si, $X \leqslant -3$ ou $X \geqslant 1$.

Soit $\ln x \leqslant -3$ ou $\ln x \geqslant 1$, c'est-à-dire $x \leqslant \text{e}^{-3}$ ou $x \geqslant \text{e}$.

En tenant compte de la condition initiale, on obtient l'ensemble des solutions de l'inéquation proposée : $S =]0, \text{e}^{-3}] \cup [\text{e}, +\infty[$.

4.5 *a*) $f(x) = x\ln x - x$.

f est dérivable sur $]0, +\infty[$ et les règles de dérivation permettent d'écrire :

$$f'(x) = \ln x + x \cdot \frac{1}{x} - 1 = \ln x.$$

b) $f(x) = \dfrac{(\ln x)^2}{x}$.

f est dérivable sur $]0, +\infty[$.

Posons $u(x) = (\ln x)^2$ et $v(x) = x$; alors $u'(x) = 2\,(\ln x)\dfrac{1}{x}$ et $v'(x) = 1$.

Par conséquent, $f'(x) = \dfrac{\left(2\,\dfrac{\ln x}{x}\right)x - (\ln x)^2}{x^2} = \dfrac{2\ln x - (\ln x)^2}{x^2}$.

c) $f(x) = \ln\left|\dfrac{x-1}{x+2}\right|$.

f est dérivable sur $\mathbb{R}\setminus\{-2, 1\}$.

Posons $u(x) = \dfrac{x-1}{x+2}$; alors $u'(x) = \dfrac{3}{(x+2)^2}$.

$$\begin{aligned} f'(x) &= \frac{u'(x)}{u(x)} \\ &= \frac{3}{(x+2)^2} \times \frac{x+2}{x-1} = \frac{3}{(x+2)(x-1)}. \end{aligned}$$

d) $f(x) = \ln(x^2) + \dfrac{\ln(x\sqrt{x})}{x}$.

f est dérivable sur $]0, +\infty[$.

$$\frac{\mathrm{d}}{\mathrm{d}x}[\ln(x^2)] = \frac{\mathrm{d}}{\mathrm{d}x}(2\ln x) = \frac{2}{x}.$$

$$\frac{\mathrm{d}}{\mathrm{d}x}[\ln(x\sqrt{x})] = \frac{\mathrm{d}}{\mathrm{d}x}\left[\ln\left(x^{\frac{3}{2}}\right)\right] = \frac{\mathrm{d}}{\mathrm{d}x}\left[\frac{3}{2}\ln x\right] = \frac{3}{2x}.$$

Par conséquent, $f'(x) = \dfrac{2}{x} + \dfrac{\dfrac{3}{2x}\cdot x - \ln(x\sqrt{x})}{x^2}$

$$\begin{aligned} &= \frac{2}{x} + \frac{3 - 2\ln(x\sqrt{x})}{2x^2} \\ &= \frac{4x + 3 - 2\ln(x\sqrt{x})}{2x^2}. \end{aligned}$$

4.6 *a)* $f(x) = \dfrac{3}{2x-1}$ si $x > \dfrac{1}{2}$.

On écrit $f(x)$ sous la forme $k\,\dfrac{u'(x)}{u(x)}$; $f(x) = \dfrac{3}{2}\cdot\dfrac{2}{2x-1}$.

Si l'on pose $u(x) = 2x - 1$, $f(x) = \dfrac{3}{2}\cdot\dfrac{u'(x)}{u(x)}$.

■ Les primitives de f sur $\left]\frac{1}{2}, +\infty\right[$ sont les fonctions F définies sur le même intervalle par $F(x) = \frac{3}{2}\ln|u(x)| + C$ où C est une constante.

Par conséquent, $F(x) = \frac{3}{2}\ln|2x-1| + C$

$= \frac{3}{2}\ln(2x-1) + C$ car $2x-1 > 0$ sur $\left]\frac{1}{2}, +\infty\right[$.

La condition $F(1) = 0$ s'écrit $\frac{3}{2}\ln(2\times 1 - 1) + C = 0$, d'où $C = 0$.

La primitive de f sur $\left]\frac{1}{2}, +\infty\right[$ qui s'annule lorsque $x = 1$ est la fonction :

$$F : \left]\frac{1}{2}, +\infty\right[\longrightarrow \mathbb{R}$$
$$x \mapsto \frac{3}{2}\ln(2x-1).$$

Remarque : on peut aussi écrire $F(x) = \int_1^x f(t)\,dt$, avec $x > \frac{1}{2}$.

On obtient alors, successivement :

$$F(x) = \int_1^x \frac{3}{2t-1}\,dt$$
$$= \frac{3}{2}\int_1^x \frac{2}{2t-1}\,dt$$
$$= \frac{3}{2}\left[\ln|2t-1|\right]_1^x$$
$$= \frac{3}{2}\ln|2x-1| = \frac{3}{2}\ln(2x-1).$$

b) $f(x) = \frac{-1}{3x-6}$ si $x < 2$.

$f(x) = -\frac{1}{3}\cdot\frac{3}{3x-6}$.

■ La primitive cherchée s'écrit donc :

$$F(x) = -\frac{1}{3}\ln|3x-6| + C$$
$$= -\frac{1}{3}\ln(6-3x) + C \text{ car } 3x-6 < 0 \text{ si } x < 2.$$

$F(1)=0$ donc $-\frac{1}{3}\ln 3+\mathrm{C}=0$ d'où $\mathrm{C}=\frac{1}{3}\ln 3$.

F est donc définie sur $]-\infty, 2[$ par :

$$\begin{aligned} F(x) &= -\frac{1}{3}\ln(6-3x)+\frac{1}{3}\ln 3 \\ &= -\frac{1}{3}[\ln(6-3x)-\ln 3] \\ &= -\frac{1}{3}\ln(2-x). \end{aligned}$$

■ On pourrait également procéder de la façon suivante :

$$\begin{aligned} F(x) &= \int_1^x f(t)\,\mathrm{d}t, \quad \text{avec } x<2, \\ &= \int_1^x \frac{-1}{3t-6}\,\mathrm{d}t \\ &= -\frac{1}{3}\int_1^x \frac{3}{3t-6}\,\mathrm{d}t \\ &= -\frac{1}{3}[\ln|3t-6|]_1^x \\ &= -\frac{1}{3}[\ln|3x-6|-\ln 3] \\ &= -\frac{1}{3}\ln|x-2| \\ &= -\frac{1}{3}\ln(2-x), \quad \text{car } x<2. \end{aligned}$$

c) $f(x)=\frac{3}{2x+1}+\frac{1}{(2x+1)^2}$ si $x>-\frac{1}{2}$.

$f(x)=\frac{3}{2}\cdot\frac{2}{2x+1}+\frac{1}{2}\cdot\frac{2}{(2x+1)^2}$.

Les primitives sur $\left]-\frac{1}{2}, +\infty\right[$ des fonctions $x\mapsto\frac{2}{2x+1}$ et $x\mapsto\frac{2}{(2x+1)^2}$ s'écrivent respectivement :

$$x\mapsto\ln|2x+1|+\mathrm{C}_1 \quad \text{et} \quad x\mapsto-\frac{1}{2x+1}+\mathrm{C}_2$$

où C_1 et C_2 sont des constantes.

Donc $F(x)=\frac{3}{2}\ln|2x+1|-\frac{1}{2(2x+1)}+C$.

$F(1)=0$ si, et seulement si : $\frac{3}{2}\ln 3-\frac{1}{6}+C=0$ d'où $C=\frac{1}{6}-\frac{3}{2}\ln 3$.

Donc :
$$F(x)=\frac{3}{2}\ln(2x+1)-\frac{1}{2(2x+1)}+\frac{1}{6}-\frac{3}{2}\ln 3$$
$$=\frac{3}{2}\ln\left(\frac{2x+1}{3}\right)+\frac{x-1}{3(2x+1)}.$$

d) $f(x)=\frac{-4x}{x^2+1}$ pour tout réel x.

$$F(x)=\int_1^x \frac{-4t}{t^2+1}\,dt$$
$$=-2\int_1^x \frac{2t}{t^2+1}\,dt \quad \left(\frac{2t}{t^2+1} \text{ est de la forme } \frac{u'(t)}{u(t)}\right)$$
$$=-2[\ln|t^2+1|]_1^x$$
$$=-2[\ln(x^2+1)-\ln 2]$$
$$=-2\ln\left(\frac{x^2+1}{2}\right).$$

e) $f(x)=\frac{3x+\frac{9}{2}}{x^2+3x+5}$ pour tout réel x.

$$F(x)=\int_1^x \frac{3t+\frac{9}{2}}{t^2+3t+5}\,dt$$
$$=\frac{3}{2}\int_1^x \frac{2t+3}{t^2+3t+5}\,dt \quad \left(\frac{2t+3}{t^2+3t+5} \text{ est de la forme } \frac{u'(t)}{u(t)}\right)$$
$$=\frac{3}{2}[\ln|t^2+3t+5|]_1^x$$
$$=\frac{3}{2}[\ln(x^2+3x+5)-\ln 9] \quad (\text{en effet } x^2+3x+5>0 \text{ pour tout } x)$$
$$=\frac{3}{2}\ln\left(\frac{x^2+3x+5}{9}\right).$$

4.7 1° *a*) $f(x)=\dfrac{3}{(x+2)(x-1)}$ si $x>1$.

La fonction f est dérivable sur $]1,+\infty[$, elle admet donc des primitives sur cet intervalle.

$$\frac{a}{x+2}+\frac{b}{x-1}=\frac{a(x-1)+b(x+2)}{(x+2)(x-1)}$$
$$=\frac{(a+b)x+2b-a}{(x+2)(x-1)}.$$

Par conséquent, $f(x)=\dfrac{a}{x+2}+\dfrac{b}{x-1}$ pour tout x de $]1,+\infty[$ si, et seulement si :

$$\begin{cases} a+b=0 \\ 2b-a=3 \end{cases} \quad \text{soit} \quad \begin{cases} a=-1 \\ b=1. \end{cases}$$

Donc, pour tout réel x strictement supérieur à 1 :

$$f(x)=\frac{-1}{x+2}+\frac{1}{x-1}.$$

b) Les primitives de f sur $]1,+\infty[$ sont les fonctions définies sur $]1,+\infty[$ par $F(x)=-\ln|x+2|+\ln|x-1|+\text{C}$, où C est une constante.

$$F(x)=\ln\left|\frac{x-1}{x+2}\right|+\text{C}=\ln\left(\frac{x-1}{x+2}\right)+\text{C},$$

car $\dfrac{x-1}{x+2}>0$ pour tout x de $]1,+\infty[$.

2° Pour tout x de $]-2,1[$, $g(x)=\dfrac{-1}{x+2}+\dfrac{1}{x-1}$.

Les primitives de g sur $]-2,1[$ sont les fonctions G définies sur $]-2,1[$ par $G(x)=-\ln|x+2|+\ln|x-1|+\text{C}'$ où C' est une constante.

$G(x)=\ln\left|\dfrac{x-1}{x+2}\right|+\text{C}'=\ln\left(\dfrac{1-x}{x+2}\right)+\text{C}'$ car $\dfrac{x-1}{x+2}<0$ sur $]-2,1[$.

4.8 1° f est dérivable sur D et $f'(x)=\dfrac{1}{x}-\dfrac{1}{x^2}=\dfrac{x-1}{x^2}$.

$f'(x)\geqslant 0$ si, et seulement si, $\dfrac{x-1}{x^2}>0$, soit $x>1$ car x^2 est positif.

Donc $f'(x)\geqslant 0$ sur $[1,+\infty[$ et $f'(x)\leqslant 0$ sur $]0,1]$.

2° $\lim_{x \to 0^+} f(x) = \lim_{x \to 0^+} \frac{x \ln x - x + 1}{x}$

$= \lim_{x \to 0^+} \frac{1}{x}$ car $\lim_{x \to 0^+} x \ln x = 0$ et $\lim_{x \to 0^+} - x = 0$

$= +\infty.$

La droite d'équation $x = 0$ est asymptote à la courbe représentative de f.

$\lim_{x \to +\infty} f(x) = \lim_{x \to +\infty} \ln x - \frac{x-1}{x}$

$= +\infty$ car $\lim_{x \to +\infty} \ln x = +\infty$ et $\lim_{x \to +\infty} \frac{x-1}{x} = 1.$

3° Tableau de variation de f :

x	0		1		$+\infty$
f'	‖	$-$	0	$+$	
f	‖ $+\infty$	↘	0	↗	$+\infty$

$f(1) = \ln 1 - \frac{1-1}{1} = 0.$

4° g est dérivable sur D et $g'(x) = 1 - \frac{1}{x} = \frac{x-1}{x}$.

$g'(x) \geqslant 0$ si, et seulement si, $\frac{x-1}{x} \geqslant 0$, soit $x \geqslant 1$ car x est positif sur D.

$\lim_{x \to 0^+} g(x) = \lim_{x \to 0^+} x - 1 - \ln x = +\infty.$

La droite d'équation $x = 0$ est asymptote à la courbe représentative de g.

$\lim_{x \to +\infty} g(x) = \lim_{x \to +\infty} x \left(1 - \frac{1}{x} - \frac{\ln x}{x}\right)$

$= +\infty$ car $\lim_{x \to +\infty} \frac{1}{x} = 0$ et $\lim_{x \to +\infty} \frac{\ln x}{x} = 0.$

Tableau de variation de g :

x	0		1		$+\infty$
g'	‖	$-$	0	$+$	
g	‖ $+\infty$	↘	0	↗	$+\infty$

$g(1) = 0.$

5° La fonction f admet un minimum égal à 0, donc $f(x) \geqslant 0$ pour tout x de $]0, +\infty[$.

Par conséquent, $\ln x - \dfrac{x-1}{x} \geqslant 0$ soit $\ln x \geqslant \dfrac{x-1}{x}$.

On constate également que $g(x) \geqslant 0$ pour tout réel de D.
Donc $x - 1 - \ln x \geqslant 0$ soit $x - 1 \geqslant \ln x$.

En conclusion, pour tout réel strictement positif :

$$\frac{x-1}{x} \leqslant \ln x \leqslant x - 1.$$

6° Appliquons l'inégalité à $x = \sqrt[n]{e}$ où n est un entier supérieur ou égal à 2.

$$\frac{\sqrt[n]{e} - 1}{\sqrt[n]{e}} \leqslant \ln \sqrt[n]{e} \leqslant \sqrt[n]{e} - 1$$

$$1 - \frac{1}{\sqrt[n]{e}} \leqslant \frac{1}{n} \leqslant \sqrt[n]{e} - 1 \qquad \left(\text{car } \ln \sqrt[n]{e} = \frac{1}{n} \ln e = \frac{1}{n}\right).$$

De $1 - \dfrac{1}{\sqrt[n]{e}} \leqslant \dfrac{1}{n}$ on tire $1 - \dfrac{1}{n} \leqslant \dfrac{1}{\sqrt[n]{e}}$ puis $\sqrt[n]{e} \leqslant \dfrac{1}{1 - \dfrac{1}{n}}$.

De $\dfrac{1}{n} \leqslant \sqrt[n]{e} - 1$ on tire $1 + \dfrac{1}{n} \leqslant \sqrt[n]{e}$.

Par conséquent, $1 + \dfrac{1}{n} \leqslant \sqrt[n]{e} \leqslant \dfrac{1}{1 - \dfrac{1}{n}}$.

D'où $\left(1 + \dfrac{1}{n}\right)^n \leqslant e \leqslant \dfrac{1}{\left(1 - \dfrac{1}{n}\right)^n}$ en élevant les trois membres à la puissance n.

7° Si $n = 10^5$, on a : $(1 + 10^{-5})^{10^5} \leqslant e \leqslant (1 - 10^{-5})^{-10^5}$.

À l'aide de la calculatrice, on obtient :

$$(1 + 10^{-5})^{10^5} \approx 2{,}718\,268 \quad \text{et} \quad (1 - 10^{-5})^{-10^5} \approx 2{,}718\,295.$$

Donc : $2{,}718\,2 < e < 2{,}718\,3$.

4.9 $f :]-1, 1[\to \mathbb{R}$

$$x \mapsto \frac{1}{2} \ln\left(\frac{1+x}{1-x}\right).$$

1° L'ensemble de définition de f est un intervalle symétrique par rapport à l'origine.

De plus :

$$f(-x) = \frac{1}{2}\ln\left(\frac{1-x}{1+x}\right)$$
$$= \frac{1}{2}\ln\left(\frac{1}{\dfrac{1+x}{1-x}}\right) = -\frac{1}{2}\ln\left(\frac{1+x}{1-x}\right).$$

Pour tout réel de $]-1, 1[$, $f(-x) = f(x)$: f est impaire. La courbe (C) représentative de f est donc symétrique par rapport à l'origine.

2° f est dérivable sur $]-1, 1[$ et :

$$f'(x) = \frac{1}{2}\,\frac{\left[\dfrac{2}{(1-x)^2}\right]}{\left(\dfrac{1+x}{1-x}\right)} \quad \text{car} \quad \frac{\mathrm{d}}{\mathrm{d}x}\left(\frac{1+x}{1-x}\right) = \frac{2}{(1-x)^2}$$
$$= \frac{1}{2}\times\frac{2}{(1-x)^2}\times\frac{1-x}{1+x}$$
$$= \frac{1}{(1-x)(1+x)}.$$

Si $x \in [0, 1[$, $(1-x)(1+x) > 0$ donc $f'(x) > 0$.

3° $$\lim_{\substack{x\to 1\\ x<1}} f(x) = \lim_{\substack{x\to 1\\ x<1}} \frac{1}{2}\ln\left(\frac{1+x}{1-x}\right)$$
$$= +\infty \quad \text{car} \quad \lim_{\substack{x\to 1\\ x<1}}\left(\frac{1+x}{1-x}\right) = +\infty \ \text{et} \ \lim_{X\to+\infty}\ln X = +\infty.$$

On en déduit que la droite d'équation $x = 1$ est asymptote à (C).

4° Puisque f est impaire, il suffit d'étudier f sur $[0, 1[$.

x	0	1
f'	$+$	‖
f	$0 \nearrow +\infty$	‖

$$f(0) = \frac{1}{2}\ln 1 = 0.$$

5° Une équation de la tangente (T) à (C) au point d'abscisse $x = 0$ est donnée par $y - f(0) = f'(0)\,x$. Or, $f(0) = 0$ et $f'(0) = 1$.

(T) a pour équation $y = x$.

6° Calculons les coordonnées de quelques points de (C).

x	0,1	0,2	0,3	0,4
$f(x)$	0,100 3	0,202 7	0,309 5	0,423 6

0,5	0,6	0,7	0,8	0,9
0,549 3	0,693	0,867	1,098	1,472

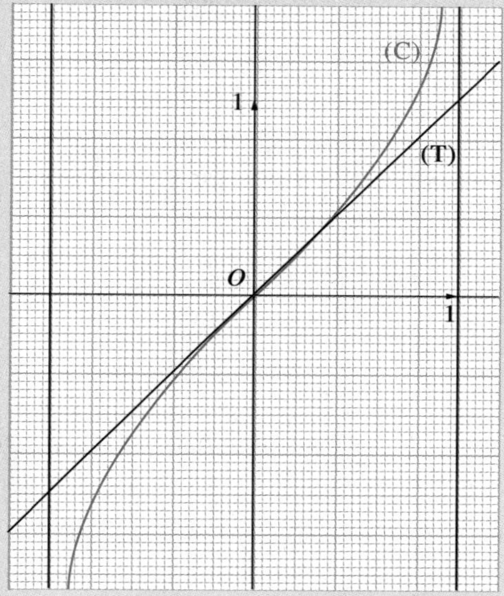

4.10 Pour tout x de D, $\dfrac{x-1}{x} > 0$ donc f est définie sur D.

A - 1° $\lim\limits_{x \to -\infty} \dfrac{x-1}{x} = 1$ donc $\lim\limits_{x \to -\infty} \ln\left(\dfrac{x-1}{x}\right) = 0$ et $\lim\limits_{x \to -\infty} f(x) = -\infty$.

De la même façon, $\lim\limits_{x \to +\infty} f(x) = +\infty$.

$\lim\limits_{\substack{x \to 1 \\ x > 1}} \dfrac{x-1}{x} = 0$ et $\lim\limits_{\substack{x \to 0 \\ x < 0}} \dfrac{x-1}{x} = +\infty$ (car $x - 1 < 0$ et $x < 0$).

Par conséquent, $\lim\limits_{\substack{x \to 1 \\ x > 1}} \ln\left(\dfrac{x-1}{x}\right) = -\infty$ et $\lim\limits_{\substack{x \to 0 \\ x < 0}} \ln\left(\dfrac{x-1}{x}\right) = +\infty$.

On en déduit : $\lim\limits_{\substack{x \to 1 \\ x > 1}} f(x) = -\infty$ et $\lim\limits_{\substack{x \to 0 \\ x < 0}} f(x) = +\infty$.

2° Les droites d'équation $x=0$ et $x=1$ sont asymptotes à (C).

3° *a*) $\lim_{x \to +\infty} [f(x)-(x-1)] = \lim_{x \to +\infty} \ln\left(\frac{x-1}{x}\right) = 0.$

De la même façon $\lim_{x \to -\infty} [f(x)-(x-1)] = 0.$

Par conséquent, la droite d'équation $y=x-1$ est asymptote à (C) lorsque x tend vers $+\infty$ ou $-\infty$.

b) Notons P et M les points d'abscisse x appartenant respectivement à (Δ) et (C).

$$\overline{PM} = f(x)-(x-1) = \ln\left(\frac{x-1}{x}\right), \text{ (car } \overline{PM} = y_M - y_P).$$

M est au-dessus de P lorsque $\overline{PM} > 0$ et au-dessous si $\overline{PM} < 0$; la position de (C) par rapport à (Δ) est donc précisée par le signe de $\overline{PM}$ (*cf.* figure p. 98).

Or $\ln\left(\frac{x-1}{x}\right) > 0$ si, et seulement si, $\frac{x-1}{x} > 1$, soit $\frac{x-1}{x} - 1 > 0$ ou encore $\frac{-1}{x} > 0$.

On en déduit : $\overline{PM} > 0$ lorsque $x < 0$ et $\overline{PM} < 0$ lorsque $x > 1$ ($\overline{PM}$ n'est pas défini lorsque $x \in [0, 1]$). Donc (C) est au-dessus de (Δ) lorsque $x < 0$ et au-dessous lorsque $x > 1$.

4° Notons respectivement (x, y) et (X, Y) les coordonnées d'un point M dans les repères $(O ; \vec{i}, \vec{j})$ et $(I ; \vec{i}, \vec{j})$.

$$\overrightarrow{OM} = \overrightarrow{OI} + \overrightarrow{IM} \text{ donc } \begin{cases} x = \frac{1}{2} + X \\ y = -\frac{1}{2} + Y. \end{cases}$$

De : $$y = x - 1 + \ln\left(\frac{x-1}{x}\right)$$

on tire : $$-\frac{1}{2} + Y = \frac{1}{2} + X - 1 + \ln\left(\frac{\frac{1}{2} + X - 1}{\frac{1}{2} + X}\right).$$

Donc $$Y = X + \ln\left(\frac{X - \frac{1}{2}}{X + \frac{1}{2}}\right) = g(X).$$

$$g(-X) = -X + \ln\left(\frac{-X-\frac{1}{2}}{-X+\frac{1}{2}}\right)$$

$$= -X + \ln\left(\frac{X+\frac{1}{2}}{X-\frac{1}{2}}\right)$$

$$= -X - \ln\left(\frac{X-\frac{1}{2}}{X+\frac{1}{2}}\right) \quad \text{car} \quad \frac{X+\frac{1}{2}}{X-\frac{1}{2}} = \left(\frac{X-\frac{1}{2}}{X+\frac{1}{2}}\right)^{-1}$$

$$= -g(X).$$

La fonction g est impaire ce qui prouve que I est centre de symétrie de la courbe (C). Il suffit donc d'étudier f sur $]1, +\infty[$.

5° $$f'(x) = 1 + \frac{\left(\frac{1}{x^2}\right)}{\left(\frac{x-1}{x}\right)}$$

$$= 1 + \frac{1}{x^2} \cdot \frac{x}{x-1}$$

$$= 1 + \frac{1}{x(x-1)}$$

$$= \frac{x^2 - x + 1}{x(x-1)}.$$

Le trinôme $x^2 - x + 1$ est toujours positif car son discriminant Δ est négatif et $x(x-1) > 0$ sur $]1, +\infty[$. Donc $f'(x) > 0$ sur $]1, +\infty[$.

6°

x	1	$+\infty$
f'	‖	$+$
f	‖ $-\infty$	↗ $+\infty$

7° Déterminons les coordonnées de quelques points de (C) :

x	1,1	1,5	2	3	4	5	6	7
$f(x)$	– 2,3	– 0,6	0,3	1,6	2,7	3,8	4,8	5,8

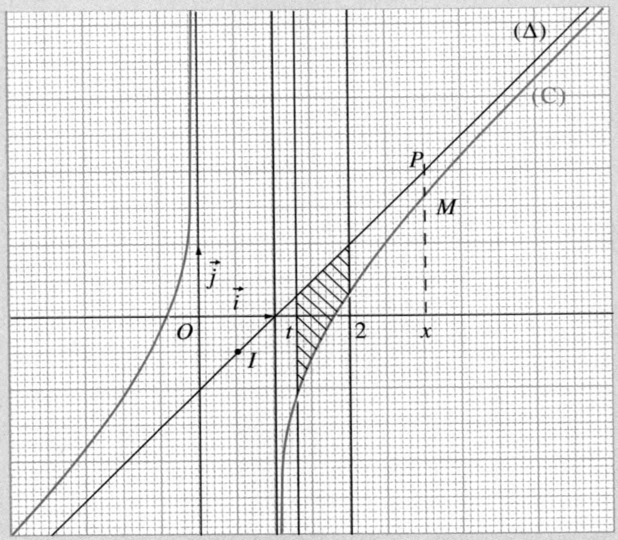

B - 1° $F_a(x) = (x+a)\ln(x+a) - x.$

$$F_a'(x) = \ln(x+a) + \frac{x+a}{x+a} - 1$$
$$= \ln(x+a).$$

2° F_a est donc une primitive de $x \mapsto \ln(x+a)$ sur $]-a, +\infty[$.

On en déduit que F_{-1} et F_0 sont des primitives des fonctions $x \mapsto \ln(x-1)$ et $x \mapsto \ln x$:

$$F_{-1}(x) = (x-1)\ln(x-1) - x \quad \text{et} \quad F_0(x) = x\ln x - x.$$

3° *a*) Sur l'intervalle $]t, 2]$, (C) se trouve au-dessous de (Δ), donc :

$$\mathscr{A}(t) = \int_t^2 [(x-1) - f(x)]\,\mathrm{d}x$$

$$= \int_t^2 -\ln\frac{x-1}{x}\,\mathrm{d}x.$$

$$\mathscr{A}(t) = -\int_t^2 [\ln(x-1) - \ln x]\,\mathrm{d}x$$

$$= -\left[(x-1)\ln(x-1) - x - (x\ln x - x)\right]_t^2 \qquad \text{d'après } \mathbf{B - 2°}$$

$$= -\left[(x-1)\ln(x-1) - x\ln x\right]_t^2$$

$$= 2\ln 2 + (t-1)\ln(t-1) - t\ln t.$$

($\mathscr{A}(t)$ est exprimée en unités d'aire.)

b) $\lim\limits_{t \to 1} t\ln t = 0$ et $\lim\limits_{\substack{t \to 1 \\ t > 1}} (t-1)\ln(t-1) = \lim\limits_{\substack{u \to 0 \\ u > 0}} u\ln u = 0$ en posant $u = t - 1$.

Donc :

$$\lim_{\substack{t \to 1 \\ t > 1}} \mathscr{A}(t) = 2\ln 2.$$

Remarque : $\mathscr{A}(t)$ est l'aire du domaine hachuré sur la figure.

4.11 **1°** $g(x) = \dfrac{\ln x + 2}{\ln x}$ si $x \in \,]0, 1[\, \cup \,]1, +\infty[$.

$\ln x + 2 \geqslant 0$ si, et seulement si, $\ln x \geqslant -2$ soit $x \geqslant \mathrm{e}^{-2}$.

$\ln x \geqslant 0$ si, et seulement si, $x \geqslant 1$.

x	0		e^{-2}		1		$+\infty$
signe de $\ln x + 2$	‖	$-$	0	$+$	‖	$+$	
signe de $\ln x$	‖	$-$	|	$-$	‖	$+$	
signe de $g(x)$	‖	$+$	0	$-$	‖	$+$	

2° *a*) $f(x) = \dfrac{1}{x(\ln x)^2}$ si $x \in \,]0, 1[\, \cup \,]1, +\infty[$.

Lorsque x tend vers 0, $x(\ln x)^2$ tend vers 0 par valeurs positives, donc $\lim\limits_{\substack{x \to 0 \\ x > 0}} f(x) = +\infty$.

$\lim\limits_{x \to +\infty} x(\ln x)^2 = +\infty$ donc $\lim\limits_{x \to +\infty} \dfrac{1}{x(\ln x)^2} = 0$.

Lorsque x tend vers 1, $x(\ln x)^2$ tend vers 0 par valeurs positives, donc $\lim\limits_{x \to 1} f(x) = +\infty$.

b) Les droites d'équation $x = 0$, $x = 1$ et $y = 0$ sont asymptotes à (C).

c) f est dérivable sur D.

$$f'(x) = -\frac{(\ln x)^2 + x(2\ln x)\dfrac{1}{x}}{[x(\ln x)^2]^2}$$

$$= -\frac{(\ln x)^2 + 2\ln x}{x^2(\ln x)^4}$$

$$= -\frac{\ln x + 2}{x^2(\ln x)^3}$$

$$= -\frac{g(x)}{x^2(\ln x)^2}.$$

d) Pour tout x de D, $x^2(\ln x)^2 > 0$, donc $f'(x)$ a le même signe que $-g(x)$.
Le tableau de variation de f est donc :

x	0		e^{-2}		1		$+\infty$
f'	‖	$-$	0	$+$	‖	$-$	
f	‖ $+\infty$	↘	$\dfrac{e^2}{4}$	↗	$+\infty$ ‖ $+\infty$	↘	0

$$f(e^{-2}) = \frac{1}{e^{-2}(\ln e^{-2})^2} = \frac{1}{4e^{-2}} = \frac{e^2}{4}.$$

e) Une équation de (T) est donnée par $y - f(e) = f'(e)(x - e)$.

$$f(e) = \frac{1}{e(\ln e)^2} = \frac{1}{e}.$$

$$f'(e) = -\frac{\ln e + 2}{e^2(\ln e)^3}$$

$$= -\frac{3}{e^2}.$$

(T) a pour équation : $y - \dfrac{1}{e} = \dfrac{-3}{e^2}(x - e)$

$$y = \frac{-3}{e^2}x + \frac{4}{e}.$$

f)

x	0,1	e^{-2}	0,2	0,5	0,6	0,7	0,8
$f(x)$	1,89	1,85	1,93	4,16	6,34	11,23	25,10

x	1,3	1,5	2	3	4	5
$f(x)$	11,17	4,06	1,04	0,28	0,13	0,08

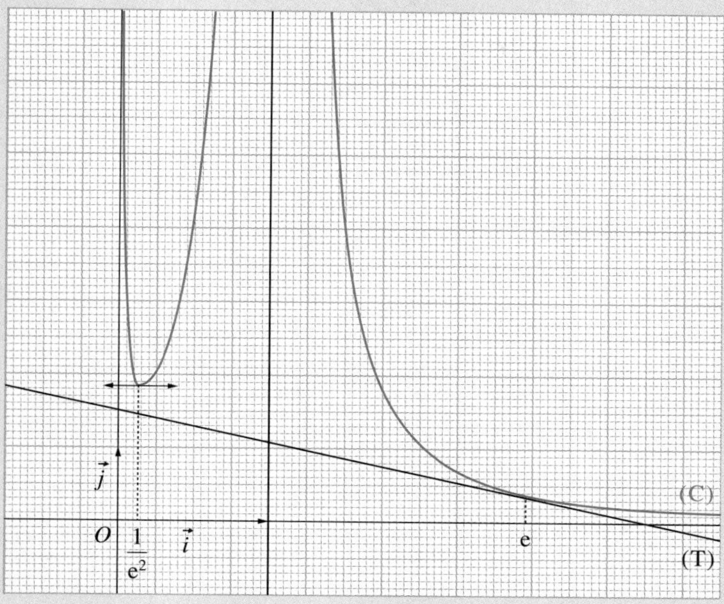

4.12 1° Si $[H_3O^+] = 5 \,.\, 10^{-5}$ mol . L^{-1} alors le pH de la solution est :

$$\begin{aligned} pH &= -\log(5 \,.\, 10^{-5}) \\ &= 5 - \log 5 \\ &\approx 4{,}3. \end{aligned}$$

2° pH = 3 si, et seulement si, $-\log [H_3O^+] = 3$ soit $\log [H_3O^+] = -3$.
Donc $[H_3O^+] = 10^{-3}$; la solution contient 10^{-3} mole d'ions H_3O^+ par litre.
De la même façon, si pH = 10, on obtient $[H_3O^+] = 10^{-10}$ mol . L^{-1}.

3° Dans le premier cas, la concentration en ions H_3O^+ vérifie l'égalité :

$$-\log [H_3O^+]_A = 3 \text{ soit } [H_3O^+]_A = 10^{-3} ;$$

et dans le second cas on obtient :

$$[H_3O^+]_B = 10^{-4}.$$

Par conséquent $\frac{[H_3O^+]_A}{[H_3O^+]_B} = \frac{10^{-3}}{10^{-4}} = 10$, d'où $[H_3O^+]_A = 10\,[H_3O^+]_B$.

La solution A (de pH égal à 3) contient dix fois plus d'ions H_3O^+ que la solution B (de pH égal à 4).

4° *a*) Si $[H_3O^+] = [HO^-]$, on peut écrire :

$$[H_3O^+]^2 = 10^{-14}$$

d'où :

$$\log [H_3O^+]^2 = \log 10^{-14}$$

$$2 \log [H_3O^+] = -14$$

$$-\log [H_3O^+] = 7, \text{ soit } pH = 7.$$

Le pH de l'eau pure est donc égal à 7.

b) $pH < 7$ si, et seulement si :

$$-\log [H_3O^+] < 7$$

$$\log [H_3O^+] > -7$$

$$[H_3O^+] > 10^{-7}.$$

Or $[OH^-] = \frac{10^{-14}}{[H_3O^+]}$; on en déduit $[OH^-] < \frac{10^{-14}}{10^{-7}}$ ou encore $[OH^-] < 10^{-7}$.

Les ions H_3O^+ sont donc majoritaires dans une solution acide.

Dans une solution basique, les ions OH^- sont majoritaires.

5

LA FONCTION EXPONENTIELLE

RÉSUMÉ DU COURS

Définition

■ La fonction exponentielle est la fonction réciproque de la fonction logarithme népérien.

Pour tout réel x et pour tout y dans $]0, +\infty[$:

$$y = \exp(x) = e^x$$

si, et seulement si,

$$x = \ln y.$$

■ La courbe représentative de la fonction exponentielle se déduit de celle de la fonction logarithme népérien par une symétrie par rapport à la droite d'équation $y = x$ (que l'on appelle la première bissectrice).

Courbe représentative de la fonction exponentielle :

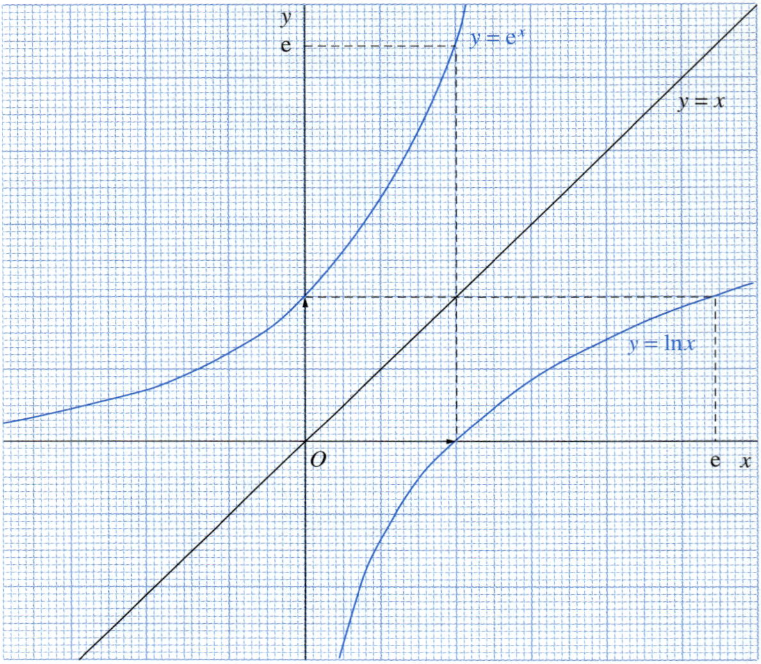

Propriétés

■ La fonction exponentielle est une bijection strictement croissante de $\mathbb{R}$ sur $]0, +\infty[$.
Pour tout réel a et pour tout réel b :

$$a < b \quad \text{si, et seulement si,} \quad 0 < e^a < e^b.$$

■ Pour tout réel a, pour tout réel b et pour tout entier n :

$$e^{a+b} = e^a e^b \; ; \quad e^{-a} = \frac{1}{e^a} \; ; \quad e^{na} = (e^a)^n \; ; \quad \frac{e^a}{e^b} = e^{a-b}$$

■ La fonction $f : x \mapsto e^x$ admet pour fonction dérivée la fonction $f' : x \mapsto e^x$. On a donc $f' = f$. Pour tout réel x :

$$\exp'(x) = \exp(x)$$

Limites

$\lim\limits_{x \to +\infty} e^x = +\infty$;	$\lim\limits_{x \to -\infty} e^x = 0$;
pour tout entier n :	$\lim\limits_{x \to +\infty} \dfrac{e^x}{x^n} = +\infty$;
$\lim\limits_{x \to -\infty} x^n e^x = 0$;	$\lim\limits_{x \to 0} \dfrac{e^x - 1}{x} = 1$

Dérivée composée :

u étant une fonction dérivable sur un intervalle I, e^u est dérivable sur I et $(e^u)' = e^u u'$.

Cas particulier : a étant une constante réelle, la fonction $f : x \mapsto e^{ax}$ admet pour fonction dérivée la fonction $f' : x \mapsto ae^{ax}$.

Fonction exponentielle de base a ($x \mapsto \exp_a(x) = a^x$)

- a étant une constante réelle strictement positive, pour tout réel x :

$$a^x = e^{x \ln a}$$

- La fonction $f : x \mapsto a^x$ admet pour dérivée la fonction $f' : x \mapsto (\ln a)a^x$.

- La fonction $f : x \mapsto a^x$ est décroissante pour $0 < a < 1$ et croissante pour $a > 1$.

Exemples de courbes

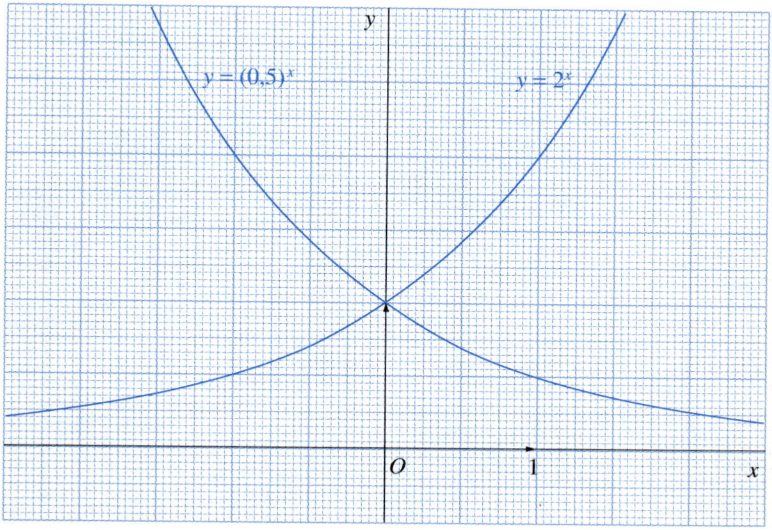

■ r étant une constante réelle, on définit pour tout réel x strictement positif :

$$x^r = e^{r \ln x}$$

■ La fonction $f : x \mapsto x^r$ admet pour dérivée la fonction f' définie sur $]0, +\infty[$:

$$f' : x \mapsto r x^{r-1}$$

■ n étant un entier strictement positif et x un réel strictement positif :

$$x^{\frac{1}{n}} = \sqrt[n]{x}$$

■ **Exemples de courbes**

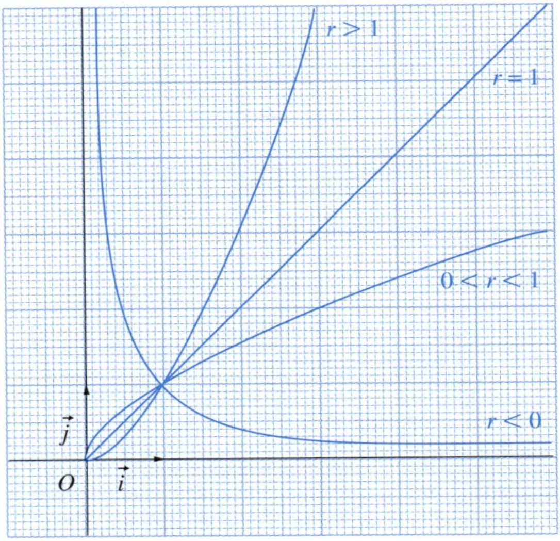

DES EXERCICES

Fonction exponentielle

5.1 Résoudre, dans l'ensemble $\mathbb{R}$ des nombres réels, les équations suivantes :

a) $2e^x = 5$; *b*) $3e^{-x} = 4$;

c) $5e^{2x} = -3$; *d*) $e^{2(x+1)} + 8e^{x+2} - 9e^2 = 0$;

e) $e^{4x} - 5e^{2x} + 4 = 0$; *f*) $e^{3x} - 4e^{2x} + 3e^x = 0$;

g) $e^{2x} - 9e^x + 6 + 16e^{-x} = 0$; *h*) $(e^2)^x - e^x - 6 = 0$.

5.2 Résoudre, dans l'ensemble $\mathbb{R}$ des nombres réels, les inéquations suivantes :

a) $4e^{-3x} - 5e^{-x} + e^x < 0$; *b*) $2e^x - 3 \leqslant 2e^{-x}$;

c) $\left(\dfrac{2 - e^x}{3 + e^x} - 4\right)\left(\dfrac{e^{2x} - 6}{e^x - 1} + 2\right) < 0$.

5.3 On définit la fonction numérique *f*, dans $\mathbb{R}$, par :

$$f(x) = 4e^{4x} + 11e^{2x} - 3.$$

On considère un repère cartésien $(O\ ;\ \vec{i}, \vec{j})$.

1° Déterminer graphiquement, suivant la valeur de λ, le nombre de points d'intersection de la droite d'équation $y = \lambda$ avec la courbe d'équation $y = f(x)$.

2° Retrouver ces résultats par le calcul.

♦ **5.4** Dans un montage à émetteur commun, la caractéristique d'entrée d'un transistor, lorsque la tension collecteur-émetteur est constante, est donnée par la relation $\ln i = au + b$, où i est l'intensité du courant dans la base, u la tension entre la base et l'émetteur, a et b des constantes réelles.

1° Exprimer i en fonction de u.

u varie en fonction du temps t suivant la relation $u(t) = \beta + \alpha \cos(\omega t + \varphi)$.

2° Soit f la fonction $t \mapsto i$. Exprimer $f(t)$ en fonction de t. Déterminer la fonction dérivée f'.

3° Étudier la fonction f en prenant pour valeurs numériques :

$$a = 40,\quad b = \ln 10^{-5},\quad \alpha = 25 \,.\, 10^{-3},\quad \beta = 0,\quad \varphi = 0 \quad \text{et} \quad \omega = 100\pi.$$

Tracer la courbe $i = f(t)$ dans un repère orthogonal.

♦♦ **5.5** On considère les deux fonctions numériques :

$$f : x \mapsto \frac{e^x + e^{-x}}{2} \quad \text{et} \quad g : x \mapsto \frac{e^x - e^{-x}}{2}.$$

1° Étudier les variations de la fonction g. Préciser ses limites lorsque la variable tend vers $+\infty$, puis vers $-\infty$.

2° En déduire les variations de la fonction f. Calculer ses limites lorsque la variable tend vers $+\infty$, puis vers $-\infty$.

3° Résoudre l'équation $1 + 4f(x) = 8\,g(x)$ d'inconnue x.

4° Montrer que la fonction g est une bijection de $\mathbb{R}$ sur $\mathbb{R}$.

5° Soit $y \in \mathbb{R}$, et $x = g(y)$ son image par g. Exprimer e^y en fonction de x. En déduire une expression de la fonction g^{-1}, réciproque de la fonction g.

6° Déterminer la fonction dérivée $(g^{-1})'$ de la fonction g^{-1}.

7° Tracer, dans le même repère orthonormé, les courbes représentatives des fonctions g et g^{-1}.

5.6 On note f la fonction numérique définie, sur $\mathbb{R}$, par :

$$x \mapsto 4x^2 e^x - 1.$$

1° Déterminer les limites de $f(x)$ lorsque x tend vers $+\infty$ et $-\infty$.

2° Calculer $f'(x)$ et étudier son signe en fonction des valeurs de x. En déduire les variations de la fonction f.

3° Tracer, dans un repère orthogonal, la courbe (C) représentative de la fonction f.

4° Déterminer le nombre de solutions de l'équation $4x^2 = e^{-x}$.

5.7 **1°** Étudier les variations de la fonction f définie, sur $\mathbb{R}$, par :

$$f(x) = x e^{-2x}.$$

Préciser ses limites lorsque x tend vers $+\infty$ et $-\infty$.

2° Tracer, dans un repère orthogonal, la courbe (C) représentative de la fonction f.

5.8 On considère la fonction numérique f définie, sur $\mathbb{R}$, par :

$$f(x) = e^x | e^x - 2 |.$$

1° Étudier le signe de $e^x - 2$. En déduire une expression de f sans valeur absolue.

2° Étudier les variations de la fonction f sur chacun des intervalles :

$$]-\infty, \ln 2] \quad \text{et} \quad [\ln 2, +\infty[.$$

Préciser ses limites lorsque x tend vers $+\infty$ et $-\infty$.

3° Tracer, dans un repère orthogonal convenablement choisi, la courbe (C) représentative de la fonction f ainsi que les demi-tangentes au point d'abscisse $\ln 2$.

4° Déterminer graphiquement, en fonction du paramètre réel m, le nombre de solutions de l'équation $f(x) = m$.

5.9 On note f la fonction numérique définie, sur $\mathbb{R}$, par :

$$f(x) = (1 - x)(e^x + 1).$$

1° Calculer les limites de $f(x)$ lorsque x tend vers $+\infty$ et $-\infty$.

2° Montrer que la droite (D), d'équation $y = -x + 1$, est asymptote à la courbe (C) représentative de f.

3° Étudier les variations de la dérivée f', puis de la fonction f.

4° Déterminer l'intersection de (C) avec (D). Étudier, en fonction de x, la position de la courbe (C) par rapport à la droite (D). Tracer (C) et (D) dans le même repère orthogonal.

5.10 Quand on pêche les écrevisses dans la Gorre, au pont de Saint-Laurent, la probabilité p de prendre trois écrevisses en un seul coup d'épuisette dépend de son diamètre x compris entre 10 et 30 centimètres :

$$p(x) = e^{-x}\left(1 + x + \frac{x^2}{2} + \frac{x^3}{6}\right).$$

1° Étudier les variations de la fonction p sur l'intervalle $I = [10, 30]$.

2° Tracer sa courbe représentative dans un repère orthogonal.

5.11 Soit f la fonction définie, sur $I = [0, 2\pi]$, par :

$$f(x) = (\sin x)e^{-x}.$$

1° Calculer f' et résoudre $f'(x) = 0$. Étudier les variations de la fonction f.

2° Calculer f'' et résoudre $f''(x) = 0$.

3° Soit (C) la courbe représentative de f dans un repère orthogonal.

Déterminer l'équation de la tangente (T) à (C) au point d'abscisse $x = \frac{\pi}{2}$.

Tracer (C) et (T) dans le même repère.

5.12 On considère la fonction numérique f définie, sur $]-\infty, 0[\cup]0, +\infty[$, par :

$$f(x) = \left(1 - \frac{1}{x} + \frac{1}{x^2}\right) e^x.$$

1° Calculer les limites aux bornes de son ensemble de définition.

2° Calculer la dérivée f' et étudier son signe en fonction de x. En déduire les variations de f.

3° Construire la courbe représentative (C) de f dans un repère orthonormé.

Fonction exponentielle de base a

5.13 Résoudre, dans l'ensemble $\mathbb{R}$ des nombres réels, les équations suivantes :

a) $2 \times 3^{2x} + 3^{1+x} - 2 = 0$;

b) $2^{2x+1} + 2^x - 105 = 0$;

c) $\dfrac{9^x + 3^{2-x}}{3^{2+x} + 1} = 1$ (factoriser $X^3 - 9X^2 - X + 9$).

5.14 On considère la fonction numérique f, définie pour tout réel x différent de 1, par :

$$f(x) = \frac{1 + 2^x}{1 - 2^{x-1}}.$$

1° Montrer que $f(x)$ peut s'écrire sous la forme :

$$f(x) = a + \frac{b}{1 - 2^{x-1}}.$$

2° Déterminer les limites de la fonction f aux bornes de l'ensemble de définition.

3° Calculer $f'(x)$ et établir le tableau de variation de f.

4° Construire, dans un repère orthonormé, la courbe (C) représentant la fonction f.

Fonction puissance

5.15 Exprimer sous la forme a^r l'expression :

$$\sqrt{a^3} \times \sqrt[3]{a^2} \times \sqrt[5]{a^4} \times \sqrt[4]{a^3}.$$

5.16 Simplifier :

$$\frac{(\sqrt[3]{2})^4 (\sqrt{2})^3 \left(\sqrt[3]{\sqrt[5]{2}}\right)^2}{(\sqrt[7]{2})^4}.$$

♦♦ **5.17** **1°** Montrer que l'équation $x^3 - 18x - 108 = 0$ admet 6 comme unique solution réelle.

2° Jacques achète un paquet de berlingots qui vaut :

$$\left(\sqrt[3]{6\left[5\left(1+\sqrt{3}\right)+2\left(\sqrt{3+2\sqrt{2}}-\sqrt{3-2\sqrt{2}}\right)\right]} + \sqrt[3]{6\left[5\left(1-\sqrt{3}\right)+2\left(\sqrt{3+2\sqrt{2}}-\sqrt{3-2\sqrt{2}}\right)\right]}\right) \text{ francs.}$$

Il paie avec une pièce de $\left[5\left(\sqrt{3+2\sqrt{2}}-\sqrt{3-2\sqrt{2}}\right)\right]$ francs.

Combien la marchande doit-elle lui rendre ?

(On posera $a = \sqrt{3+2\sqrt{2}} - \sqrt{3-2\sqrt{2}}$ et on calculera a^2.)

5.18 On considère la fonction numérique f définie, sur $]0, +\infty[$, par :

$$f(x) = x^{\pi}.$$

1° Exprimer $f(x)$ en utilisant la fonction exponentielle.
Calculer les limites de f en zéro et $+\infty$.

2° Calculer la dérivée f' et étudier son signe en fonction de x.
En déduire les variations de f.
Calculer $\lim\limits_{x \to 0} f'(x)$. Que peut-on en conclure ?

3° Construire la courbe représentative (C) de f dans un repère orthonormé.

5.1 *a*) On a $e^x = \frac{5}{2}$, donc $x = \ln\left(\frac{5}{2}\right) = \ln 5 - \ln 2$.

b) On a $e^{-x} = \frac{4}{3}$, ce qui donne $-x = \ln\left(\frac{4}{3}\right)$, donc :

$$x = -\ln\left(\frac{4}{3}\right) = \ln\left(\frac{3}{4}\right) = \ln 3 - \ln 4.$$

c) Comme la fonction exponentielle est strictement positive, le produit $5e^{2x}$ ne peut pas être négatif.

L'équation n'a pas de solution.

d) Puisque $e^{2(x+1)} = e^2(e^x)^2$ et $8e^{x+2} = 8e^2e^x$, l'équation s'écrit :

$$e^2[(e^x)^2 + 8e^x - 9] = 0.$$

En divisant les deux membres par e^2 et en posant $X = e^x$, on obtient l'équation du second degré :

$$X^2 + 8X - 9 = 0,$$

qui a deux solutions : $X' = 1$ et $X'' = -9$.

e^x étant strictement positif, seule la première solution $X' = 1$ permet d'obtenir une valeur de x ($e^x = 1$ si, et seulement si, $x = 0$).

L'équation initiale a donc pour solution : $x = 0$.

e) Puisque $e^{4x} = (e^{2x})^2$, l'équation s'écrit :

$$(e^{2x})^2 - 5e^{2x} + 4 = 0.$$

En posant $X = e^{2x}$, on obtient l'équation du second degré :

$$X^2 - 5X + 4 = 0,$$

qui a deux solutions positives : $X' = 1$ et $X'' = 4$.

Ces deux valeurs de X donnent :

$$\begin{cases} e^{2x} = 1 \\ \text{ou} \\ e^{2x} = 4, \end{cases} \quad \text{soit} \quad \begin{cases} 2x = 0 \\ \text{ou} \\ 2x = \ln 4, \end{cases} \quad \text{soit} \quad \begin{cases} x = 0 \\ \text{ou} \\ x = \ln 2. \end{cases}$$

L'équation initiale a donc pour solutions : $x' = 0$ et $x'' = \ln 2$.

f) En mettant e^x en facteur, l'équation s'écrit :

$$e^x(e^{2x} - 4e^x + 3) = 0.$$

e^x étant strictement positif, l'équation est équivalente à :

$$e^{2x} - 4e^x + 3 = 0.$$

En posant $X = e^x$, on obtient l'équation du second degré :

$$X^2 - 4X + 3 = 0,$$

qui a deux solutions positives : $X' = 1$ et $X'' = 3$.

Ces deux valeurs de X donnent :

$$\begin{cases} e^x = 1 \\ \text{ou} \\ e^x = 3, \end{cases} \quad \text{soit} \quad \begin{cases} x = 0 \\ \text{ou} \\ x = \ln 3. \end{cases}$$

L'équation initiale a donc pour solutions : $x' = 0$ et $x'' = \ln 3$.

g) En multipliant les deux membres par e^x (qui est strictement positif), l'équation s'écrit :

$$e^{3x} - 9e^{2x} + 6e^x + 16 = 0.$$

En posant $X = e^x$, on obtient l'équation du troisième degré :

$$X^3 - 9X^2 + 6X + 16 = 0,$$

qui admet pour solution évidente $X = -1$; ce qui permet de mettre $(X + 1)$ en facteur dans le premier membre de l'équation par division euclidienne ou par identification.

■ Division euclidienne :

$$\begin{array}{rrrr|l} X^3 & -\ 9X^2 & +\ 6X & +16 & X+1 \\ \cline{5-5} -(X^3 & +\ \ X^2) & & & X^2 - 10X + 16 \\ \cline{1-4} & -10X^2 & +\ 6X & +16 & \\ & -(-10X^2 & -10X) & & \\ \cline{2-4} & & 16X & +16 & \\ & & -(16X & +16) & \\ \cline{3-4} & & & 0 & \end{array}$$

Par identification, on obtient :

$$\begin{aligned} X^3 - 9X^2 + 6X + 16 &= (X+1)(aX^2 + bX + c) \\ &= aX^3 + (a+b)X^2 + (b+c)X + c, \end{aligned}$$

ce qui donne : $a = 1$, $a + b = -9$, $b + c = 6$ et $c = 16$;
donc : $b = -10$.

L'équation est donc équivalente à l'équation :

$$(X+1)(X^2 - 10X + 16) = 0$$

qui admet deux solutions positives $X' = 2$ et $X'' = 8$ et la solution négative précédente $X = -1$ (cette valeur ne peut pas être égale à e^x).

Les deux valeurs positives de X donnent :

$$\begin{cases} e^x = 2 \\ \text{ou} \\ e^x = 8, \end{cases} \quad \text{soit} \quad \begin{cases} x = \ln 2 \\ \text{ou} \\ x = 3 \ln 2. \end{cases}$$

L'équation initiale a donc pour solutions : $x' = \ln 2$ et $x'' = 3 \ln 2$.

h) Comme $(e^2)^x = e^{2x}$, l'équation s'écrit :

$$e^{2x} - e^x - 6 = 0.$$

En posant $X = e^x$, on obtient l'équation du second degré :

$$X^2 - X - 6 = 0,$$

qui a deux solutions : $X' = -2$ et $X'' = 3$.

Comme e^x est strictement positif, la seule valeur possible de X est 3, ce qui donne :

$$e^x = 3 \text{ soit } x = \ln 3.$$

L'équation initiale a donc pour solution : $x = \ln 3$.

5.2 *a*) En multipliant par l'expression strictement positive e^{3x} les deux membres de l'inéquation, on obtient l'inéquation équivalente :

$$e^{4x} - 5e^{2x} + 4 < 0.$$

En posant $X = e^{2x}$, le premier membre s'écrit sous la forme d'un trinôme du second degré :

$$X^2 - 5X + 4,$$

qui a pour racines : $X' = 1$ et $X'' = 4$.
On peut donc le factoriser :

$$X^2 - 5X + 4 = (X - 1)(X - 4).$$

L'inéquation est donc équivalente à :

$$(e^{2x} - 1)(e^{2x} - 4) < 0.$$

La fonction $x \mapsto e^{2x}$ étant strictement croissante, on étudie le signe du produit en fonction de x dans un tableau (ci-contre).

x	$+\infty$		0		$\ln 2$		$+\infty$
$e^{2x} - 1$		$-$	0	$+$		$+$	
$e^{2x} - 4$		$-$		$-$	0	$+$	
$(e^{2x} - 1)(e^{2x} - 4)$		$+$	0	$-$	0	$+$	

L'ensemble des solutions de l'inéquation est donc l'intervalle ouvert $]0, \ln 2[$.

b) En multipliant les deux membres de l'inéquation par l'expression strictement positive e^x, on obtient :

$$2e^{2x} - 3e^x \leqslant 2 \iff 2e^{2x} - 3e^x - 2 \leqslant 0.$$

En posant $X = e^x$, le premier membre s'écrit comme un trinôme du second degré :

$$2X^2 - 3X - 2,$$

qui a pour racines : $X' = 2$ et $X'' = -\dfrac{1}{2}$.

On peut donc le factoriser :

$$2X^2 - 3X - 2 = (X - 2)(2X + 1).$$

L'inéquation est équivalente à :

$$(e^x - 2)(2e^{2x} + 1) \leqslant 0.$$

L'expression $2e^x + 1$ est strictement positive ; l'inéquation est, par conséquent, équivalente à $e^x - 2 \leqslant 0$, c'est-à-dire à $e^x \leqslant 2$.

La fonction exponentielle étant strictement croissante, l'ensemble des solutions de l'inéquation est l'intervalle $]-\infty, \ln 2]$.

c) En réduisant chaque expression entre parenthèses à une fraction, on obtient :

$$\left(\frac{2 - e^x - 12 - 4e^x}{3 + e^x}\right)\left(\frac{e^{2x} - 6 + 2e^x - 2}{e^x - 1}\right) < 0.$$

En simplifiant, on obtient :

$$-5\left(\frac{e^x + 2}{3 + e^x}\right)\left(\frac{e^{2x} + 2e^x - 8}{e^x - 1}\right) < 0.$$

En posant $X = e^x$, on écrit $e^{2x} + 2e^x - 8$ sous la forme d'un trinôme du second degré :

$$X^2 + 2X - 8,$$

qui se factorise en :

$$(X + 4)(X - 2).$$

Ses racines sont : $X' = -4$ et $X'' = 2$.

On obtient ainsi :

$$e^{2x} + 2e^x - 8 = (e^x + 4)(e^x - 2).$$

L'inéquation s'écrit :

$$\frac{-5(e^x + 2)(e^x + 4)(e^x - 2)}{(3 + e^x)(e^x - 1)} < 0.$$

Les expressions $3 + e^x$, $e^x + 4$ et $e^x + 2$ sont toujours strictement positives. En divisant les deux membres par -5, ce qui change le sens de l'inégalité, on obtient l'inéquation équivalente :

$$\frac{e^x - 2}{e^x - 1} > 0.$$

Le membre de gauche n'est pas défini pour $x = 0$.

La fonction $x \mapsto e^x$ étant strictement croissante, on peut étudier le signe de la fraction en fonction de x dans un tableau (ci-contre).

x	$+\infty$		0		$\ln 2$		$+\infty$
$e^x - 2$		$-$	|	$-$	0	$+$	
$e^x - 1$		$-$	0	$+$	|	$+$	
$\dfrac{e^x - 2}{e^x - 1}$		$+$	||	$-$	0	$+$	

L'ensemble des solutions de l'inéquation est donc $]-\infty, 0[\cup]\ln 2, +\infty[$.

5.3 **1°** Étudions les variations de la fonction f.

$f'(x) = 16e^{4x} + 22e^{2x}$, donc, pour tout réel x, $f'(x) > 0$.

$$\lim_{x \to +\infty} f(x) = +\infty \quad \text{et} \quad \lim_{x \to -\infty} f(x) = -3.$$

La droite $y = -3$ est asymptote à la courbe.
La fonction f est une bijection croissante de $\mathbb{R}$ sur $]-3, +\infty[$.

■ On obtient la représentation graphique suivante :

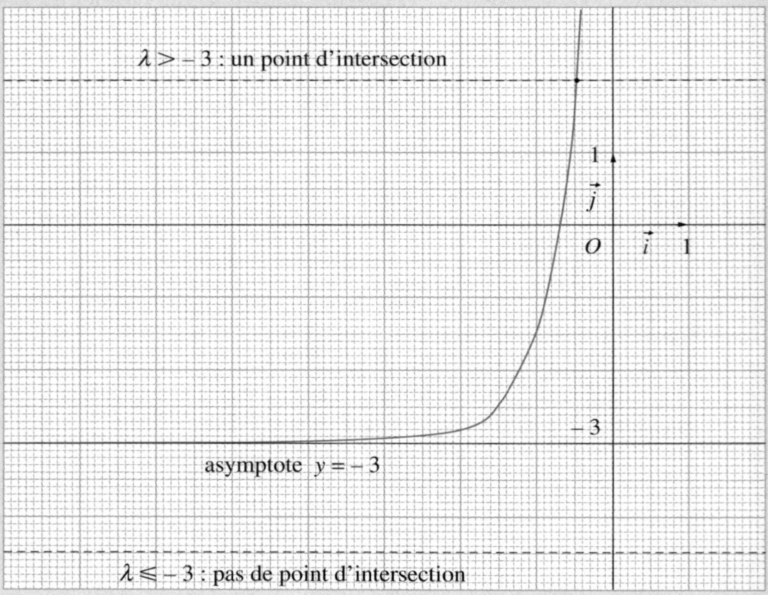

• Pour $\lambda \leqslant -3$, il n'y a pas de point d'intersection de la droite d'équation $y = \lambda$ avec la courbe d'équation $y = f(x)$;
• pour $\lambda > -3$, il y a un point d'intersection.

2° L'équation $f(x) = \lambda$ s'écrit :

$$4e^{4x} + 11e^{2x} - 3 - \lambda = 0.$$

En posant $X = e^{2x}$, on obtient l'équation du second degré :

$$4X^2 + 11X - 3 - \lambda = 0.$$

Soit Δ son discriminant, S et P la somme et le produit de ses racines, on a :

$$\Delta = 169 + 16\lambda\,; \quad S = -\frac{11}{4}\;; \quad P = \frac{-3-\lambda}{4}.$$

Un point d'intersection de la droite avec la courbe correspond à une racine strictement positive de l'équation en X (car $X = e^{2x} > 0$).
Puisque la somme S est négative, une des racines est nécessairement négative (lorsque $\Delta > 0$) ;

Il y a donc une racine positive unique lorsque les deux racines sont de signes contraires, donc lorsque $P < 0$ et $\Delta > 0$.

On en tire $169 + 16\lambda > 0$ et $\dfrac{-3-\lambda}{4} < 0$, c'est-à-dire, finalement $\lambda > -3$.

On retrouve ainsi les résultats de la question **1°**.

5.4 **1°** La fonction exponentielle étant la fonction réciproque de la fonction logarithme népérien, on a :

$$\ln i = au + b \quad \text{si, et seulement si,} \quad i = \mathrm{e}^{au+b}$$

2° En remplaçant $u(t)$ par son expression en fonction de t dans la relation précédente, on obtient :

$$\begin{aligned} i = f(t) &= \exp[a(\beta + \alpha\cos(\omega t + \varphi)) + b] \\ &= \exp(a\beta + b)\exp[a\alpha\cos(\omega t + \varphi)]. \end{aligned}$$

La relation $(\mathrm{e}^u)' = \mathrm{e}^u u'$ nous donne :

$$f'(t) = -a\alpha\omega\sin(\omega t + \varphi)\exp(a\beta + b)\exp[a\alpha\cos(\omega t + \varphi)],$$

car $\exp(a\beta + b)$ est une constante.

3° Avec les valeurs numériques, on obtient :

$$f(t) = 10^{-5}\mathrm{e}^{\cos(100\pi t)}.$$

La fonction cosinus étant périodique, on peut étudier la périodicité de f :

$$f\left(x + \frac{1}{50}\right) = 10^{-5}\mathrm{e}^{\cos(100\pi t + 2\pi)} = f(x), \text{ car } \cos(100\pi t + 2\pi) = \cos(100\pi t).$$

La fonction f est donc périodique, de période $T = \dfrac{1}{50} = 0{,}02$; il suffit de l'étudier sur un intervalle d'une période, par exemple l'intervalle $[0, T]$.

■ La fonction dérivée de f est définie par :

$$f'(t) = -10^{-3}\pi\sin(100\pi t)\mathrm{e}^{\cos(100\pi t)}.$$

$10^{-3}\pi\mathrm{e}^{\cos(100\pi t)}$ étant strictement positif pour tout réel t, la dérivée est du signe de $-\sin(100\pi t)$.

On obtient le tableau de variation suivant :

t	0		$0{,}01$		$0{,}02$
$f'(t)$	0	$-$	0	$+$	0
$f(t)$	$10^{-5}\mathrm{e}$	↘	$10^{-5}\mathrm{e}^{-1}$	↗	$10^{-5}\mathrm{e}$

■ Représentation graphique :

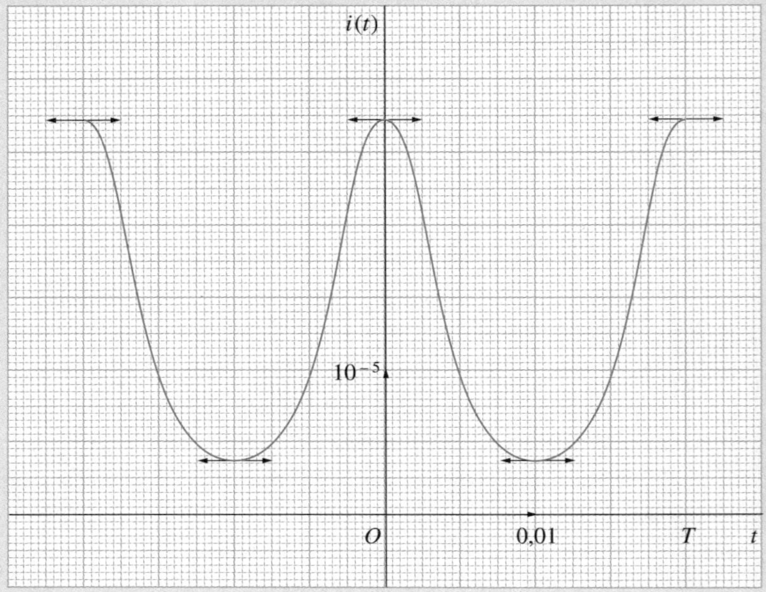

5.5 **1°** La fonction g est définie sur $\mathbb{R}$ et, pour tout réel x :

$$g(-x) = \frac{e^{-x} - e^{x}}{2} = -\frac{e^{x} - e^{-x}}{2} = -g(x).$$

La fonction g est impaire, sa courbe représentative est donc symétrique par rapport à l'origine O.

$$\lim_{x \to +\infty} g(x) = \lim_{x \to +\infty} \frac{e^{x}}{2} = +\infty \quad \text{et} \quad \lim_{x \to -\infty} g(x) = \lim_{x \to -\infty} \frac{-e^{-x}}{2} = -\infty.$$

■ Dérivée de g : $$g'(x) = \frac{e^{x} + e^{-x}}{2} = f(x).$$

La somme $e^{x} + e^{-x}$ étant strictement positive, $g'(x)$ est strictement positif pour tout réel x.

■ Tableau de variation de g :

x	$-\infty$	0	$+\infty$
$g'(x)$		$+$	
$g(x)$	$-\infty$ ↗	0	↗ $+\infty$

2° La fonction f est définie sur $\mathbb{R}$ et, pour tout réel x :

$$f(-x) = \frac{e^{-x}+e^{x}}{2} = \frac{e^{x}+e^{-x}}{2} = f(x).$$

La fonction f est paire ; sa courbe représentative est symétrique par rapport à l'axe des ordonnées dans un repère orthogonal.

$$\lim_{x\to+\infty} f(x) = \lim_{x\to+\infty} \frac{e^{x}}{2} = +\infty \quad \text{et} \quad \lim_{x\to-\infty} f(x) = \lim_{x\to-\infty} \frac{e^{-x}}{2} = +\infty.$$

■ Dérivée de f : $$f'(x) = \frac{e^{x}-e^{-x}}{2} = g(x).$$

On déduit le signe de la dérivée f' du tableau de variation de la fonction g :
- pour tout réel x strictement positif, $g(x) = f'(x) > 0$,
- pour tout réel x strictement négatif, $g(x) = f'(x) < 0$.

■ Tableau de variation de f :

x	$-\infty$		0		$+\infty$
$f'(x)$		$-$	0	$+$	
$f(x)$	$+\infty$	↘	1	↗	$+\infty$

3° L'équation $1 + 4f(x) = 8g(x)$ s'écrit :

$$1 + 2(e^{x}+e^{-x}) = 4(e^{x}-e^{-x}).$$

Donc, $2e^{x} - 6e^{-x} - 1 = 0$.

En multipliant les deux membres par e^{x}, on obtient :

$$2e^{2x} - e^{x} - 6 = 0.$$

En posant $X = e^{x}$, l'équation prend la forme d'une équation du second degré en X :

$$2X^{2} - X - 6 = 0.$$

Son discriminant est $\Delta = 49$, ses racines sont $X' = -\frac{3}{2}$ et $X'' = 2$.

Seule la racine positive $X'' = 2$ correspond à une valeur de e^{x}.
De $e^{x} = 2$, on tire $x = \ln 2$.

L'équation a donc une seule solution dans $\mathbb{R}$: $x = \ln 2$.

4° La fonction g est dérivable et strictement croissante de $-\infty$ à $+\infty$: c'est donc une bijection de $\mathbb{R}$ sur $\mathbb{R}$.

5° Soit $x = g(y)$. On a :

$$2x = e^{y} - e^{-y} \Leftrightarrow e^{2y} - 2xe^{y} - 1 = 0 \quad \text{(en multipliant par } e^{y}\text{)}.$$

Posons $Y = e^y$; on obtient l'équation du second degré en Y suivante :

$$Y^2 - 2xY - 1 = 0,$$

qui a pour discriminant : $\Delta = 4(x^2 + 1)$.

Ses racines sont : $Y' = x + \sqrt{x^2 + 1}$ et $Y'' = x - \sqrt{x^2 + 1}$.

Comme $x^2 + 1 > x^2$, la deuxième racine Y'' est négative et ne peut pas être égale à e^y.

On a ainsi :

$$e^y = x + \sqrt{x^2 + 1} \quad \text{si, et seulement si,} \quad y = \ln\left(x + \sqrt{x^2 + 1}\right).$$

On en déduit, pour tout réel x :

$$g^{-1}(x) = \ln\left(x + \sqrt{x^2 + 1}\right).$$

6° Dérivée :

la fonction g^{-1} est de la forme $\ln u(x)$, avec $u(x) = x + \sqrt{x^2 + 1}$.

Donc :

$$u'(x) = 1 + \frac{x}{\sqrt{x^2 + 1}} = \frac{x + \sqrt{x^2 + 1}}{\sqrt{x^2 + 1}} = \frac{u(x)}{\sqrt{x^2 + 1}}\,;$$

$$(g^{-1})'(x) = \frac{u'(x)}{u(x)} = \frac{1}{\sqrt{x^2 + 1}}.$$

7° Les courbes représentatives de g et de g^{-1} sont symétriques par rapport à la première bissectrice $y = x$.

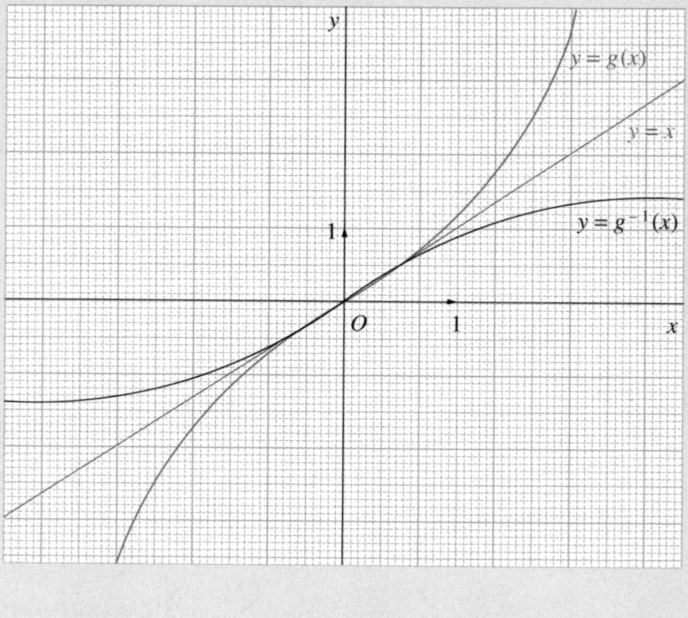

5.6 **1°** Quand x tend vers $+\infty$, x^2e^x tend vers $+\infty$;
quand x tend vers $-\infty$, x^2e^x tend vers 0.

Par conséquent :

$$\lim_{x \to +\infty} f(x) = +\infty \quad \text{et} \quad \lim_{x \to -\infty} f(x) = -1.$$

La droite $y = -1$ est asymptote à la courbe $y = f(x)$ en $-\infty$.

2° $f'(x) = 8xe^x + 4x^2e^x = 4x(x+2)e^x$.

La dérivée f' est du signe du trinôme $x(x+2)$; on en déduit le tableau de variation de f:

x	$+\infty$		-2		0		$+\infty$
$f'(x)$		$+$	0	$-$	0	$+$	
$f(x)$	-1	↗	$16e^{-2}-1$	↘	-1	↗	$+\infty$

3° ■ Courbe représentative de f:

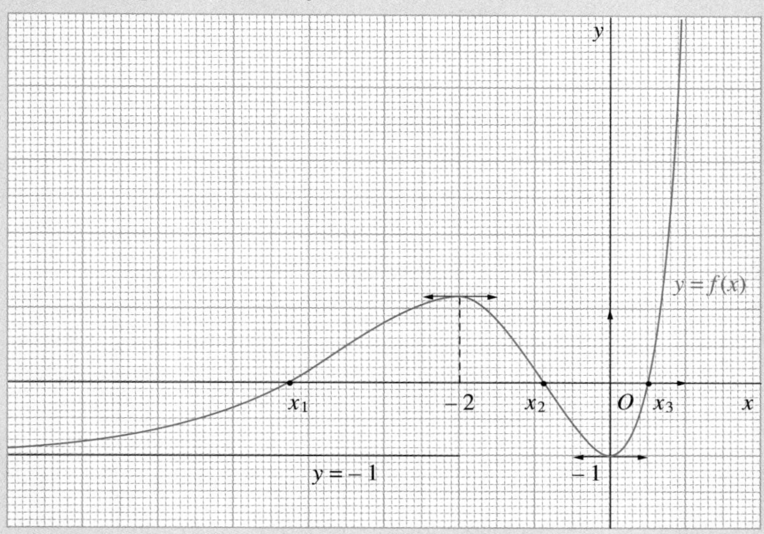

4° En multipliant les deux termes de l'équation $4x^2 = e^{-x}$ par e^x, on obtient :

$$4x^2e^x = 1,$$

qui est équivalent à $f(x) = 0$.

La fonction f est dérivable, son tableau de variation montre qu'elle prend trois fois la valeur zéro (le maximum relatif étant positif).

On retrouve graphiquement cette propriété, la courbe (C) coupe l'axe $y = 0$ aux points d'abscisses x_1, x_2 et x_3.

5.7 ■ Limites :

en posant $-2x = t$, on a :

$$\lim_{x \to +\infty} x\mathrm{e}^{-2x} = \lim_{t \to -\infty} -\frac{1}{2}\, t\mathrm{e}^{t} = 0 \quad \text{et} \quad \lim_{x \to -\infty} x\mathrm{e}^{-2x} = \lim_{t \to +\infty} -\frac{1}{2}\, t\mathrm{e}^{t} = -\infty.$$

On a donc : $$\lim_{x \to +\infty} f(x) = 0 \quad \text{et} \quad \lim_{x \to -\infty} f(x) = -\infty.$$

La droite $y = 0$ est donc asymptote à la courbe représentative de f en $+\infty$.

■ Dérivée : $f'(x) = \mathrm{e}^{-2x} - 2x\mathrm{e}^{-2x} = (-2x+1)\mathrm{e}^{-2x}$.

e^{-2x} étant strictement positif, la dérivée est du signe de $-2x+1$.

On en déduit le tableau de variation de f :

x	$+\infty$		$\frac{1}{2}$		$+\infty$
$f'(x)$		$+$	0	$-$	
$f(x)$	$-\infty$	$\nearrow$	$\frac{1}{2\mathrm{e}}$	$\searrow$	0

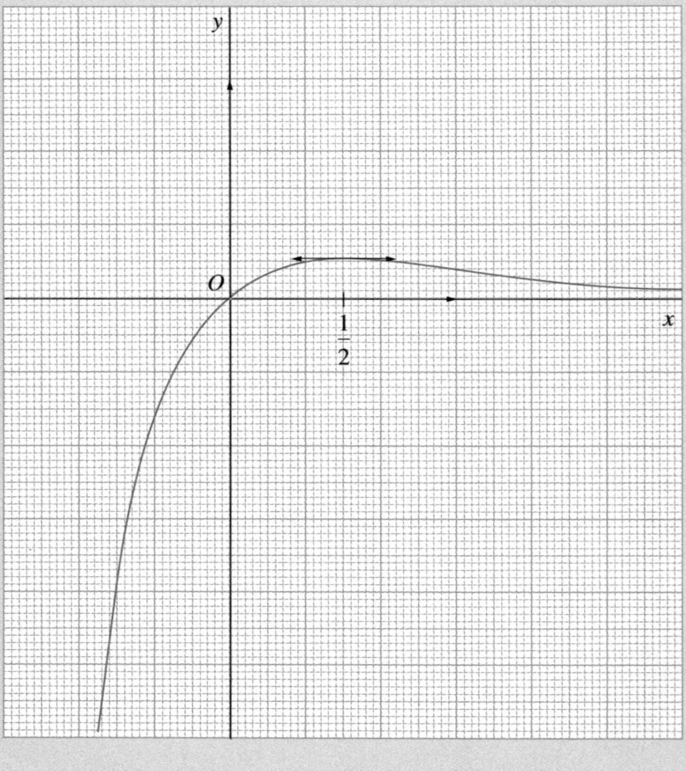

5.8 1° La fonction exponentielle étant strictement croissante, la fonction $x \mapsto e^x - 2$ est strictement croissante. Elle s'annule pour $x = \ln 2$, elle est donc négative pour $x < \ln 2$ et positive pour $x > \ln 2$.

- Lorsque $x > \ln 2$, $|e^x - 2| = e^x - 2$, donc : $f(x) = e^{2x} - 2e^x$.
- Lorsque $x < \ln 2$, $|e^x - 2| = -(e^x - 2) = 2 - e^x$, donc : $f(x) = 2e^x - e^{2x}$.
- $f(\ln 2) = 0$.

2° ■ Étude de la fonction f sur $]-\infty, \ln 2]$:

$$f(x) = 2e^x - e^{2x}.$$

• Dérivée : $f'(x) = 2e^x - 2e^{2x} = 2e^x(1 - e^x)$; elle est du signe de $1 - e^x$.
La dérivée est nulle pour $x = 0$, négative pour $x > 0$ et positive pour $x < 0$.

Puisque $\lim\limits_{x \to -\infty} e^x = 0$ et $\lim\limits_{x \to -\infty} e^{2x} = 0$, on a $\lim\limits_{x \to -\infty} f(x) = 0$.

• Limite de la fonction dérivée en $\ln 2$:

$$\lim_{\substack{x \to \ln 2 \\ x < \ln 2}} f'(x) = 2e^{\ln 2}(1 - e^{\ln 2}) = -4.$$

• Tableau de variation :

x	$-\infty$		0		$\ln 2$
$f'(x)$		$+$	0	$-$	‖
$f(x)$	0	↗	1	↘	0

■ Étude de la fonction f sur $[\ln 2, +\infty[$:

$$f(x) = e^x(e^x - 2) = e^{2x} - 2e^x.$$

• Dérivée : $f'(x) = 2e^{2x} - 2e^x = 2e^x(e^x - 1)$; elle est du signe de $e^x - 1$.

Comme $x > \ln 2$, $e^x - 1 > 0$ et la dérivée est strictement positive sur l'intervalle $[\ln 2, +\infty[$.

De $\lim\limits_{x \to +\infty} e^x = +\infty$ et $\lim\limits_{x \to +\infty} e^x - 2 = +\infty$, on déduit $\lim\limits_{x \to +\infty} f(x) = +\infty$.

• Limite de la fonction dérivée en $\ln 2$:

$$\lim_{\substack{x \to \ln 2 \\ x > \ln 2}} f'(x) = 2e^{\ln 2}(e^{\ln 2} - 1) = -4.$$

Puisque $\lim\limits_{\substack{x \to \ln 2 \\ x > \ln 2}} f'(x) = 4$ et $\lim\limits_{\substack{x \to \ln 2 \\ x < \ln 2}} f'(x) = -4$, la dérivée à droite et la dérivée à gauche de f en $x = \ln 2$ sont différentes :

$$f'_g(\ln 2) = -4 \text{ et } f'_d(\ln 2) = 4.$$

La fonction n'est pas dérivable en $x = \ln 2$ et la courbe représentative de f admet deux demi-tangentes au point d'abscisse $\ln 2$ de coefficients directeurs -4 et 4.

• Tableau de variation :

x	$\ln 2$	$+\infty$
$f'(x)$	‖	$+$
$f(x)$	0	↗ $+\infty$

3° ■ Courbe (C) représentative de f :

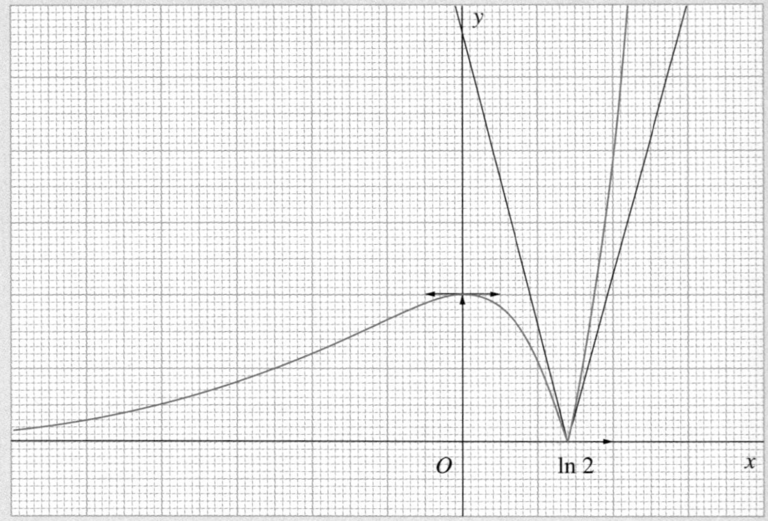

4° ■ La fonction étant positive, l'équation $f(x) = m$ n'a pas de solution lorsque $m < 0$.

■ La courbe a un seul point sur l'axe $y = 0$, correspondant à $x = \ln 2$; l'équation $f(x) = m$ a une solution $x = \ln 2$ lorsque $m = 0$.

■ Si $0 < m < 1$, la droite $y = m$ coupe la courbe en trois points : l'équation $f(x) = m$ a trois solutions lorsque $0 < m < 1$.

■ La droite $y = 1$ est tangente à la courbe (C) pour $x = 0$ et la coupe en un point d'abscisse positive : l'équation $f(x) = m$ a deux solutions lorsque $m = 1$.

■ Si $m > 1$, la droite $y = m$ coupe la courbe en un seul point : l'équation $f(x) = m$ a une solution lorsque $m > 1$.

5.9 **1°** ■ Limite en $+\infty$

Puisque : $$\lim_{x \to +\infty} (1-x) = -\infty$$

et : $$\lim_{x \to +\infty} (e^x - 2) = +\infty,$$

on a : $$\lim_{x \to +\infty} f(x) = -\infty.$$

■ Limite en $-\infty$

On peut écrire $f(x)$ sous la forme :

$$f(x) = -x + 1 + e^x - xe^x.$$

Puisque : $$\lim_{x \to -\infty} (-x) = +\infty,$$

$$\lim_{x \to -\infty} (e^x) = 0$$

et : $$\lim_{x \to -\infty} (xe^x) = 0,$$

on a : $$\lim_{x \to -\infty} f(x) = +\infty.$$

2° En posant $\varepsilon(x) = (1-x)e^x$, on a :

$$f(x) = -x + 1 + \varepsilon(x),$$

avec : $$\lim_{x \to -\infty} \varepsilon(x) = 0.$$

La droite d'équation $y = -x + 1$ est asymptote à la courbe (C) en $-\infty$.

3° La dérivée $x \mapsto f'(x) = -(e^x + 1) + (1-x)e^x = -xe^x - 1$ a pour dérivée la fonction f'' : $x \mapsto f''(x) = -(x+1)e^x$ qui est du signe de $-x-1$.

■ Tableau de variation de f' :

x	$-\infty$		-1		$+\infty$
$f''(x)$		$+$	0	$-$	
$f'(x)$		↗	$e^{-1} - 1$	↘	

La fonction f' admet un maximum $e^{-1} - 1$ négatif, elle est donc toujours négative.

■ Tableau de variation de f :

x	$-\infty$		$+\infty$
$f'(x)$		$-$	
$f(x)$	$+\infty$	↘	$-\infty$

4° Les abscisses des points d'intersection de (C) avec (D) vérifient l'équation $f(x) = -x + 1$, c'est-à-dire $(1-x)e^x = 0$.

Puisque $e^x > 0$ pour tout réel x, il y a un point d'intersection d'abscisse $x = 1$: $I(1, 0)$.

La position de la courbe (C) par rapport à la droite (D) dépend du signe de $\varepsilon(x)$, donc de $(1-x)$:

- si $x < 1$, $\varepsilon(x) > 0$ et la courbe (C) est au-dessus de la droite (D).
- si $x > 1$, $\varepsilon(x) < 0$ et la courbe (C) est au-dessous de la droite (D).

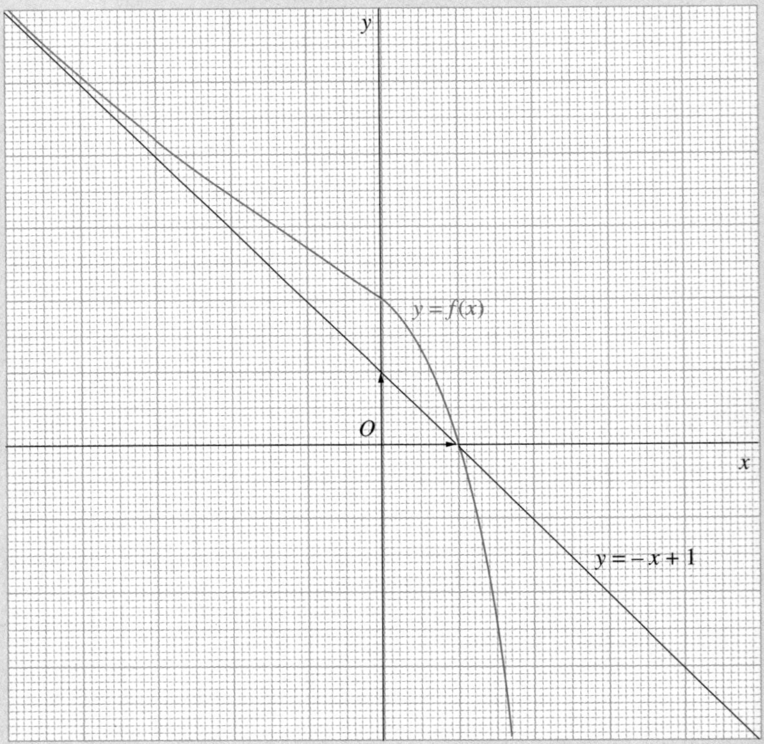

5.10 **1°** ■ Dérivée :

$$p'(x) = -e^{-x}\left(1 + x + \frac{x^2}{2} + \frac{x^3}{6}\right) + e^{-x}\left(1 + x + \frac{x^2}{2}\right)$$

$$= -e^{-x}\left(\frac{x^3}{6}\right).$$

La dérivée p' est négative sur l'intervalle $I = [10, 30]$.

■ Tableau de variation de p :

$$p(10) \approx 10^{-2} \quad \text{et} \quad p(30) \approx 4{,}7 \,.\, 10^{-10}.$$

x	10		30
$p'(x)$		$-$	
$p(x)$	$p(10)$	↘	$p(30)$

2° Courbe représentative de p.

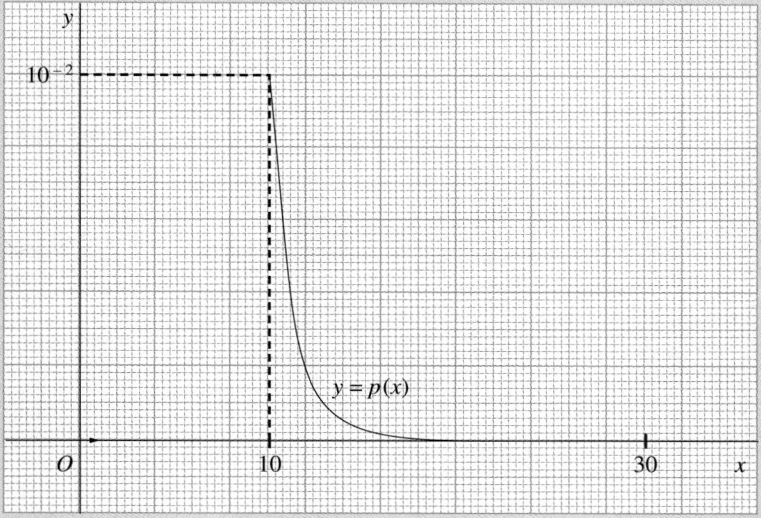

5.11 **1°** La dérivée $f'(x) = (\cos x)e^{-x} - (\sin x)e^{-x} = (\cos x - \sin x)e^{-x}$ est du signe de :

$$\cos x - \sin x = \sqrt{2}\left(\frac{\sqrt{2}}{2}\cos x - \frac{\sqrt{2}}{2}\sin x\right)$$

$$= \sqrt{2}\cos\left(x + \frac{\pi}{4}\right), \text{ car } e^{-x} > 0.$$

Dans l'intervalle $[0, 2\pi]$, $\cos\left(x + \frac{\pi}{4}\right)$ s'annule pour les seules valeurs $x = \frac{\pi}{4}$ et pour $x = \frac{5\pi}{4}$.

f' s'annule pour $x = \frac{\pi}{4}$ et pour $x = \frac{5\pi}{4}$; on en déduit le tableau de variation de f.

x	0		$\frac{\pi}{4}$		$\frac{5\pi}{4}$		2π
$f'(x)$	‖	$+$	0	$-$	0	$+$	‖
$f(x)$	0	↗	$\frac{\sqrt{2}}{2}e^{-\frac{\pi}{4}}$	↘	$-\frac{\sqrt{2}}{2}e^{-\frac{5\pi}{4}}$	↗	0

2° $f'' = (-\sin x - \cos)e^{-x} - (\cos x - \sin x)e^{-x} = -2(\cos x)e^{-x}$.

L'équation $f''(x) = 0$ est équivalente à $\cos x = 0$.

Les solutions, dans $[0, 2\pi]$, sont donc :

$$x' = \frac{\pi}{2} \quad \text{et} \quad x'' = \frac{3\pi}{2}.$$

3° La tangente (T) à (C) au point d'abscisse $x_0 = \frac{\pi}{2}$ a pour équation :

$$y - f(x_0) = f'(x_0)(x - x_0),$$

avec : $f(x_0) = f\left(\frac{\pi}{2}\right) = e^{-\frac{\pi}{2}}$ et $f'(x_0) = f'\left(\frac{\pi}{2}\right) = -e^{-\frac{\pi}{2}}$.

Ce qui donne (T) : $y = -e^{-\frac{\pi}{2}}x + \frac{\pi}{2}e^{-\frac{\pi}{2}} - e^{-\frac{\pi}{2}}$.

■ Représentation graphique :

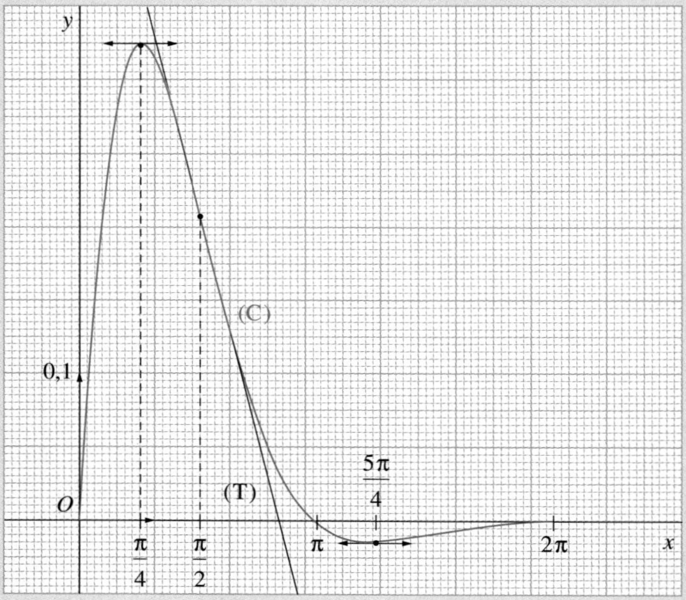

5.12 1° Quand x tend vers $+\infty$ ou $-\infty$, $\left(1-\frac{1}{x}+\frac{1}{x^2}\right)$ tend vers 1, donc :

$$\lim_{x\to+\infty} f(x)=+\infty \quad \text{car} \quad \lim_{x\to+\infty} \mathrm{e}^x=+\infty\,;$$
$$\lim_{x\to-\infty} f(x)=0 \quad \text{car} \quad \lim_{x\to-\infty} \mathrm{e}^x=0.$$

On peut écrire :

$$f(x)=\left(1-\frac{1}{x}+\frac{1}{x^2}\right)\mathrm{e}^x=\left(x^2-x+1\right)\frac{\mathrm{e}^x}{x^2}.$$

Quand x tend vers 0, (x^2-x+1) tend vers 1, on a donc :

$$\lim_{x\to 0} f(x)=\lim_{x\to 0}\frac{\mathrm{e}^x}{x^2}=+\infty,$$

car : $\qquad x^2\geqslant 0 \quad \text{et} \quad \lim_{x\to 0}\mathrm{e}^x=1.$

La droite $x=0$ est asymptote à la courbe représentative de f.

2° $$f'(x)=\left(\frac{1}{x^2}-\frac{2}{x^3}\right)\mathrm{e}^x+\left(1-\frac{1}{x}+\frac{1}{x^2}\right)\mathrm{e}^x$$
$$=\left(1-\frac{1}{x}+\frac{2}{x^2}-\frac{2}{x^3}\right)\mathrm{e}^x$$
$$=\left(\frac{x^3-x^2+2x-2}{x^3}\right)\mathrm{e}^x.$$

On peut factoriser x^3-x^2+2x-2 :

$$x^3-x^2+2x-2=x^2(x-1)+2(x-1)$$
$$=(x^2+2)(x-1).$$

Puisque x^2+2 et e^x sont strictement positifs, la dérivée a le signe de $\frac{x-1}{x^3}$:

x	$-\infty$		0		1		$+\infty$
$x-1$		$-$		$-$	0	$+$	
x^3		$-$	0	$+$		$+$	
$\frac{x-1}{x^3}$		$+$	‖	$-$	0	$+$	

On en déduit le tableau de variation de f :

x	$-\infty$		0		1		$+\infty$
$f'(x)$		$+$	‖	$-$	0	$+$	
$f(x)$	0	↗	$+\infty$ ‖ $+\infty$	↘	e	↗	$+\infty$

3° Courbe représentative de f :

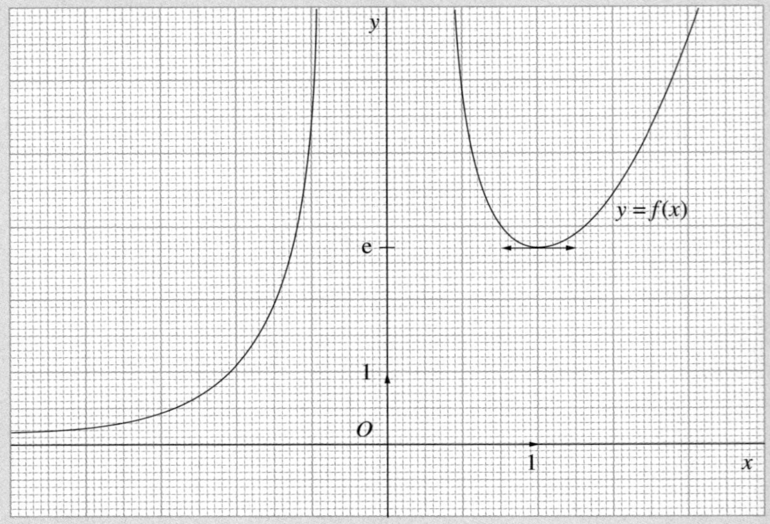

5.13 *a*) En posant $X = 3^x$, on obtient l'équation du second degré :

$$2X^2 + 3X - 2 = 0 \quad (\text{car } 3^{2x} = (3^x)^2 \text{ et } 3^{1+x} = 3 \times 3^x),$$

qui a pour discriminant $\Delta = 25$.

Ses racines sont : $X' = -2$ et $X'' = \frac{1}{2}$.

Seule la racine positive $X'' = \frac{1}{2}$ peut être égale à 3^x, ce qui donne :

$$3^x = e^{x \ln 3} = \frac{1}{2}, \quad \text{si, et seulement si,} \quad x \ln 3 = -\ln 2,$$

soit : $x = \frac{-\ln 2}{\ln 3}$.

L'équation a donc une solution $x = \frac{-\ln 2}{\ln 3}$.

b) $2^{2x+1} + 2^x - 105 = 2 \times 2^{2x} + 2^x - 105$.

En posant $X = 2^x$, on obtient l'équation du second degré :

$$2X^2 + X - 105$$

qui a pour discriminant $\Delta = 841 = 29^2$.

Ses racines sont $X' = 7$ et $X'' = -\frac{15}{2}$.

La racine positive donne $2^x = e^{x \ln 2} = 7$, donc $x = \frac{\ln 7}{\ln 2}$.

L'équation a donc une seule solution $x = \dfrac{\ln 7}{\ln 2}$.

c) Pour tout réel x, $3^{2+x} + 1 > 0$, l'équation est donc équivalente à :

$$9x + 3^{2-x} = 3^{2+x} + 1.$$

Comme $9^x = 3^{2x}$, en multipliant par 3^x et en posant $X = 3^x$, on obtient l'équation du troisième degré :

$$X^3 - 9X^2 - X + 9 = 0.$$

On peut la factoriser sous la forme :

$$X^2(X-9) - (X-9) = (X-9)(X^2-1) = (X-9)(X-1)(X+1) = 0.$$

Elle a deux racines positives $X' = 9$, $X'' = 1$ et une racine négative $X''' = -1$.

L'équation initiale a donc deux solutions x' et x'' déterminées par les relations $3^{x'} = 9$ et $3^{x''} = 1$, ce qui donne : $x' = 2$ et $x'' = 0$.

5.14 **1°** Puisque :

$$a + \frac{b}{1 - 2^{x-1}} = \frac{a + b - a2^{x-1}}{1 - 2^{x-1}} \quad \text{et} \quad 2x = 2 \times 2^{x-1},$$

par identification, on obtient $a = 2$ et $a + b = 1$, donc : $b = -1$.

Ainsi :

$$f(x) = 2 - \frac{1}{1 - 2^{x-1}}.$$

2° ■ Quand x tend vers $-\infty$, 2^{x-1} tend vers 0, donc : $\lim\limits_{x \to -\infty} f(x) = 2 - 1 = 1$.

■ Quand x tend vers $+\infty$, 2^{x-1} tend vers $+\infty$, donc : $\lim\limits_{x \to +\infty} f(x) = 2 - 0 = 2$.

■ Quand x tend vers 1, 2^{x-1} tend vers 1 ; $x \mapsto 2^{x-1}$ étant croissante, on en déduit que $1 - 2^{x-1}$ tend vers 0 par valeurs supérieures (resp. inférieures) lorsque x tend vers 1 par valeurs inférieures (resp. supérieures), donc :

$$\lim_{\substack{x \to 1 \\ x < 1}} f(x) = -\infty \quad \text{et} \quad \lim_{\substack{x \to 1 \\ x > 1}} f(x) = +\infty.$$

La courbe (C) admet une asymptote verticale $x = 1$ et deux asymptotes horizontales $y = 1$ et $y = 2$.

3° $f(x) = 2 - \dfrac{1}{u(x)}$, avec $u(x) = 1 - 2^{x-1} = 1 - \mathrm{e}^{(x-1)\ln 2}$.

Puisque :

$$u'(x) = -(\ln 2)\mathrm{e}^{(x-1)\ln 2} = -(\ln 2)2^{x-1},$$

on a :

$$f'(x) = \frac{u'(x)}{[u(x)]^2}$$

$$= -\ln 2 \frac{2^{x-1}}{(1 - 2^{x-1})^2} < 0.$$

■ Tableau de variation :

x	$-\infty$	0	$+\infty$
$f'(x)$	$-$	‖	$-$
$f(x)$	$1 \searrow +\infty$	‖	$+\infty \searrow 2$

4° Courbe (C) représentative de f :

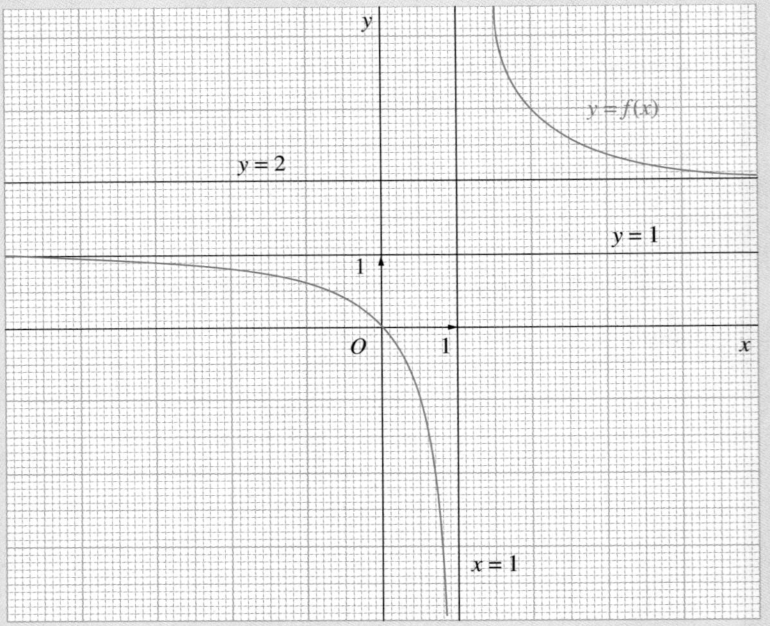

5.15 $\sqrt{a^3}\times\sqrt[3]{a^2}\times\sqrt[5]{a^4}\times\sqrt[4]{a^3}=a^{\frac{3}{2}}\times a^{\frac{2}{3}}\times a^{\frac{4}{5}}\times a^{\frac{3}{4}}=a^{\frac{3}{2}+\frac{2}{3}+\frac{4}{5}+\frac{3}{4}}=a^{\frac{223}{60}}.$

5.16
$$\frac{(\sqrt[3]{2})^4\,(\sqrt{2})^3\,\left(\sqrt[3]{\sqrt[5]{2}}\right)^2}{(\sqrt[7]{2})^4}=\frac{\left(2^{\frac{1}{3}}\right)^4\left(2^{\frac{1}{2}}\right)^3\left(\left(2^{\frac{1}{5}}\right)^{\frac{1}{3}}\right)^2}{\left(2^{\frac{1}{7}}\right)^4}$$
$$=2^{\frac{4}{3}}\times 2^{\frac{3}{2}}\times 2^{\frac{2}{15}}\times 2^{-\frac{4}{7}}$$
$$=2^{\frac{4}{3}+\frac{3}{2}+\frac{2}{15}-\frac{4}{7}}$$
$$=2^{\frac{503}{210}}.$$

5.17 **1°** 6 est solution de l'équation $x^3 - 18x - 108 = 0$, car $6^3 - 18 \times 6 - 108 = 0$. On peut donc la factoriser par $(x-6)$.

En procédant par identification, on écrit :

$$x^3 - 18x - 108 = (x-6)(\alpha x^2 + \beta x + \gamma)$$
$$= \alpha x^3 + (\beta - 6\alpha)x^2 + (\gamma - 6\beta)x - 6\gamma.$$

On obtient $\alpha = 1$, $\beta = 6$ et $\gamma = 18$, ce qui donne :

$$(x-6)(x^2 + 6x + 18) = 0.$$

Le second facteur a un discriminant, $\Delta = 36 - 72 = -36$, négatif ; il ne s'annule donc pas dans $\mathbb{R}$.

L'équation a une unique solution $x = 6$.

2° Calculons, d'abord, la valeur de la pièce en posant :

$$a = \left(\sqrt{3 + 2\sqrt{2}} - \sqrt{3 - 2\sqrt{2}}\right).$$

La fonction $x \mapsto \sqrt{x}$ est strictement croissante, et :

$$3 + 2\sqrt{2} > 3 - 2\sqrt{2}.$$

On a donc $\sqrt{3 + 2\sqrt{2}} > \sqrt{3 - 2\sqrt{2}}$, ce qui montre que a est positif.

■ Calculons son carré :

$$a^2 = \left(\sqrt{3 + 2\sqrt{2}} - \sqrt{3 - 2\sqrt{2}}\right)^2$$
$$= 3 + 2\sqrt{2} - 2\sqrt{3 + 2\sqrt{2}}\,\sqrt{3 - 2\sqrt{2}} + 3 - 2\sqrt{2}$$
$$= 6 - 2\sqrt{(3 + 2\sqrt{2})(3 - 2\sqrt{2})}$$
$$= 6 - 2\sqrt{9 - 8} = 4.$$

On en déduit $a = 2$. La pièce est donc une pièce de dix francs.

■ Posons :

$$b = \left(\sqrt[3]{6\left[5\left(1 + \sqrt{3}\right) + 2\left(\sqrt{3 + 2\sqrt{2}} - \sqrt{3 - 2\sqrt{2}}\right)\right]}\right.$$
$$\left. + \sqrt[3]{6\left[5\left(1 - \sqrt{3}\right) + 2\left(\sqrt{3 + 2\sqrt{2}} - \sqrt{3 - 2\sqrt{2}}\right)\right]}\right).$$

En simplifiant, grâce à la valeur de a calculée précédemment, on obtient :

$$b = \sqrt[3]{6\left[5\left(1 + \sqrt{3}\right) + 4\right]} + \sqrt[3]{6\left[5\left(1 - \sqrt{3}\right) + 4\right]}$$
$$= \sqrt[3]{6\left(9 + 5\sqrt{3}\right)} + \sqrt[3]{6\left(9 - 5\sqrt{3}\right)}.$$

En élevant au cube, on obtient :

$$b^3 = \left(\sqrt[3]{6\left(9+5\sqrt{3}\right)} + \sqrt[3]{6\left(9-5\sqrt{3}\right)}\right)^3$$

$$= 6\left(9+5\sqrt{3}\right) + 3\left(\sqrt[3]{6\left(9+5\sqrt{3}\right)}\right)^2\left(\sqrt[3]{6\left(9-5\sqrt{3}\right)}\right)$$

$$+ 3\left(\sqrt[3]{6\left(9+5\sqrt{3}\right)}\right)\left(\sqrt[3]{6\left(9-5\sqrt{3}\right)}\right)^2 + 6\left(9-5\sqrt{3}\right).$$

En mettant $\left(\sqrt[3]{6\left(9+5\sqrt{3}\right)}\right)\left(\sqrt[3]{6\left(9-5\sqrt{3}\right)}\right)$ en facteur dans les deuxième et troisième termes, on obtient le facteur :

$$3\left(\sqrt[3]{6\left(9+5\sqrt{3}\right)} + \sqrt[3]{6\left(9-5\sqrt{3}\right)}\right) = 3b,$$

ce qui donne :

$$b^3 = 108 + 3b\sqrt[3]{36\left(9+5\sqrt{3}\right)\left(9-5\sqrt{3}\right)}$$

$$= 108 + 3b\sqrt[3]{36(81-75)} = 108 + 18b, \quad \text{car } \sqrt[3]{216} = 6.$$

b est une solution de l'équation $x^3 - 18x - 108 = 0$, qui a pour unique solution $x = 6$. On en déduit $b = 6$; le paquet vaut six francs, la marchande doit donc rendre quatre francs.

5.18 1° La fonction f s'écrit : $f(x) = \mathrm{e}^{\pi \ln x}$.

■ Quand x tend vers 0, $\ln x$ tend vers $-\infty$, donc $\mathrm{e}^{\pi \ln x}$ tend vers 0.

Donc : $$\lim_{x \to 0} f(x) = 0.$$

(On peut prolonger la fonction en 0 en posant $f(0) = 0$.)

■ Quand x tend vers $+\infty$, $\ln x$ tend vers $+\infty$, donc $\mathrm{e}^{\pi \ln x}$ tend vers $+\infty$.

Donc : $$\lim_{x \to +\infty} f(x) = +\infty.$$

2° $f'(x) = \dfrac{\pi}{x}\,\mathrm{e}^{\pi \ln x}$.

La fonction $x \mapsto \mathrm{e}^{\pi \ln x}$ est strictement positive, $\dfrac{\pi}{x}$ est strictement positif lorsque $x > 0$, la dérivée est donc positive et, par conséquent, la fonction f est strictement croissante.

Comme $\dfrac{1}{x} = x^{-1} = \mathrm{e}^{\ln(x^{-1})} = \mathrm{e}^{-\ln x}$, on peut écrire : $f'(x) = \pi\,\mathrm{e}^{(\pi-1)\ln x}$.

Comme $\pi - 1 > 0$, on a : $\lim_{x \to 0} f'(x) = 0$.

La courbe prolongée par le point $O(0, 0)$ admet en ce point une demi-tangente horizontale.

■ Tableau de variation :

x	0		$+\infty$
$f'(x)$	‖ 0	$+$	
$f(x)$	‖ 0	↗	$+\infty$

3° Représentation de la courbe (C) :

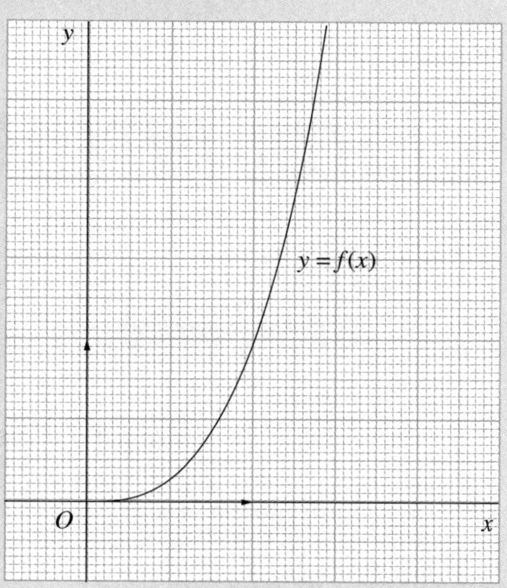

6

CALCUL INTÉGRAL

RÉSUMÉ DU COURS

Intégrale d'une fonction dérivable

■ Soient f une fonction dérivable sur un intervalle I, et a et b deux réels de I. On appelle **intégrale de a à b de f** le nombre réel $F(b) - F(a)$, où F est une primitive de f sur I.

■ L'intégrale de a à b de f est notée $\int_a^b f(x)\,\mathrm{d}x$, ou encore $\Big[F(x)\Big]_a^b$.

$$\int_a^b f(x)\,\mathrm{d}x = \Big[F(x)\Big]_a^b = F(b) - F(a)$$

■ Si f est dérivable sur I, et a, b et c sont trois réels de I, on a :

$$\int_a^c f(x)\,\mathrm{d}x = \int_a^b f(x)\,\mathrm{d}x + \int_b^c f(x)\,\mathrm{d}x$$

(relation de Chasles)

■ Soient f et g deux fonctions dérivables sur I, k un réel quelconque et a et b deux réels de I.
Alors :

$$\int_a^b [f(x)+g(x)]\,\mathrm{d}x = \int_a^b f(x)\,\mathrm{d}x + \int_a^b g(x)\,\mathrm{d}x$$

$$\int_a^b kf(x)\,\mathrm{d}x = k\int_a^b f(x)\,\mathrm{d}x$$

■ Soient f une fonction dérivable sur I, et a et b deux réels de I.
Alors :

$$\int_a^b f(x)\,\mathrm{d}x = -\int_b^a f(x)\,\mathrm{d}x$$

■ Soient f une fonction dérivable et **positive** sur I, et a et b deux réels de I.
Si $a \leqslant b$ alors :

$$\int_a^b f(x)\,\mathrm{d}x \geqslant 0.$$

■ Soient f et g deux fonctions dérivables sur I, et a et b deux réels de I **tels que $a \leqslant b$**.
Si $f(x) \leqslant g(x)$ pour tout réel x de $[a, b]$ alors :

$$\int_a^b f(x)\,\mathrm{d}x \leqslant \int_a^b g(x)\,\mathrm{d}x.$$

Valeur moyenne d'une fonction

■ Soient f une fontion dérivable sur I, et a et b deux réels de I **tels que $a < b$**.
On appelle **valeur moyenne de f sur $[a, b]$** le réel :

$$\frac{1}{b-a}\int_a^b f(x)\,\mathrm{d}x.$$

■ Soient f une fonction dérivable sur I, et a et b deux réels de I **tels que $a \leqslant b$**.
Si, pour tout x de $[a, b]$, $m \leqslant f(x) \leqslant M$, alors :

$$m(b-a) \leqslant \int_a^b f(x)\,\mathrm{d}x \leqslant M(b-a)$$

(inégalité de la moyenne)

Le plan est rapporté à un repère orthogonal $(O\ ;\vec{i},\vec{j})$.

■ Soit f une fonction dérivable et **positive** sur un intervalle $[a, b]$. L'aire du domaine plan délimité par la courbe (C) représentative de f, l'axe des abscisses et les droites d'équation $x = a$ et $x = b$ est égale à :

$$\int_a^b f(x)\,\mathrm{d}x \quad \text{unités d'aire}$$

(l'unité d'aire est l'aire du rectangle défini par les vecteurs $\vec{i}$ et $\vec{j}$ du repère).

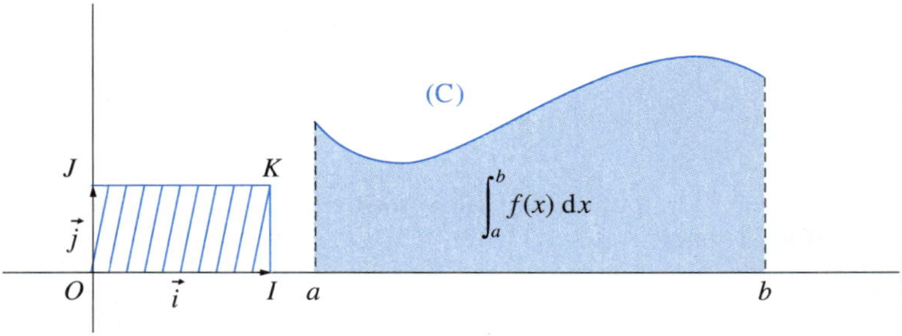

(L'unité d'aire est l'aire du rectangle $OIKJ$.)

■ Soit f une fonction dérivable et **négative** sur un intervalle $[a, b]$. L'aire du domaine plan délimité par la courbe (C) représentative de f, l'axe des abscisses et les droites d'équations $x = a$ et $x = b$ est égale à :

$$-\int_a^b f(x)\,\mathrm{d}x \quad \text{unités d'aire.}$$

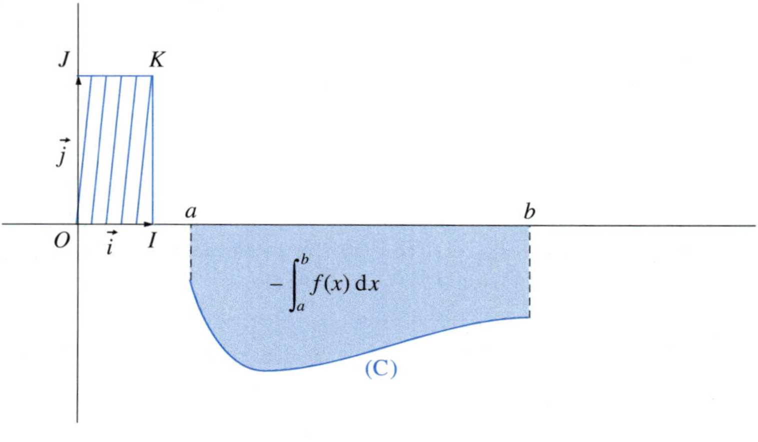

■ Soient f et g deux fonctions dérivables sur $[a, b]$ telles que $f(x) \leqslant g(x)$ pour tout x de $[a, b]$. L'aire du domaine plan délimité par les courbes représentatives de f et g et par les droites d'équation $x = a$ et $x = b$ est égale à :

$$\int_a^b [g(x) - f(x)]\,\mathrm{d}x \quad \text{unités d'aire.}$$

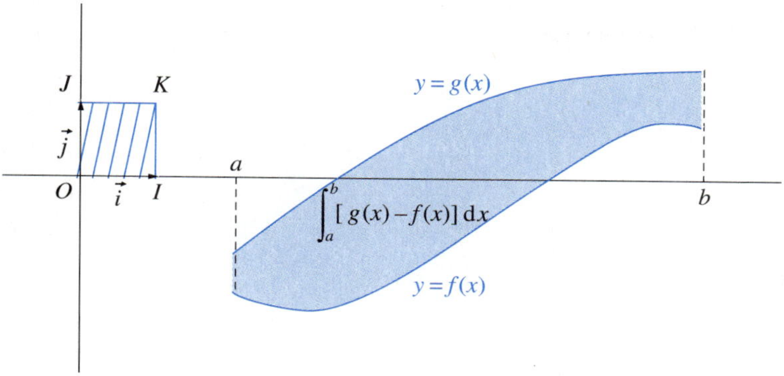

Volume d'un solide

Dans l'espace rapporté à un repère orthogonal $(O\,; \vec{i}, \vec{j}, \vec{k})$, on considère un volume délimité par deux plans d'équations respectives $z = a$ et $z = b$ $(a < b)$ (*cf.* figure). Si tout plan de cote z coupe le solide suivant une section d'aire $S(z)$ et si la fonction S définie sur $[a, b]$ est dérivable, alors le volume du solide est égal à :

$$\int_a^b S(z)\,\mathrm{d}z \quad \text{unités de volume}$$

(l'unité de volume est le volume du pavé droit défini par les vecteurs $\vec{i}$, $\vec{j}$ et $\vec{k}$).

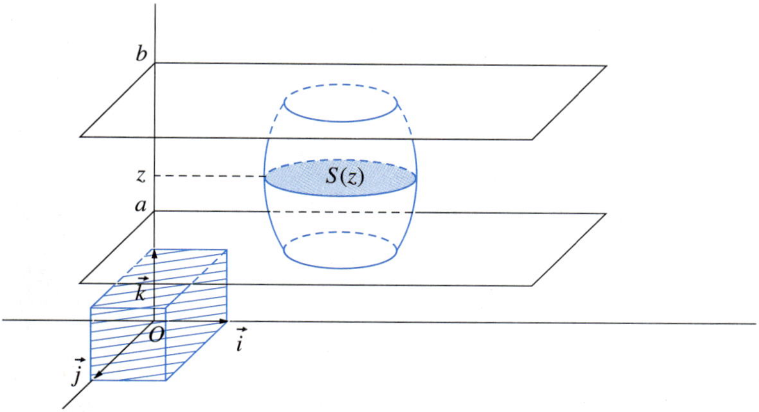

Cas particulier : le volume engendré par la rotation autour de l'axe $(O, \vec{i})$ de la surface délimitée par la courbe (C) d'équation $y = f(x)$, l'axe des abscisses et les droites d'équation $x = a$ et $x = b$ $(a < b)$ est égal à :

$$V = \pi \int_a^b [f(x)]^2 \, dx$$

(volume exprimé en unités de volume).

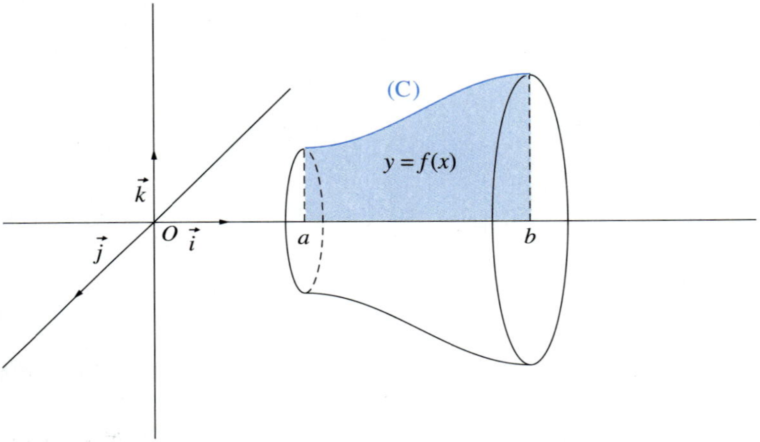

Calculs d'intégrales

6.1 On considère la fonction f définie sur $[-2, 4]$ à l'aide du graphique suivant :

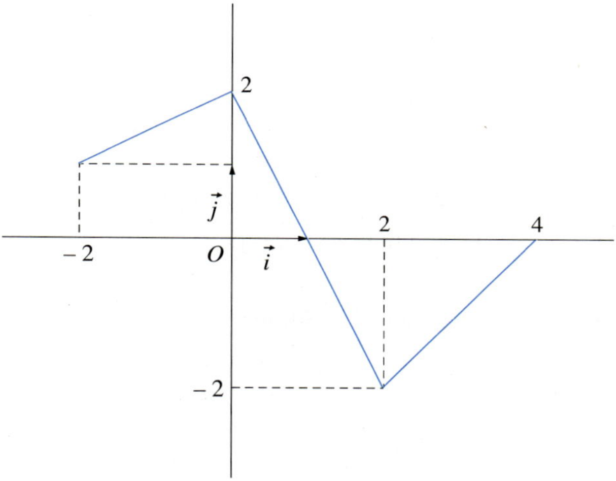

Sans exprimer $f(x)$, calculer $\int_{-2}^{4} f(x)\,\mathrm{d}x$ puis $\int_{-2}^{4} |f(x)|\,\mathrm{d}x$.

6.2 Calculer les intégrales suivantes :

a) $\int_{0}^{1} \sqrt{2x+1}\,\mathrm{d}x$;

b) $\int_{-1}^{1} (x+1)^5\,\mathrm{d}x$;

c) $\int_{-1}^{2} \left(x-\frac{1}{2}\right)(x^2-x+3)\,\mathrm{d}x$;

d) $\int_{0}^{2} \frac{2x-1}{x^2-x+1}\,\mathrm{d}x$;

e) $\int_{0}^{1} 3x\sqrt{2x^2+1}\,\mathrm{d}x$;

f) $\int_{0}^{\frac{\pi}{2}} \frac{\cos x}{1+\sin x}\,\mathrm{d}x$;

g) $\int_{0}^{\frac{\pi}{4}} \tan^2 x\,\mathrm{d}x$;

h) $\int_{0}^{\frac{\pi}{6}} \tan x\,\mathrm{d}x$.

6.3 Calculer les intégrales suivantes :

a) $\displaystyle\int_0^{\frac{\pi}{2}} \sin 2x \cos 3x \,\mathrm{d}x$;

b) $\displaystyle\int_0^{\frac{\pi}{4}} \sin^2 2x \,\mathrm{d}x$;

c) $\displaystyle\int_{-\frac{\pi}{2}}^{0} \cos x(\cos 3x - \sin 5x)\,\mathrm{d}x$.

6.4 *a*) Soit $g(x) = \sin 2x + \cos 2x$.
Montrer que, pour tout réel x :

$$g(x) = A\cos(2x + \varphi),$$

où A et φ sont des réels que l'on déterminera.

b) En déduire les solutions de l'équation :

$$g(x) = 0.$$

c) Montrer que la fonction f, définie par :

$$f(x) = \frac{\sin 2x - \cos 2x}{\sin 2x + \cos 2x}$$

est intégrable sur $\left[0, \dfrac{\pi}{8}\right]$.

d) Calculer $\displaystyle\int_0^{\frac{\pi}{8}} f(x)\,\mathrm{d}x$.

♦ **6.5** Soient $I = \displaystyle\int_0^{\frac{\pi}{2}} \cos(px)\cos(qx)\,\mathrm{d}x$ et $J = \displaystyle\int_0^{\frac{\pi}{2}} \sin(px)\sin(qx)\,\mathrm{d}x$, où p et q sont deux réels fixés tels que $p + q \neq 0$ et $p - q \neq 0$.

1° Calculer $I + J$ et $I - J$.

2° En déduire I et J.

6.6 **1°** Déterminer une primitive de la fonction $t \mapsto e^{-2t}\cos 2t$ de la forme $t \mapsto e^{-2t}(A\cos 2t + B\sin 2t)$, où A et B sont deux constantes.

2° En déduire $\displaystyle\int_0^{\frac{\pi}{8}} e^{-2t}\cos 2t\,\mathrm{d}t$.

♦ **6.7** Soit $0 < \varepsilon < 1$. On considère la fonction f définie sur $[\varepsilon, +\infty[$ par :

$$f(t) = \frac{1}{t^5}\,\mathrm{e}^{-\frac{1}{t}}.$$

1° Déterminer quatre réels a, b, c et d tels que la fonction F définie par :

$$F(t) = \left(\frac{a}{t^3} + \frac{b}{t^2} + \frac{c}{t} + d\right)\mathrm{e}^{-\frac{1}{t}}$$

soit une primitive de f sur $[\varepsilon, +\infty[$.

2° *a*) Calculer, en fonction de ε, l'intégrale $\displaystyle\int_{\varepsilon}^{1} f(t)\,\mathrm{d}t$.

b) En déduire $\displaystyle\lim_{\substack{\varepsilon \to 0 \\ \varepsilon > 0}} \int_{\varepsilon}^{1} f(t)\,\mathrm{d}t$.

♦ **6.8** Soient $I_0 = \displaystyle\int_0^1 \frac{1}{1+\mathrm{e}^x}\,\mathrm{d}x$ et $I_1 = \displaystyle\int_0^1 \frac{\mathrm{e}^x}{1+\mathrm{e}^x}\,\mathrm{d}x$.

1° Calculer I_1 puis $I_0 + I_1$. En déduire I_0.

2° Pour tout entier naturel n, on pose :

$$I_n = \int_0^1 \frac{\mathrm{e}^{nx}}{1+\mathrm{e}^x}\,\mathrm{d}x.$$

a) Calculer $I_n + I_{n+1}$.

b) Déduire, des questions précédentes, I_2 et I_3.

Valeur moyenne d'une fonction

6.9 Dans chacun des cas suivants, calculer la valeur moyenne de la fonction sur une période T.

a)

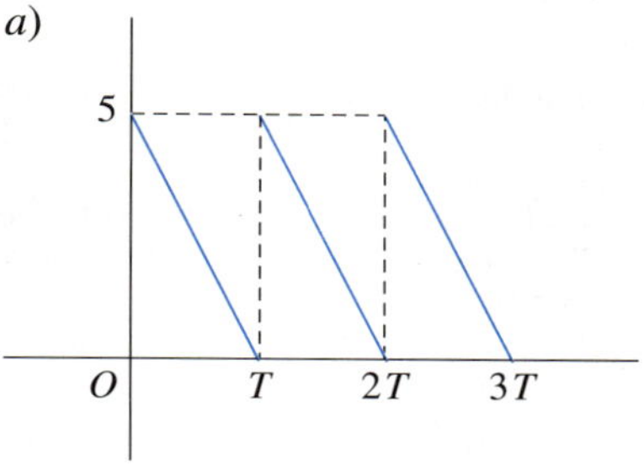

b)

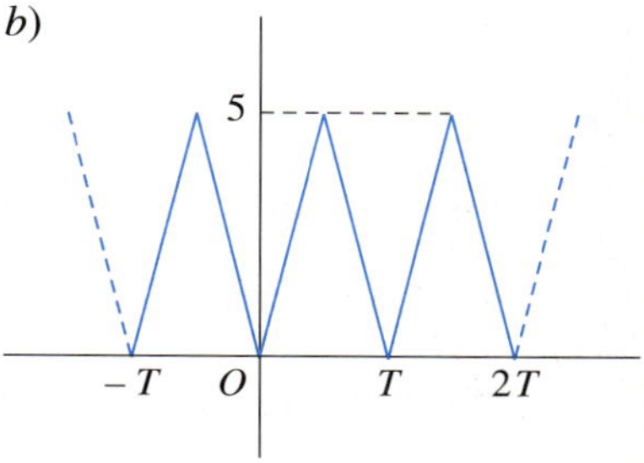

c)

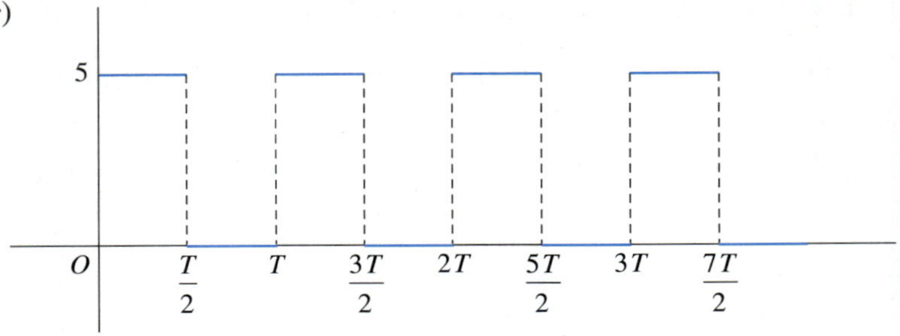

d)

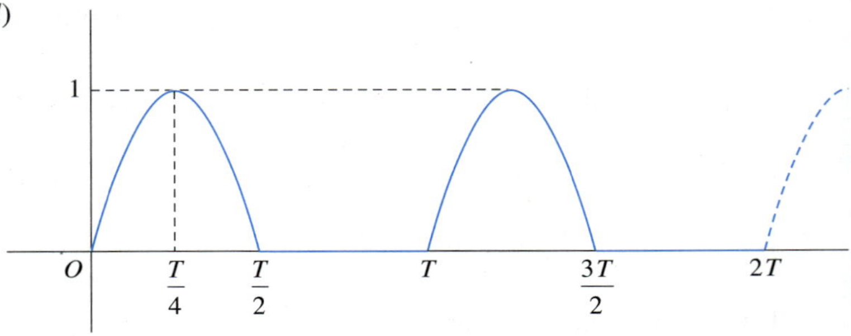

$$f(x) = \sin \frac{2\pi}{T} x \quad \text{si} \quad 0 \leqslant x \leqslant \frac{T}{2},$$

$$f(x) = 0 \quad \text{si} \quad \frac{T}{2} \leqslant x \leqslant T.$$

♦ **6.10** Calculer la valeur moyenne de la fonction f définie par :

$$f(x) = |x| + \tan x$$

sur l'intervalle $\left[-\frac{\pi}{4}, \frac{\pi}{4}\right]$.

6.11 Soit f la fonction définie sur $\mathbb{R}$ par $f(t) = -1 + \sin 3t$.

1° Montrer que $\frac{2\pi}{3}$ est une période de la fonction f.

Étudier f sur l'intervalle $\left[0, \frac{2\pi}{3}\right]$ et construire sa courbe représentative dans un repère orthonormé (*unité :* 3 cm).

2° Calculer la valeur moyenne de f sur $\left[0, \frac{2\pi}{3}\right]$.

3° Calculer la valeur efficace de f sur le même intervalle (la valeur efficace de f sur l'intervalle $\left[0, \frac{2\pi}{3}\right]$ est le réel $\alpha \geqslant 0$ défini par :

$$\alpha^2 = \frac{1}{\left(\frac{2\pi}{3}\right)} \int_0^{\frac{2\pi}{3}} [f(t)]^2 \, dt).$$

Calcul d'aires planes

6.12 On considère la fonction f définie sur $[-4, 2]$ par :

$$f(x) = x^2 + 2x - 3$$

et on note (C) sa courbe représentative dans un repère orthonormé $(O\,;\vec{i}, \vec{j})$ (*unité :* le centimètre).

1° Étudier les variations de f.

2° Déterminer les coordonnées des points d'intersection de (C) avec l'axe des abscisses.

3° Tracer (C).

4° Calculer, en cm^2, l'aire de la partie du plan délimitée par les droites d'équation $x = -4$ et $x = 2$, l'axe des abscisses et la courbe (C).

6.13 On considère la fonction f définie sur $]1, +\infty[$ par :

$$f(x) = \frac{-2x^2 + 5x - 4}{x - 1}.$$

1° Déterminer trois réels a, b et c tels que, pour tout réel x de $]1, +\infty[$:

$$f(x) = ax + b + \frac{c}{x-1}.$$

2° *a*) Calculer les limites de f aux bornes de $]1, +\infty[$.

b) Montrer que la courbe (C) représentative de f possède deux asymptotes, dont on précisera les équations.

3° Calculer $f'(x)$ et préciser les variations de f à l'aide d'un tableau.

4° Construire (C) dans un repère orthonormé $(O\,;\vec{i}, \vec{j})$ (*unité :* 1 cm).

5° Calculer, en cm², l'aire du domaine plan délimité par (C), la droite (Δ) d'équation $y = -2x + 3$, et les droites d'équation $x = 1 + \frac{\sqrt{2}}{2}$ et $x = 5$.

6.14 Soit f l'application définie sur $[0, \pi]$ par :

$$f(x) = \mathrm{e}^x \sin x.$$

1° Montrer qu'il existe deux réels a et b, que l'on calculera, tels que, pour tout réel x de $[0, \pi]$:

$$f'(x) = a\mathrm{e}^x \cos(x + b).$$

2° Étudier les variations de f et construire la courbe représentative (C) de f dans un repère orthogonal (*unités :* 2 cm en abscisses et 1 cm en ordonnées).

3° Déterminer deux réels α et β de telle sorte que la fonction F définie par :

$$F(x) = \mathrm{e}^x(\alpha \sin x + \beta \cos x)$$

soit une primitive de f sur $[0, \pi]$.

4° Déduire des questions précédentes l'aire, en cm², du domaine plan délimité par (C) et l'axe des abscisses.

6.15 On considère la fonction f définie sur $[0, 2]$ par $f(x) = -x^2 + 2x$ et (C) sa courbe représentative.

1° Construire (C) dans un repère orthonormé (*unité :* 4 cm).

2° Calculer, en unités d'aire, l'aire S du domaine plan délimité par (C) et l'axe des abscisses.

3° On se propose de déterminer l'équation de la droite (D) passant par l'origine et qui partage le domaine précédent en deux parties de même aire.

a) Déterminer les abscisses des points d'intersection de (C) et (D).

b) Exprimer, en fonction du coefficient directeur de (D), l'aire du domaine plan délimité par (C) et (D).

c) En déduire l'équation de (D).

6.16 Le plan est rapporté à un repère orthonormé $(O ; \vec{i}, \vec{j})$ (*unité :* 4 cm).

1° On considère la fonction g définie sur $[0, +\infty[$ par :

$$g(x) = x \ln x \quad \text{si } x \neq 0 \quad \text{et} \quad g(0) = 0.$$

a) Déterminer les limites de g aux bornes de son ensemble de définition.

b) Calculer $g'(x)$ pour $x > 0$ et en déduire les variations de g sur $[0, +\infty[$.

c) Tracer la courbe représentative (C_g) de g dans le repère $(O\ ; \vec{i}, \vec{j})$.

2° Soit f la fonction définie sur $[0, +\infty[$ par :

$$f(x) = |g(x)|.$$

a) Déduire, des questions précédentes, les variations de f et construire dans le même repère sa courbe représentative (C_f).

b) Calculer la dérivée de la fonction H définie sur $[0, +\infty[$ par :

$$H(x) = \frac{x^2}{4}(2\ln x - 1) \quad \text{et} \quad H(0) = 0.$$

c) Déduire des questions précédentes l'aire, en cm^2, de la partie du plan délimitée par (C_f) et la première bissectrice.

Calcul de volumes

6.17 Calculer le volume du paraboloïde engendré par la rotation de l'arc de parabole d'équation $y = x^2$, avec $-2 \leqslant x \leqslant 2$, autour de son axe de symétrie.

♦ **6.18** Un ballon de rugby a la forme d'un ellipsoïde de révolution, c'est-à-dire d'un volume engendré par la rotation autour de l'axe des abscisses d'une demi-ellipse d'équation :

$$y = b\sqrt{1 - \frac{x^2}{a^2}} \quad (b > 0 \text{ et } a > 0).$$

1° Construire la courbe représentative de la fonction f définie sur $[-a, a]$ par :

$$f(x) = b\sqrt{1 - \frac{x^2}{a^2}}.$$

2° Montrer que le volume du ballon de rugby est :

$$V = \frac{4}{3}\pi ab^2.$$

♦ **6.19** Une salière est constituée d'un tronc de cône surmonté d'une calotte sphérique tangente au cône (*cf.* figure ci-après).

1° Construire la section du solide ainsi réalisé par un plan de symétrie.

2° Déterminer le centre puis le rayon de la calotte sphérique.

3° En déduire le volume de la salière.

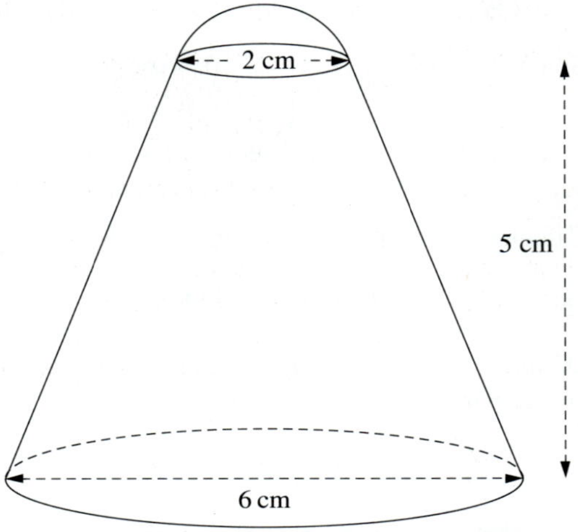

6.1 Rappelons que si f est positive (respectivement négative) sur $[a, b]$ l'aire du domaine plan délimité par l'axe des abscisses, les droites d'équation $x=a$ et $x=b$, et la courbe d'équation $y=f(x)$ est égal à :

$$\int_a^b f(x)\,\mathrm{d}x \text{ unités d'aire } \left(\text{respectivement } -\int_a^b f(x)\,\mathrm{d}x\right).$$

f est positive sur $[-2, 1]$, et négative sur $[1, 4]$.

• D'après la relation de Chasles, on peut écrire :

$$\int_{-2}^{4} f(x)\,\mathrm{d}x = \int_{-2}^{1} f(x)\,\mathrm{d}x + \int_{1}^{4} f(x)\,\mathrm{d}x.$$

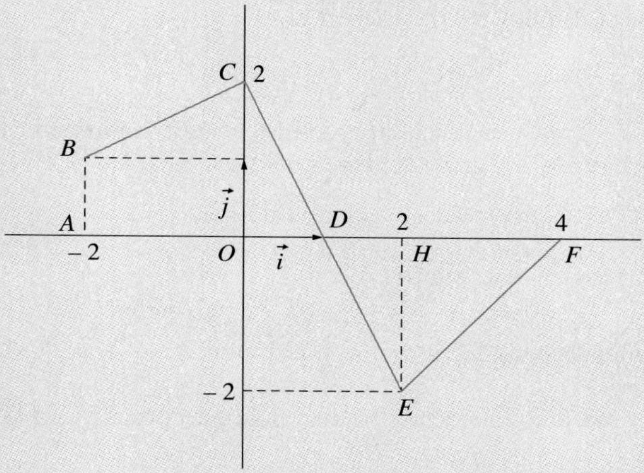

Le quadrilatère $ABCD$ se décompose en un trapèze $ABCO$ et un triangle OCD.

L'aire du trapèze $ABCO$ est égale à :

$$S_1 = \frac{OA(AB+OC)}{2},$$

et celle du triangle ODC à :

$$S_2 = \frac{1}{2}\,OC \cdot OD.$$

Donc, $S_1 = \dfrac{2(1+2)}{2} = 3$ et $S_2 = \dfrac{1}{2} \times 2 \times 1 = 1.$

On en déduit :

$$\int_{-2}^{1} f(x)\,\mathrm{d}x = 3 + 1 = 4.$$

L'aire du triangle DEF est égale à $\frac{1}{2}\,DF\,.\,EH = 3$.

(Toutes les aires sont exprimées en unités d'aire.)

Par conséquent, $\int_1^4 f(x)\,\mathrm{d}x = -3$.

Finalement, $\int_{-2}^4 f(x)\,\mathrm{d}x = 4 - 3 = 1$.

• Lorsque f est positive, $|f(x)| = f(x)$; lorsque f est négative, $|f(x)| = -f(x)$.

Donc, $\int_{-2}^1 |f(x)|\,\mathrm{d}x = \int_{-2}^1 f(x)\,\mathrm{d}x = 4$ et $\int_1^4 |f(x)|\,\mathrm{d}x = -\int_1^4 f(x)\,\mathrm{d}x = 3$.

On en déduit : $\int_{-2}^1 |f(x)|\,\mathrm{d}x = 7$.

6.2 Toutes les fonctions proposées sont dérivables sur l'intervalle d'intégration, les intégrales sont donc définies.

a) Posons $u(x) = 2x + 1$; alors $u'(x) = 2$.

Par conséquent, $\sqrt{2x+1}$ s'écrit $\frac{1}{2}\,u'(x)\left[u(x)\right]^{\frac{1}{2}}$.

Or, la fonction $u'\,.\,u^n$ admet pour primitive $\frac{1}{n+1}\,u^{n+1}$ si $n \neq -1$.

La fonction $x \overset{f}{\mapsto} \sqrt{2x+1}$ admet donc pour primitive sur $[0, 1]$ la fonction :

$$x \overset{F}{\mapsto} \frac{1}{2}\left(\frac{1}{\frac{1}{2}+1}\right)(2x+1)^{1+\frac{1}{2}}\text{, soit } F(x) = \frac{1}{3}\,(2x+1)^{\frac{3}{2}}.$$

Donc :

$$\begin{aligned}\int_0^1 \sqrt{2x+1}\,\mathrm{d}x &= \left[F(x)\right]_0^1\\ &= F(1) - F(0)\\ &= \frac{1}{3}\,(3)^{\frac{3}{2}} - \frac{1}{3}\\ &= \frac{1}{3}\,(3\sqrt{3} - 1).\end{aligned}$$

b) Posons $u(x) = x + 1$; alors $u'(x) = 1$ et $(x+1)^5 = u'(x)\,.\,[u(x)]^5$.

Donc :

$$\int_{-1}^1 (x+1)^5\,\mathrm{d}x = \left[\frac{1}{6}\,(x+1)^6\right]_{-1}^1 = \frac{1}{6} \times 2^6 = \frac{32}{3}.$$

c) Posons $u(x)=x^2-x+3$;

alors $u'(x)=2x-1$ et $\left(x-\dfrac{1}{2}\right)(x^2-x+3)=\dfrac{1}{2}\,u'(x)\,.\,u(x)$.

Donc :

$$\begin{aligned}\int_{-1}^{2}\left(x-\frac{1}{2}\right)(x^2-x+3)\,\mathrm{d}x &= \frac{1}{2}\int_{-1}^{2}(2x-1)(x^2-x+3)\,\mathrm{d}x\\ &= \frac{1}{2}\left[\frac{1}{2}(x^2-x+3)^2\right]_{-1}^{2}\\ &= \frac{1}{4}\left[(4-2+3)^2-(1+1+3)^2\right]\\ &= \frac{1}{4}(25-25)\\ &= 0.\end{aligned}$$

d) Posons $u(x)=x^2-x+1$; alors $u'(x)=2x-1$.

Par conséquent $\dfrac{2x-1}{x^2-x+1}$ s'écrit $\dfrac{u'(x)}{u(x)}$.

Or, la fonction $\dfrac{u'}{u}$ admet pour primitive la fonction $\ln|u|$.

Donc :

$$\begin{aligned}\int_{0}^{2}\frac{2x-1}{x^2-x+1}\,\mathrm{d}x &= \Big[\ln|x^2-x+1|\Big]_0^2\\ &= \ln 3-\ln 1\\ &= \ln 3.\end{aligned}$$

e) Posons $u(x)=2x^2+1$;

alors $u'(x)=4x$ et $3x\sqrt{2x^2+1}=\dfrac{3}{4}\,u'(x)\,.\,[u(x)]^{\frac{1}{2}}$.

Donc :

$$\begin{aligned}\int_{0}^{1}3x\sqrt{2x^2+1}\,\mathrm{d}x &= \frac{3}{4}\int_{0}^{1}4x\sqrt{2x^2+1}\,\mathrm{d}x\\ &= \frac{3}{4}\left[\frac{2}{3}(2x^2+1)^{\frac{3}{2}}\right]_0^1\\ &= \frac{1}{2}\left(3^{\frac{3}{2}}-1^{\frac{3}{2}}\right)\\ &= \frac{1}{2}(3\sqrt{3}-1).\end{aligned}$$

f) Posons $u(x) = 1 + \sin x$;

alors $u'(x) = \cos x$ et $\dfrac{\cos x}{1+\sin x} = \dfrac{u'(x)}{u(x)}$.

Donc : $$\int_0^{\frac{\pi}{2}} \frac{\cos x}{1+\sin x}\,dx = \Big[\ln|1+\sin x|\Big]_0^{\frac{\pi}{2}} = \ln 2 - \ln 1 = \ln 2.$$

g) La fonction $x \mapsto \tan x$ admet pour dérivée la fonction $x \mapsto 1 + \tan^2 x$

(si $x \neq \dfrac{\pi}{2} + k\pi$, avec $k \in \mathbb{Z}$).

Donc :

$$\begin{aligned}\int_0^{\frac{\pi}{4}} \tan^2 x\,dx &= \int_0^{\frac{\pi}{4}} (1+\tan^2 x - 1)\,dx\\ &= \Big[\tan x - x\Big]_0^{\frac{\pi}{4}}\\ &= \tan\frac{\pi}{4} - \frac{\pi}{4}\\ &= 1 - \frac{\pi}{4}.\end{aligned}$$

h) $\displaystyle\int_0^{\frac{\pi}{6}} \tan x\,dx = \int_0^{\frac{\pi}{6}} \frac{\sin x}{\cos x}\,dx.$

Posons $u(x) = \cos x$; alors $u'(x) = -\sin x$ et $\dfrac{\sin x}{\cos x} = \dfrac{-u'(x)}{u(x)}$.

Donc : $$\int_0^{\frac{\pi}{6}} \tan x\,dx = -\Big[\ln|\cos x|\Big]_0^{\frac{\pi}{6}} = -\left(\ln\frac{\sqrt{3}}{2} - \ln 1\right) = -\ln\frac{\sqrt{3}}{2}.$$

6.3 *a*) On linéarise $\sin 2x \cos 3x$ à l'aide des formules d'Euler :

$$\begin{aligned}\sin 2x\cos 3x &= \left(\frac{e^{2ix}-e^{-2ix}}{2i}\right)\left(\frac{e^{3ix}+e^{-3ix}}{2}\right)\\ &= \frac{1}{2}\left(\frac{e^{5ix}-e^{ix}-e^{-ix}-e^{-5ix}}{2i}\right)\\ &= \frac{1}{2}\left(\frac{e^{5ix}-e^{-5ix}}{2i} - \frac{e^{ix}-e^{-ix}}{2i}\right)\\ &= \frac{1}{2}(\sin 5x - \sin x).\end{aligned}$$

$$\int_0^{\frac{\pi}{2}} \sin 2x \cos 3x \, dx = \frac{1}{2} \int_0^{\frac{\pi}{2}} (\sin 5x - \sin x) \, dx$$
$$= \frac{1}{2}\left[-\frac{1}{5}\cos 5x + \cos x\right]_0^{\frac{\pi}{2}}$$
$$= \frac{1}{2}\left[-\frac{1}{5}\cos\frac{5\pi}{2} + \cos\frac{\pi}{2} - \left(-\frac{1}{5}\cos 0 + \cos 0\right)\right]$$
$$= \frac{1}{2}\left(\frac{1}{5} - 1\right)$$
$$= -\frac{2}{5}\ .$$

b) $\cos 4x = 1 - 2\sin^2 2x$, donc $\sin^2 2x = \frac{1}{2}(1 - \cos 4x)$.

Par conséquent : $$\int_0^{\frac{\pi}{4}} \sin^2 2x \, dx = \frac{1}{2}\int_0^{\frac{\pi}{4}} (1 - \cos 4x) \, dx$$
$$= \frac{1}{2}\left[x - \frac{1}{4}\sin 4x\right]_0^{\frac{\pi}{4}} = \frac{\pi}{8}\ .$$

c) $\cos x(\cos 3x - \sin 5x) = \frac{1}{2}(\cos 4x + \cos 2x - \sin 6x - \sin 4x)$

(*cf.* exercice 10 p. 220). Donc :

$$\int_{-\frac{\pi}{2}}^{0} \cos x(\cos 3x - \sin 5x) \, dx$$
$$= \frac{1}{2}\int_{-\frac{\pi}{2}}^{0} (\cos 4x + \cos 2x - \sin 6x - \sin 4x) \, dx$$
$$= \frac{1}{2}\left[\frac{1}{4}\sin 4x + \frac{1}{2}\sin 2x + \frac{1}{6}\cos 6x + \frac{1}{4}\cos 4x\right]_{-\frac{\pi}{2}}^{0}$$
$$= \frac{1}{2}\left[\frac{1}{6} + \frac{1}{4} - \left(-\frac{1}{6} + \frac{1}{4}\right)\right] = \frac{1}{6}\ .$$

6.4 *a*) $g(x) = \sin 2x + \cos 2x$.
Rappelons que l'expression $a \sin \omega x + b \cos \omega x$ peut s'écrire (si $a^2 + b^2 \neq 0$) :

$\sqrt{a^2+b^2}\left(\frac{a}{\sqrt{a^2+b^2}}\sin \omega x + \frac{b}{\sqrt{a^2+b^2}}\cos \omega x\right)$, soit $\sqrt{a^2+b^2}\cos(\omega x - \varphi)$,

en posant $\sin\varphi = \frac{a}{\sqrt{a^2+b^2}}$ et $\cos\varphi = \frac{b}{\sqrt{a^2+b^2}}$.

$$g(x) = \sqrt{2}\left(\frac{\sqrt{2}}{2}\sin 2x + \frac{\sqrt{2}}{2}\cos 2x\right)$$

$$= \sqrt{2}\left(\sin\frac{\pi}{4}\sin 2x + \cos\frac{\pi}{4}\cos 2x\right)$$

$$= \sqrt{2}\cos\left(2x - \frac{\pi}{4}\right).$$

b) $g(x) = 0$ si, et seulement si, $\sqrt{2}\cos\left(2x - \frac{\pi}{4}\right) = 0,$

c'est-à-dire, si, et seulement si, $2x - \frac{\pi}{4} = \frac{\pi}{2} + k\pi$, avec $k \in \mathbb{Z}$.

Soit $x = \frac{3\pi}{8} + k\frac{\pi}{2}$, avec $k \in \mathbb{Z}$.

c) D'après la question *b*), $\sin 2x + \cos 2x \neq 0$ pour tout x de $\left[0, \frac{\pi}{8}\right]$; la fonction f est donc définie sur $\left[0, \frac{\pi}{8}\right]$ et dérivable : f est intégrable sur $\left[0, \frac{\pi}{8}\right]$.

d) $g'(x) = 2\cos 2x - 2\sin 2x$
$= 2(\cos 2x - \sin 2x)$.

Donc $f(x) = -\frac{1}{2}\frac{g'(x)}{g(x)}$;

on en déduit que f admet pour primitive sur $\left[0, \frac{\pi}{8}\right]$ la fonction :

$$-\frac{1}{2}\ln|g(x)|.$$

Donc :

$$\int_0^{\frac{\pi}{8}} f(x)\,dx = -\frac{1}{2}\left[\ln|\sin 2x + \cos 2x|\right]_0^{\frac{\pi}{8}}$$

$$= -\frac{1}{2}\left[\ln\sqrt{2} - \ln 1\right]$$

$$= -\frac{1}{2}\ln\sqrt{2}.$$

6.5 1° $I+J=\int_0^{\frac{\pi}{2}} \cos(px)\cos(qx)\,\mathrm{d}x+\int_0^{\frac{\pi}{2}} \sin(px)\sin(qx)\,\mathrm{d}x$

$$=\int_0^{\frac{\pi}{2}} [\cos(px)\cos(qx)+\sin(px)\sin(qx)]\,\mathrm{d}x$$

$$=\int_0^{\frac{\pi}{2}} \cos(px-qx)\,\mathrm{d}x$$

$$=\int_0^{\frac{\pi}{2}} \cos[(p-q)x]\,\mathrm{d}x$$

$$=\left[\frac{1}{p-q}\sin[(p-q)x]\right]_0^{\frac{\pi}{2}}$$

$$=\frac{1}{p-q}\sin\left[(p-q)\frac{\pi}{2}\right].$$

$$I-J=\int_0^{\frac{\pi}{2}} [\cos(px)\cos(qx)-\sin(px)\sin(qx)]\,\mathrm{d}x$$

$$=\int_0^{\frac{\pi}{2}} \cos(px+qx)\,\mathrm{d}x$$

$$=\int_0^{\frac{\pi}{2}} \cos[(p+q)x]\,\mathrm{d}x$$

$$=\left[\frac{1}{p+q}\sin[(p+q)x]\right]_0^{\frac{\pi}{2}}$$

$$=\frac{1}{p+q}\sin\left[(p+q)\frac{\pi}{2}\right].$$

2° De $\begin{cases} I+J=\dfrac{1}{p-q}\sin\left[(p-q)\dfrac{\pi}{2}\right] \\ I-J=\dfrac{1}{p+q}\sin\left[(p+q)\dfrac{\pi}{2}\right] \end{cases}$

on tire $2I=\dfrac{1}{p-q}\sin\left[(p-q)\dfrac{\pi}{2}\right]+\dfrac{1}{p+q}\sin\left[(p+q)\dfrac{\pi}{2}\right].$

Donc : $I=\dfrac{1}{2}\left[\dfrac{1}{p-q}\sin\left[(p-q)\dfrac{\pi}{2}\right]+\dfrac{1}{p+q}\sin\left[(p+q)\dfrac{\pi}{2}\right]\right].$

De la même façon $2J = \frac{1}{p-q}\sin\left[(p-q)\frac{\pi}{2}\right] - \frac{1}{p+q}\sin\left[(p+q)\frac{\pi}{2}\right]$,

donc : $$J = \frac{1}{2}\left[\frac{1}{p-q}\sin\left[(p-q)\frac{\pi}{2}\right] - \frac{1}{p+q}\sin\left[(p+q)\frac{\pi}{2}\right]\right].$$

6.6 1° Posons $F(t) = e^{-2t}(A\cos 2t + B\sin 2t)$ et $f(t) = e^{-2t}\cos 2t$.

$$F'(t) = -2e^{-2t}(A\cos 2t + B\sin 2t) + e^{-2t}(-2A\sin 2t + 2B\cos 2t)$$
$$= e^{-2t}[(-2A + 2B)\cos 2t + (-2B - 2A)\sin 2t].$$

F est une primitive de f si, et seulement si, $F'(t) = f(t)$ pour tout réel t.

Cette égalité est vérifiée pour tout réel t si, et seulement si :

$$-2A + 2B = 1 \text{ et } -2B - 2A = 0.$$

La deuxième équation donne $B = -A$ et, à l'aide de la première, on obtient $-4A = 1$, soit $A = -\frac{1}{4}$.

Donc : $$B = \frac{1}{4} \quad \text{et} \quad F(t) = \frac{e^{-2t}}{4}(-\cos 2t + \sin 2t).$$

2° $$\int_0^{\frac{\pi}{8}} e^{-2t}\cos 2t\,dt = \left[\frac{e^{-2t}}{4}(-\cos 2t + \sin 2t)\right]_0^{\frac{\pi}{8}}$$
$$= \frac{1}{4}\left[e^{-\frac{\pi}{4}}\left(-\cos\frac{\pi}{4} + \sin\frac{\pi}{4}\right) - e^0(-\cos 0 + \sin 0)\right]$$
$$= \frac{1}{4}\left[e^{-\frac{\pi}{4}} \times 0 - (-1)\right]$$
$$= \frac{1}{4}.$$

6.7 1° $F(t) = \left(\frac{a}{t^3} + \frac{b}{t^2} + \frac{c}{t} + d\right)e^{-\frac{1}{t}} = (at^{-3} + bt^{-2} + ct^{-1} + d)e^{-\frac{1}{t}}$. Donc :

$$F'(t) = (-3at^{-4} - 2bt^{-3} - ct^{-2})e^{-\frac{1}{t}} + (at^{-3} + bt^{-2} + ct^{-1} + d)\left(\frac{1}{t^2}\right)e^{-\frac{1}{t}}$$
$$= \left(-\frac{3a}{t^4} - \frac{2b}{t^3} - \frac{c}{t^2}\right)e^{-\frac{1}{t}} + \left(\frac{a}{t^5} + \frac{b}{t^4} + \frac{c}{t^3} + \frac{d}{t^2}\right)e^{-\frac{1}{t}}$$
$$= e^{-\frac{1}{t}}\left[\frac{a}{t^5} + \frac{b-3a}{t^4} + \frac{c-2b}{t^3} + \frac{d-c}{t^2}\right].$$

$F'(t) = f(t)$ pour tout réel t si, et seulement si :

$$\begin{cases} a = 1 \\ b - 3a = 0 \\ c - 2b = 0 \\ d - c = 0, \end{cases} \quad \text{soit} \quad \begin{cases} a = 1 \\ b = 3 \\ c = 6 \\ d = 6. \end{cases}$$

La fonction F définie sur $[\varepsilon, +\infty[$ par $F(t) = \left(\frac{1}{t^3} + \frac{3}{t^2} + \frac{6}{t} + 6\right)\mathrm{e}^{-\frac{1}{t}}$ est une primitive de f sur cet intervalle.

2° *a)* $\displaystyle\int_\varepsilon^1 f(t)\,\mathrm{d}t = \left[\left(\frac{1}{t^3} + \frac{3}{t^2} + \frac{6}{t} + 6\right)\mathrm{e}^{-\frac{1}{t}}\right]_\varepsilon^1$

$$= (1 + 3 + 6 + 6)\mathrm{e}^{-1} - \left(\frac{1}{\varepsilon^3} + \frac{3}{\varepsilon^2} + \frac{6}{\varepsilon} + 6\right)\mathrm{e}^{-\frac{1}{\varepsilon}}$$

$$= \frac{16}{\mathrm{e}} - \left(\frac{1}{\varepsilon^3} + \frac{3}{\varepsilon^2} + \frac{6}{\varepsilon} + 6\right)\mathrm{e}^{-\frac{1}{\varepsilon}}.$$

b) Lorsque ε tend vers 0 par valeurs positives, $\frac{1}{\varepsilon^3}$, $\frac{3}{\varepsilon^2}$ et $\frac{6}{\varepsilon}$ tendent vers $+\infty$, et $\mathrm{e}^{-\frac{1}{\varepsilon}}$ tend vers 0 : nous sommes en présence d'une forme indéterminée.

Posons $u = -\frac{1}{\varepsilon}$ (lorsque ε tend vers 0 par valeurs positives u tend vers $-\infty$).

$$\left(\frac{1}{\varepsilon^3} + \frac{3}{\varepsilon^2} + \frac{6}{\varepsilon} + 6\right)\mathrm{e}^{-\frac{1}{\varepsilon}} = (-u^3 + 3u^2 - 6u + 6)\mathrm{e}^u$$

$$= -u^3\mathrm{e}^u + 3u^2\mathrm{e}^u - 6u\mathrm{e}^u + 6\mathrm{e}^u.$$

Or $\lim\limits_{u \to -\infty} u^n \mathrm{e}^u = 0$ pour tout entier naturel n.

Donc $\lim\limits_{\substack{\varepsilon \to 0 \\ \varepsilon > 0}} \left(\frac{1}{\varepsilon^3} + \frac{3}{\varepsilon^2} + \frac{6}{\varepsilon} + 6\right)\mathrm{e}^{-\frac{1}{\varepsilon}} = \lim\limits_{u \to -\infty} -u^3\mathrm{e}^u + 3u^2\mathrm{e}^u - 6u\mathrm{e}^u + 6\mathrm{e}^u = 0.$

On en déduit : $\lim\limits_{\substack{\varepsilon \to 0 \\ \varepsilon > 0}} \displaystyle\int_\varepsilon^1 f(t)\,\mathrm{d}t = \frac{16}{\mathrm{e}}.$

6.8 **1°** Les fonctions $x \mapsto \frac{1}{1 + \mathrm{e}^x}$ et $x \mapsto \frac{\mathrm{e}^x}{1 + \mathrm{e}^x}$ sont définies et dérivables sur $[0, 1]$; elles sont donc intégrables sur cet intervalle.

■ Posons $f(x) = 1 + e^x$; alors $\dfrac{e^x}{1+e^x}$ s'écrit sous la forme $\dfrac{f'(x)}{f(x)}$ et admet donc pour primitive la fonction $\ln|f|$.

Par conséquent :

$$\int_0^1 \frac{e^x}{1+e^x}\,dx = \Big[\ln|1+e^x|\Big]_0^1 = \ln(1+e) - \ln 2 = \ln\left(\frac{1+e}{2}\right).$$

■ $$I_0 + I_1 = \int_0^1 \frac{1}{1+e^x}\,dx + \int_0^1 \frac{e^x}{1+e^x}\,dx$$

$$= \int_0^1 \frac{1+e^x}{1+e^x}\,dx \qquad \text{(d'après la linéarité de l'intégrale)}$$

$$= \int_0^1 dx$$

$$= \big[x\big]_0^1$$

$$= 1.$$

On en déduit : $I_0 = 1 - I_1 = 1 - \ln\left(\dfrac{1+e}{2}\right)$.

2° *a*) Pour tout entier naturel n, la fonction $x \mapsto \dfrac{e^{nx}}{1+e^x}$ est intégrable sur $[0, 1]$ car elle est dérivable sur cet intervalle.

$$I_n + I_{n+1} = \int_0^1 \frac{e^{nx}}{1+e^x}\,dx + \int_0^1 \frac{e^{(n+1)x}}{1+e^x}\,dx$$

$$= \int_0^1 \frac{e^{nx} + e^{(n+1)x}}{1+e^x}\,dx$$

$$= \int_0^1 \frac{e^{nx} + e^{nx}\cdot e^x}{1+e^x}\,dx$$

$$= \int_0^1 \frac{e^{nx}(1+e^x)}{1+e^x}\,dx$$

$$= \int_0^1 e^{nx}\,dx$$

$$= \left[\frac{1}{n}\,e^{nx}\right]_0^1$$

$$= \frac{1}{n}\,(e^n - 1).$$

b) $I_n + I_{n+1} = \frac{1}{n}(e^n - 1)$.

■ Si $n = 1$, on obtient : $I_1 + I_2 = e - 1$.
Donc $I_2 = e - 1 - I_1$

$$= e - 1 - \ln\left(\frac{e+1}{2}\right) \quad \text{car} \quad I_1 = \ln\left(\frac{e+1}{2}\right) \quad (cf.\ \mathbf{1°}).$$

■ Si $n = 2$, on obtient : $I_2 + I_3 = \frac{1}{2}(e^2 - 1)$.

Donc $I_3 = \frac{1}{2}(e^2 - 1) - I_2$

$$= \frac{1}{2}(e^2 - 1) - (e - 1) + \ln\left(\frac{e+1}{2}\right)$$

$$= \frac{1}{2}e^2 - e + \frac{1}{2} + \ln\left(\frac{e+1}{2}\right).$$

6.9 Rappelons que la valeur moyenne d'une fonction f dérivable sur $I = [a, b]$ est le réel $m = \frac{1}{b-a}\int_a^b f(x)\,dx$.

a) $m = \frac{1}{T}\int_0^T f(x)\,dx$.

Or, le réel $\int_0^T f(x)\,dx$ est égal à l'aire, exprimée en unités d'aire, du triangle grisé sur la figure ci-dessous (car f est positive sur $[O, T]$) :

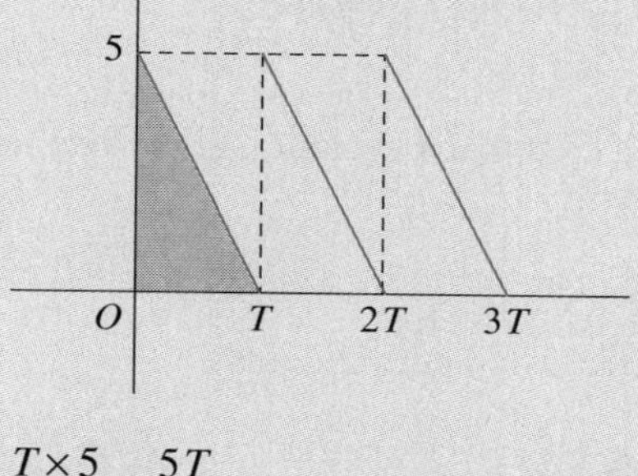

Donc $\int_0^T f(x)\,dx = \frac{T \times 5}{2} = \frac{5T}{2}$.

On en déduit que $m = \frac{1}{T} \times \frac{5T}{2} = \frac{5}{2}$.

b)

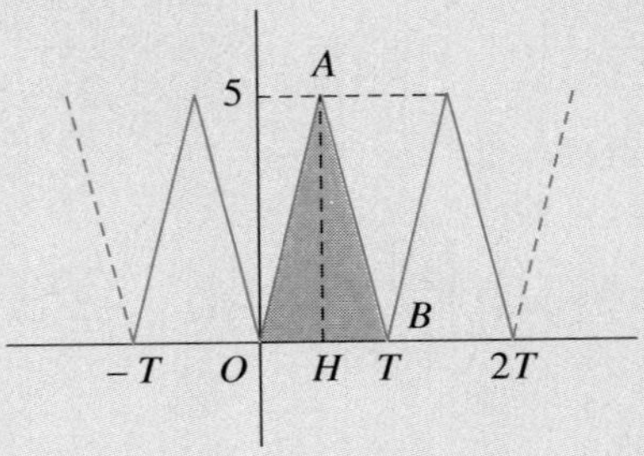

De façon analogue, $\int_0^T f(x)\,\mathrm{d}x$ est égal à l'aire grisée du triangle OAB.

Donc $\int_0^T f(x)\,\mathrm{d}x = \frac{1}{2}\,OB \times AH = \frac{1}{2}\,T \times 5 = \frac{5T}{2}$.

Donc $m = \frac{1}{T}\int_0^T f(x)\,\mathrm{d}x = \frac{5}{2}$.

c)

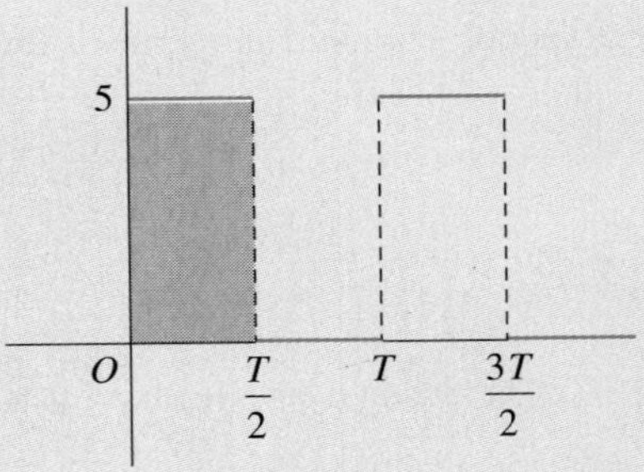

$$\int_0^T f(x)\,\mathrm{d}x = \int_0^{\frac{T}{2}} f(x)\,\mathrm{d}x + \int_{\frac{T}{2}}^T f(x)\,\mathrm{d}x.$$

Or $\int_{\frac{T}{2}}^T f(x)\,\mathrm{d}x = 0$, car f est nulle sur cet intervalle.

On en déduit que $\int_0^T f(x)\,\mathrm{d}x$ est égal à l'aire, exprimée en unités d'aire, de la partie grisée de la figure ci-dessus.

$\int_0^T f(x)\,\mathrm{d}x = 5 \times \frac{T}{2} = \frac{5T}{2}$.

Donc $m = \frac{1}{T} \times \frac{5T}{2} = \frac{5}{2}$.

d)

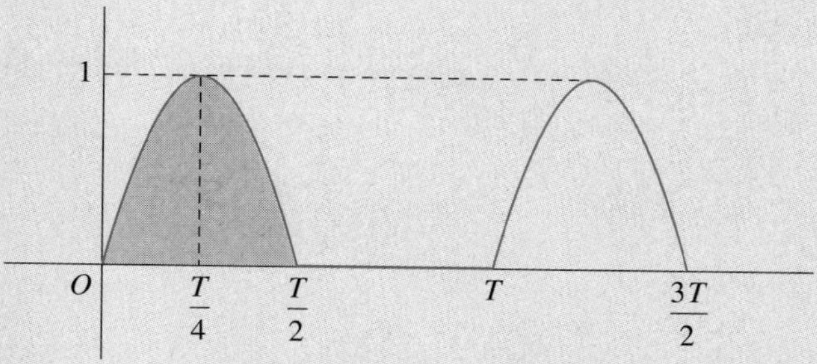

$$\int_0^T f(x)\,\mathrm{d}x = \int_0^{\frac{T}{2}} f(x)\,\mathrm{d}x + \int_{\frac{T}{2}}^{T} f(x)\,\mathrm{d}x.$$

$$= \int_0^{\frac{T}{2}} \sin\left(\frac{2\pi}{T}x\right)\mathrm{d}x, \quad \text{car} \quad \int_{\frac{T}{2}}^{T} f(x)\,\mathrm{d}x = 0,$$

$$= \left[-\frac{T}{2\pi}\cos\left(\frac{2\pi}{T}x\right)\right]_0^{\frac{T}{2}}.$$

Donc $\int_0^T f(x)\,\mathrm{d}x = -\frac{T}{2\pi}\,[\cos\pi - \cos 0] = -\frac{T}{2\pi}\,(-2) = \frac{T}{\pi}$.

Par conséquent $m = \frac{1}{T} \times \frac{T}{\pi} = \frac{1}{\pi}$.

6.10 La valeur moyenne, m, de f sur $\left[-\frac{\pi}{4}, \frac{\pi}{4}\right]$ est :

$$m = \frac{2}{\pi}\int_{-\frac{\pi}{4}}^{\frac{\pi}{4}} f(x)\,\mathrm{d}x = \frac{2}{\pi}\int_{-\frac{\pi}{4}}^{\frac{\pi}{4}}(|x| + \tan x)\,\mathrm{d}x.$$

Or, $|x| = -x$ si $x \in \left[-\frac{\pi}{4}, 0\right]$, et $|x| = x$ si $x \in \left[0, \frac{\pi}{4}\right]$.

En conséquence, $m = \frac{2}{\pi}\left[\int_{-\frac{\pi}{4}}^{0}(-x + \tan x)\,\mathrm{d}x + \int_0^{\frac{\pi}{4}}(x + \tan x)\,\mathrm{d}x\right]$.

$\tan x = \frac{\sin x}{\cos x}$ s'écrit sous la forme $\frac{-u'(x)}{u(x)}$ en posant $u(x) = \cos x$; par conséquent, la fonction $x \mapsto \tan x$ admet comme primitive sur $\left[-\frac{\pi}{4}, \frac{\pi}{4}\right]$ la fonction $x \mapsto -\ln|\cos x|$.

Donc :

$$m = \frac{2}{\pi}\left\{\left[-\frac{x^2}{2} - \ln|\cos x|\right]_{-\frac{\pi}{4}}^{0} + \left[\frac{x^2}{2} - \ln|\cos x|\right]_{0}^{\frac{\pi}{4}}\right\}$$

$$= \frac{2}{\pi}\left[0 - \left(-\frac{\pi^2}{32} - \ln\left|\cos\left(-\frac{\pi}{4}\right)\right|\right) + \frac{\pi^2}{32} - \ln\left|\cos\frac{\pi}{4}\right| - 0\right]$$

$$= \frac{2}{\pi}\left(\frac{\pi^2}{16} + \ln\frac{\sqrt{2}}{2} - \ln\frac{\sqrt{2}}{2}\right), \text{ car } \cos\left(-\frac{\pi}{4}\right) = \cos\frac{\pi}{4} = \frac{\sqrt{2}}{2},$$

$$= \frac{\pi}{8}.$$

6.11 **1°** $f\left(t + \frac{2\pi}{3}\right) = -1 + \sin 3\left(t + \frac{2\pi}{3}\right)$

$$= -1 + \sin(3t + 2\pi)$$
$$= -1 + \sin 3t$$
$$= f(t),$$

ce qui prouve que $\frac{2\pi}{3}$ est une période de f (rappelons qu'une période d'une fonction f, est un réel T vérifiant, pour tout réel x appartenant à l'ensemble de définition de f, $f(x+T) = f(x)$).

f est dérivable sur $\left[0, \frac{2\pi}{3}\right]$ et $f'(t) = 3\cos 3t$.

Donc $f'(t) \geqslant 0$ si, et seulement si, $\cos 3t \geqslant 0$,

soit : $-\frac{\pi}{2} + 2k\pi \leqslant 3t \leqslant \frac{\pi}{2} + 2k\pi$, avec $k \in \mathbb{Z}$

(partie colorée du cercle trigonométrique),

ou encore $-\frac{\pi}{6} + \frac{2k\pi}{3} \leqslant t \leqslant \frac{\pi}{6} + \frac{2k\pi}{3}$.

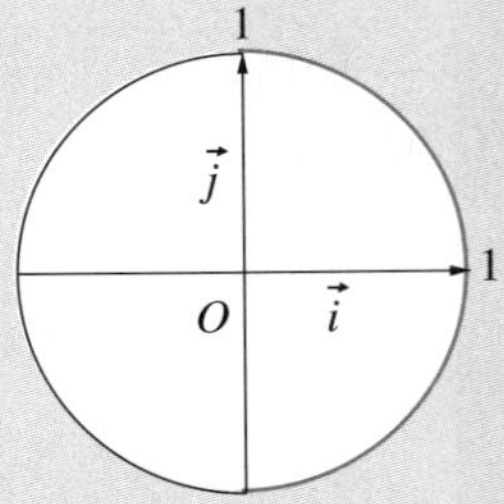

• Pour $k = 0$, on obtient : $-\frac{\pi}{6} \leqslant t \leqslant \frac{\pi}{6}$.

• Pour $k = 1$, on obtient : $-\frac{\pi}{6} + \frac{2\pi}{3} \leqslant t \leqslant \frac{\pi}{6} + \frac{2\pi}{3}$, soit $\frac{\pi}{2} \leqslant t \leqslant \frac{5\pi}{6}$.

Il est inutile de préciser l'intervalle pour d'autres valeurs de k, car alors les bornes obtenues n'appartiennent pas à $\left[0, \frac{2\pi}{3}\right]$.

On en déduit le tableau de variation de f :

x	0		$\frac{\pi}{6}$		$\frac{\pi}{2}$		$\frac{2\pi}{3}$
$f'(x)$	3	$+$	0	$-$	0	$+$	3
$f(x)$	-1	$\nearrow$	0	$\searrow$	-2	$\nearrow$	-1

$f(0) = -1$; $f\left(\frac{\pi}{6}\right) = -1 + 1 = 0$; $f\left(\frac{\pi}{2}\right) = -1 - 1 = -2$; $f\left(\frac{2\pi}{3}\right) = -1$.

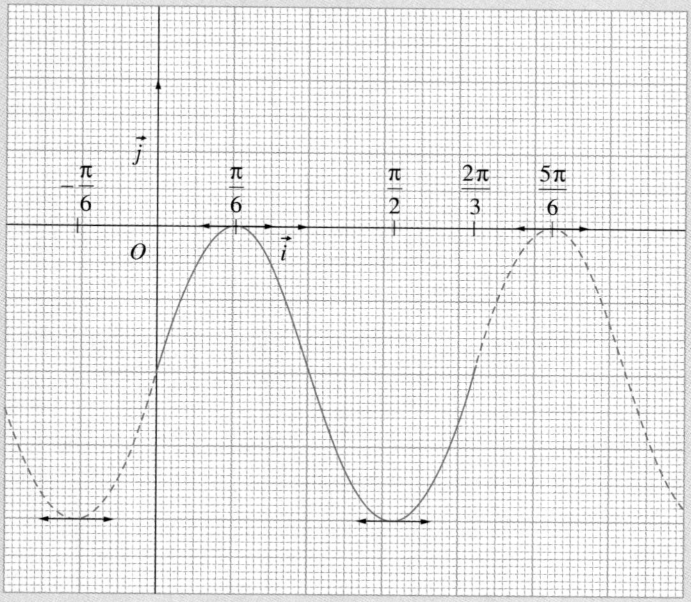

2° $\displaystyle\int_0^{\frac{2\pi}{3}} f(t)\,\mathrm{d}t = \int_0^{\frac{2\pi}{3}} (-1 + \sin 3t)\,\mathrm{d}t$

$$= \left[-t - \frac{1}{3}\cos 3t\right]_0^{\frac{2\pi}{3}}$$

$$= \left(-\frac{2\pi}{3} - \frac{1}{3}\right) - \left(0 - \frac{1}{3}\right)$$

$$= -\frac{2\pi}{3}.$$

On en déduit la valeur moyenne de f sur $\left[0, \frac{2\pi}{3}\right]$:

$$\begin{aligned} m &= \frac{1}{\left(\frac{2\pi}{3}\right)} \int_0^{\frac{2\pi}{3}} f(t)\,\mathrm{d}t \\ &= \frac{3}{2\pi}\left(-\frac{2\pi}{3}\right) \\ &= -1. \end{aligned}$$

3° $\displaystyle\int_0^{\frac{2\pi}{3}} [f(t)]^2\,\mathrm{d}t = \int_0^{\frac{2\pi}{3}} (-1+\sin 3t)^2\,\mathrm{d}t$

$$= \int_0^{\frac{2\pi}{3}} (1-2\sin 3t+\sin^2 3t)\,\mathrm{d}t.$$

Or $\sin^2 3t = \frac{1}{2}(1-\cos 6t)$, en posant $x = 3t$ dans l'égalité :

$$\sin^2 x = \frac{1}{2}(1-\cos 2x).$$

Donc :

$$\begin{aligned} \int_0^{\frac{2\pi}{3}} [f(t)]^2\,\mathrm{d}t &= \int_0^{\frac{2\pi}{3}} \left(1-2\sin 3t+\frac{1}{2}-\frac{1}{2}\cos 6t\right)\mathrm{d}t \\ &= \int_0^{\frac{2\pi}{3}} \left(\frac{3}{2}-2\sin 3t-\frac{1}{2}\cos 6t\right)\mathrm{d}t \\ &= \left[\frac{3t}{2}+\frac{2}{3}\cos 3t-\frac{1}{12}\sin 6t\right]_0^{\frac{2\pi}{3}} \\ &= \left(\pi+\frac{2}{3}-0\right)-\left(0+\frac{2}{3}-0\right) = \pi. \end{aligned}$$

La valeur efficace de f sur $\left[0, \frac{2\pi}{3}\right]$ est donc le réel positif α vérifiant :

$$\alpha^2 = \frac{3}{2\pi} \times \pi = \frac{3}{2}.$$

On en déduit $\alpha = \sqrt{\frac{3}{2}}$.

6.12 **1°** $f'(x) = 2x + 2$ donc $f'(x) \geqslant 0$ si, et seulement si, $x \in [-1, 2]$.

On en déduit le tableau de variation de f :

x	-4		-1		2
$f'(x)$		$-$	0	$+$	
$f(x)$	5	↘	-4	↗	5

2° (C) coupe l'axe des abscisses lorsque $f(x) = 0$, soit lorsque $x = -3$ ou $x = 1$.

3°

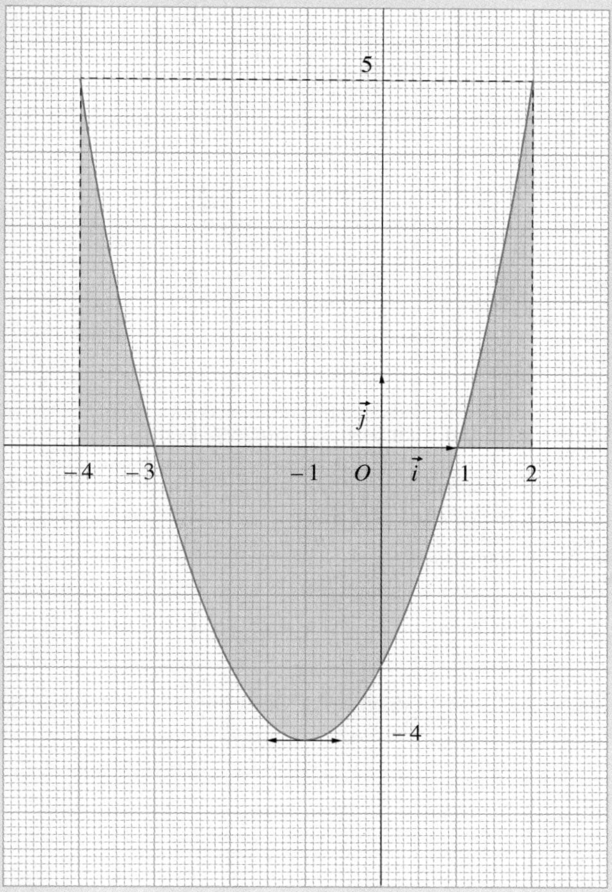

4° L'aire à calculer est celle de la partie colorée sur la figure.

f est positive sur $[-4, -3] \cup [1, 2]$ et négative sur $[-3, 1]$.

On en déduit :

$$S = \int_{-4}^{-3} f(x)\,\mathrm{d}x - \int_{-3}^{1} f(x)\,\mathrm{d}x + \int_{1}^{2} f(x)\,\mathrm{d}x.$$

(S est exprimée en unités d'aire.)

$x \mapsto \dfrac{x^3}{3} + x^2 - 3x$ est une primitive de f sur $[-4, 2]$.

Donc :

$$S = \left[\frac{x^3}{3} + x^2 - 3x\right]_{-4}^{-3} - \left[\frac{x^3}{3} + x^2 - 3x\right]_{-3}^{1} + \left[\frac{x^3}{3} + x^2 - 3x\right]_{1}^{2}$$

$$= \left[(-9+9+9) - \left(-\frac{64}{3} + 16 + 12\right)\right] - \left[\left(\frac{1}{3} + 1 - 3\right) - (-9+9+9)\right]$$

$$+ \left[\left(\frac{8}{3} + 4 - 6\right) - \left(\frac{1}{3} + 1 - 3\right)\right]$$

$$= 9 + \frac{64}{3} - 28 - \frac{1}{3} + 2 + 9 + \frac{8}{3} - 2 - \frac{1}{3} + 2$$

$$= -8 + \frac{70}{3}$$

$$= \frac{46}{3}.$$

Donc $S = \dfrac{46}{3}\ \mathrm{cm}^2$, car l'unité d'aire est $1\ \mathrm{cm}^2$.

6.13 1° $ax + b + \dfrac{c}{x-1} = \dfrac{(ax+b)(x-1)+c}{x-1}$

$$= \frac{ax^2 + (b-a)x + c - b}{x-1}.$$

Cette expression est égale à $f(x)$, pour tout réel x de $]1, +\infty[$, si, et seulement si :

$a = -2$, $b - a = 5$ et $c - b = -4$, soit $a = -2$, $b = 3$ et $c = -1$.

Donc :

$$f(x) = -2x + 3 - \frac{1}{x-1}.$$

2° *a*) • $\lim\limits_{\substack{x \to 1 \\ x > 1}} f(x) = \lim\limits_{\substack{x \to 1 \\ x > 1}} \left(-2x + 3 - \dfrac{1}{x-1} \right) = -\infty,$

car $x - 1$ tend vers 0 par valeurs supérieures.

• $\lim\limits_{x \to +\infty} f(x) = \lim\limits_{x \to +\infty} \left(-2x + 3 - \dfrac{1}{x-1} \right) = -\infty,$

car $\lim\limits_{x \to +\infty} -2x + 3 = -\infty$ et $\lim\limits_{x \to +\infty} \dfrac{1}{x-1} = 0.$

b) Puisque $\lim\limits_{x \to 1} f(x) = -\infty$, la droite d'équation $x = 1$ est asymptote à la courbe.

D'autre part, $f(x) = -2x + 3 - \dfrac{1}{x-1}$ et $\lim\limits_{x \to +\infty} \dfrac{1}{x-1} = 0.$

Donc la droite d'équation $y = -2x + 3$ est asymptote à (C) lorsque x tend vers $+\infty$.

3° $f(x) = -2x + 3 - \dfrac{1}{x-1}$,

donc :
$$f'(x) = -2 + \frac{1}{(x-1)^2}$$
$$= \frac{-2(x-1)^2 + 1}{(x-1)^2}$$
$$= \frac{[1 - \sqrt{2}(x-1)][1 + \sqrt{2}(x-1)]}{(x-1)^2}$$
$$= \frac{(1 + \sqrt{2} - \sqrt{2}x)(1 - \sqrt{2} + \sqrt{2}x)}{(x-1)^2}.$$

Donc $f'(x) \geqslant 0$ si, et seulement si, $(1 + \sqrt{2} - \sqrt{2}x)(1 - \sqrt{2} + \sqrt{2}x) \geqslant 0$.
Sur l'intervalle $]1, +\infty[$, l'expression $1 - \sqrt{2} + \sqrt{2}x$ est toujours positive,

donc $f'(x) \geqslant 0$ sur $\left]1, 1 + \dfrac{\sqrt{2}}{2}\right]$.

x	1		$1 + \dfrac{\sqrt{2}}{2}$		$+\infty$
$f'(x)$		$+$	0	$-$	
$f(x)$	$-\infty$	↗	$1 - 2\sqrt{2}$	↘	$-\infty$

4°

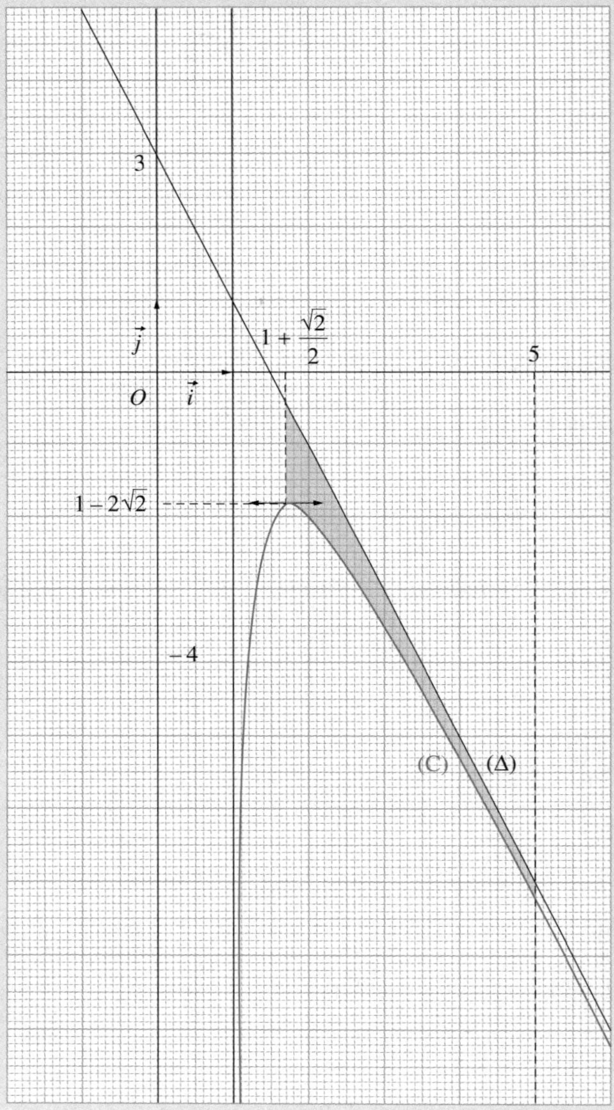

5° $f(x) - (-2x + 3) = \dfrac{-1}{x-1}$.

Donc $f(x) - (-2x + 3) < 0$ sur $]1, +\infty[$, ce qui montre que (C) se trouve en dessous de (Δ) sur cet intervalle.

On en déduit :

$$S = -\int_{1+\frac{\sqrt{2}}{2}}^{5} [f(x) - (-2x+3)]\,\mathrm{d}x$$

$$= -\int_{1+\frac{\sqrt{2}}{2}}^{5} \left(\frac{-1}{x-1}\right)\mathrm{d}x \quad (S \text{ est exprimée en unités d'aire.})$$

$$= \int_{1+\frac{\sqrt{2}}{2}}^{5} \frac{1}{x-1}\,\mathrm{d}x$$

$$= \Big[\ln|x-1|\Big]_{1+\frac{\sqrt{2}}{2}}^{5}$$

$$= \ln 4 - \ln\frac{\sqrt{2}}{2}$$

$$= 2\ln 2 - \frac{1}{2}\ln 2 + \ln 2$$

$$= \frac{5}{2}\ln 2.$$

Or, l'unité d'aire vaut 1 cm², puisque l'unité est de 1 cm sur chaque axe.

Donc $S = \dfrac{5}{2}\ln 2\ \text{cm}^2$.

6.14 **1°** f est dérivable sur $[0, \pi]$:

$$f'(x) = e^x \sin x + e^x \cos x = e^x(\sin x + \cos x).$$

Or, $\sin x + \cos x = \sqrt{2}\left(\dfrac{\sqrt{2}}{2}\sin x + \dfrac{\sqrt{2}}{2}\cos x\right)$

$$= \sqrt{2}\left(\sin\frac{\pi}{4}\sin x + \cos\frac{\pi}{4}\cos x\right) = \sqrt{2}\cos\left(x - \frac{\pi}{4}\right).$$

Par conséquent, $f'(x) = \dfrac{\sqrt{2}}{2} e^x \cos\left(x - \dfrac{\pi}{4}\right)$. Donc $a = \dfrac{\sqrt{2}}{2}$ et $b = -\dfrac{\pi}{4}$.

2° Pour tout réel x, $\dfrac{\sqrt{2}}{2} e^x$ est positif ; donc $f'(x)$ a le signe de $\cos\left(x - \dfrac{\pi}{4}\right)$.

On en déduit :

$f'(x) \geqslant 0$ si, et seulement si, $\cos\left(x - \dfrac{\pi}{4}\right) \geqslant 0$.

Soit : $$-\frac{\pi}{2}+2k\pi \leqslant x-\frac{\pi}{4} \leqslant \frac{\pi}{2}+2k\pi \quad (k \in \mathbb{Z})$$

$$-\frac{\pi}{4}+2k\pi \leqslant x \leqslant \frac{3\pi}{4}+2k\pi.$$

Pour $k=0$, on obtient : $$-\frac{\pi}{4} \leqslant x \leqslant \frac{3\pi}{4}.$$

(Pour les autres valeurs de k, on obtient un intervalle dont les bornes n'appartiennent pas à $[0,\ \pi]$.)

Le tableau de variation de f est donc :

x	0		$\frac{3\pi}{4}$		π
$f'(x)$	$\frac{1}{2}$	$+$	0	$-$	
$f(x)$	0	↗	$\frac{\sqrt{2}}{2}$	↘	0

$f(0)=e^0 \sin 0 = 0$;

$f\left(\frac{3\pi}{4}\right) = e^{\frac{3\pi}{4}} \sin \frac{3\pi}{4} = \frac{\sqrt{2}}{2} e^{\frac{3\pi}{4}}$;

$f(\pi) = e^{\pi} \sin \pi = 0.$

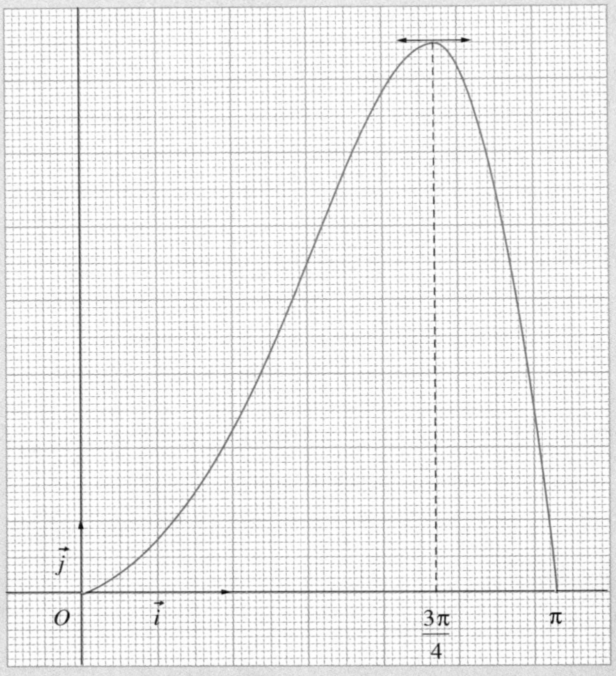

3° F est une primitive de f sur $[0, \pi]$ si, et seulement si, $F'(x) = f(x)$ pour tout x de $[0, \pi]$.

Or $F'(x) = e^x(\alpha \sin x + \beta \cos x) + e^x(\alpha \cos x - \beta \sin x)$
$= e^x[(\alpha - \beta)\sin x + (\alpha + \beta)\cos x]$.

En particulier : $F'(0) = f(0)$, donc $\alpha + \beta = 0$;

et $F'\left(\frac{\pi}{2}\right) = f\left(\frac{\pi}{2}\right)$ donc $\alpha - \beta = 1$.

On en déduit : $\alpha = \frac{1}{2}$ et $\beta = -\frac{1}{2}$.

Donc $F(x) = \frac{e^x}{2}(\sin x - \cos x)$.

4° Pour tout x de $[0, \pi]$, $f(x) \geqslant 0$, car $e^x > 0$ et $\sin x \geqslant 0$ sur $[0, \pi]$.

Donc : $$S = \int_0^{\pi} f(x)\,dx = \Big[F(x)\Big]_0^{\pi} = F(\pi) - F(0) = \frac{e^{\pi} + 1}{2}.$$

S est exprimée en unités d'aires ; or l'unité d'aire est 2 cm².

Donc $S = e^{\pi} + 1$ cm², soit, approximativement, 23,14 cm².

6.15 **1°** (C) est un arc de parabole de sommet $I(1, 1)$ dont la concavité est tournée vers le bas.

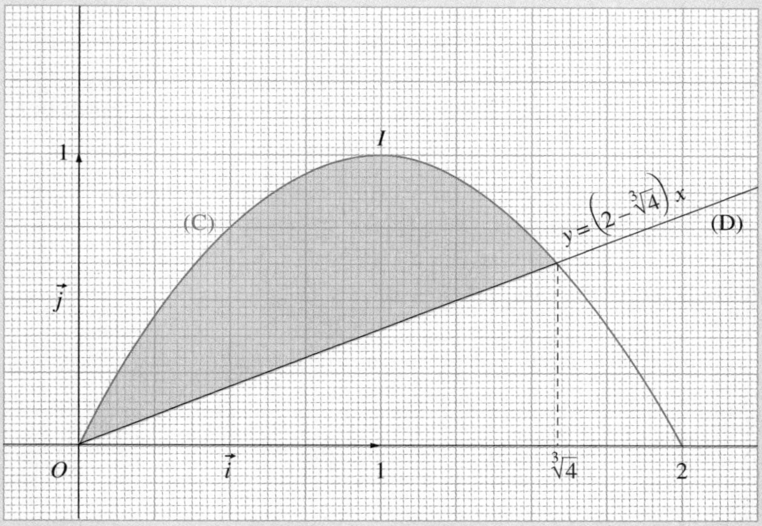

2° Pour tout x de $[0, 2]$, $f(x) \geqslant 0$

Donc : $$S = \int_0^2 (-x^2+2x)\,\mathrm{d}x = \left[-\frac{x^3}{3}+x^2\right]_0^2 = -\frac{8}{3}+4 = \frac{4}{3}$$

(en unités d'aire).

3° *a*) Puisque (D) contient l'origine, son équation est de la forme $y = ax$; de plus, a est positif. Les abscisses des points d'intersection de (C) et (D) vérifient l'équation $-x^2+2x = ax$, soit $x(x+a-2) = 0$.

On en déduit $x = 0$ ou $x = 2-a$.

b) (C) est au-dessus de (D) sur l'intervalle $[0, 2-a]$.

L'aire S' du domaine délimité par (C) et (D) est donc :

$$S' = \int_0^{2-a} (-x^2+2x-ax)\,\mathrm{d}x$$

$$= \left[\frac{-x^3}{3}+(2-a)\frac{x^2}{2}\right]_0^{2-a}$$

$$= -\frac{(2-a)^3}{3}+\frac{(2-a)^3}{2}$$

$$= \frac{(2-a)^3}{6}.$$

c) On cherche à déterminer a de telle sorte que $S' = \frac{S}{2}$.

Donc $\frac{(2-a)^3}{6} = \frac{2}{3}$, d'où $(2-a)^3 = 4$.

Par conséquent $2-a = \sqrt[3]{4}$ et $a = 2-\sqrt[3]{4}$, soit, approximativement, $a \approx 0{,}41$.

6.16 **1°** *a*) D'après le cours, $\lim\limits_{\substack{x \to 0 \\ x > 0}} x \ln x = 0$.

D'autre part, $\lim\limits_{x \to +\infty} x \ln x = +\infty$.

b) g est dérivable sur $]0, +\infty[$ et $g'(x) = \ln x + 1$.

$g'(x) \geqslant 0$ si, et seulement si, $\ln x + 1 \geqslant 0$,

soit $\ln x \geqslant -1$,

d'où $x \geqslant \frac{1}{\mathrm{e}}$.

On en déduit le tableau de variation de g :

x	0		$\frac{1}{e}$		$+\infty$
$g'(x)$		$-$	0	$+$	
$g(x)$	0	$\searrow$	$-\frac{1}{e}$	$\nearrow$	$+\infty$

$$g\left(\frac{1}{e}\right) = \frac{1}{e} \ln \frac{1}{e} = -\frac{1}{e}.$$

(C_g) coupe l'axe des abscisses au point d'abscisse 1, car $g(1) = 0$.

$\lim\limits_{\substack{x \to 0 \\ x > 0}} g'(x) = 0 = \lim\limits_{\substack{x \to 0 \\ x > 0}} (\ln x + 1) = -\infty$.

(C_g) admet donc, à l'origine, une demi-tangente verticale.

2° *a)* $g(x) \geqslant 0$ si, et seulement si, $x \ln x \geqslant 0$

Or $x \geqslant 0$, donc $g(x) \geqslant 0$ si, et seulement si, $\ln x \geqslant 0$, c'est-à-dire lorsque $x \geqslant 1$.

D'autre part, $f(x) = | g(x) |$;
donc $f(x) = g(x)$ lorsque $g(x) \geqslant 0$, et $f(x) = -g(x)$ lorsque $g(x) \leqslant 0$.

On en déduit :

$$\begin{cases} f(x) = -x \ln x & \text{si } x \in [0, 1] \\ f(x) = x \ln x & \text{si } x \in [1, +\infty[. \end{cases}$$

Rappelons que si g est croissante, $-g$ est décroissante, et si g est décroissante, $-g$ est croissante.

De l'étude menée dans la partie **1°**, on déduit le tableau de variation de f :

x	0		$\frac{1}{e}$		1		$+\infty$
$f'(x)$	‖	$+$	0	$-$	‖	$+$	
$f(x)$	0	$\nearrow$	$\frac{1}{e}$	$\searrow$	0	$\nearrow$	$+\infty$

La courbe représentative de f s'obtient à partir de celle de g en effectuant une symétrie par rapport à l'axe des abscisses de la partie de la courbe dont les points ont une ordonnée négative (en pointillé sur la figure).

b) $H'(x) = \frac{x}{2}(2\ln x - 1) + \frac{x^2}{4}\left(\frac{2}{x}\right) = x\ln x - \frac{x}{2} + \frac{x}{2} = x\ln x.$

H est donc une primitive de g.

c) Déterminons les points d'intersection de (C_f) avec la première bissectrice (Δ) d'équation $y = x$, ainsi que la position relative de la courbe et de la droite.

L'inéquation $|x\ln x| \geqslant x$ est équivalente à :

$$\begin{cases} -x\ln x \geqslant x \quad \text{et} \quad x \in [0, 1] & (1) \\ \text{ou} \\ x\ln x \geqslant x \quad \text{et} \quad x \in [1, +\infty[& (2). \end{cases}$$

■ De (1), on tire successivement :
$x(\ln x + 1) \leqslant 0$ et x $[0, 1]$,
$x = 0$ ou $\ln x \leqslant -1$ (car $x \geqslant 0$),
$x = 0$ ou $x \leqslant \frac{1}{e}$.

Donc (Δ) coupe (C_f) aux points d'abscisses 0 et $\frac{1}{e}$, et (C_f) est placée au-dessus de (Δ) sur $\left[0, \frac{1}{e}\right]$ et au-dessous sur $\left[\frac{1}{e}, 1\right]$.

■ De (2), on tire successivement :
$x(\ln x - 1) \leqslant 0$ et $x \in [1, +\infty[$,
$\ln x \leqslant 1$ (car $x \geqslant 1$),
$x \leqslant e$.

Donc (Δ) coupe (C_f) au point d'abscisse e, et (C_f) se trouve au-dessous de (Δ) sur $[1, e]$. En unités d'aire :

$$S = \int_0^{\frac{1}{e}} (-x\ln x - x)\,dx + \int_{\frac{1}{e}}^1 (x + x\ln x)\,dx + \int_1^e (x - x\ln x)\,dx$$

$$= \left[-H(x) - \frac{x^2}{2}\right]_0^{\frac{1}{e}} + \left[\frac{x^2}{2} + H(x)\right]_{\frac{1}{e}}^1 + \left[\frac{x^2}{2} - H(x)\right]_1^e$$

$$= -H\left(\frac{1}{e}\right) - \frac{1}{2e^2} + \frac{1}{2} + H(1) - \left[\frac{1}{2e^2} + H\left(\frac{1}{e}\right)\right] + \frac{e^2}{2} - H(e) - \left[\frac{1}{2} - H(1)\right]$$

$$= -2H\left(\frac{1}{e}\right) + 2H(1) - H(e) - \frac{1}{e^2} + \frac{e^2}{2}$$

$$= -2\left[\frac{1}{4e^2}(-2-1)\right] + 2\left[\frac{1}{4}(-1)\right] - \frac{e^2}{4}(+2-1) - \frac{1}{e^2} + \frac{e^2}{2}$$

$$= \frac{3}{2e^2} - \frac{1}{2} - \frac{e^2}{4} - \frac{1}{e^2} + \frac{e^2}{2}$$

$$= \frac{1}{2e^2} + \frac{e^2}{4} - \frac{1}{2}.$$

L'unité d'aire est 16 cm² ; donc :

$$S = 16\left(\frac{1}{2e^2} + \frac{e^2}{4} - \frac{1}{2}\right)\text{cm}^2,$$

soit, approximativement, 22,64 cm².

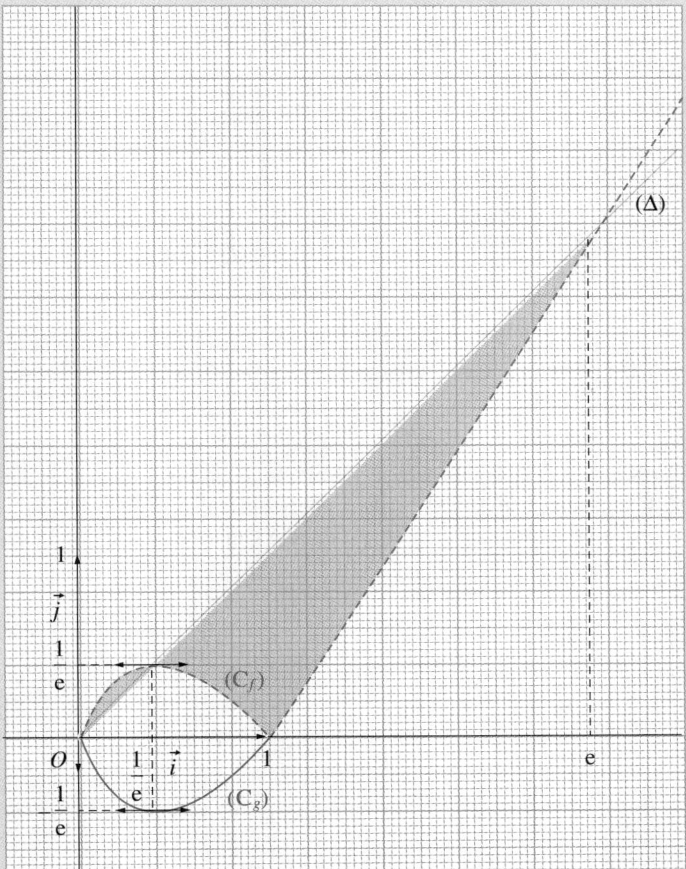

6.17 Considérons le cercle (C) engendré par la rotation du point $M(\sqrt{y}, y)$ autour de l'axe des ordonnées (*cf.* la figure ci-contre).

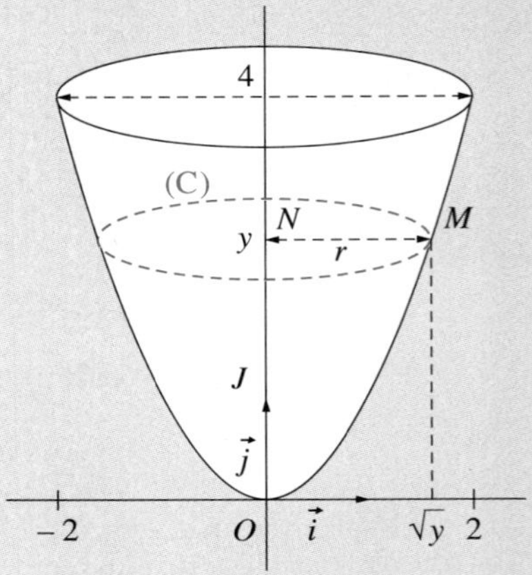

(C) a pour centre le point $N(O, y)$ et pour rayon $r = \sqrt{y}$, avec :

$$0 \leqslant y \leqslant 4.$$

L'aire du disque de frontière (C) est donc :

$$S(y) = \pi(\sqrt{y})^2 = \pi y.$$

On en déduit que le paraboloïde de révolution a pour volume :

$$V = \int_0^4 S(y)\,\mathrm{d}y = \int_0^4 \pi y\,\mathrm{d}y = \pi\left[\frac{y^2}{2}\right]_0^4 = 8\pi.$$

6.18 1° $f(-x) = b\sqrt{1 - \dfrac{(-x)^2}{a^2}} = b\sqrt{1 - \dfrac{x^2}{a^2}} = f(x).$

f est paire donc sa courbe représentative est symétrique par rapport à l'axe des ordonnées : il suffit d'étudier f sur $[0, a]$.

$f(0) = b$ et $f(a) = 0$.

f est dérivable sur $[0, a[$ et $f'(x) = b\,\dfrac{\left(-\dfrac{2x}{a^2}\right)}{2\sqrt{1 - \dfrac{x^2}{a^2}}} = \dfrac{-bx}{a\sqrt{a^2 - x^2}}$.

(Rappelons que si u est dérivable, la fonction $x \mapsto \sqrt{u(x)}$ est dérivable en tout point où $u(x)$ est strictement positif.)
Puisque $a > 0$ et $b > 0$, $f'(x)$ a le signe de $-x$, c'est-à-dire est négative sur $[0, a[$.

x	0		a
$f'(x)$	0	$-$	‖
$f(x)$	b	↘	0

$f'(0) = 0.$

$\lim\limits_{\substack{x \to a \\ x < a}} f'(x) = -\infty$, donc la courbe possède une demi-tangente verticale au point d'abscisse a.

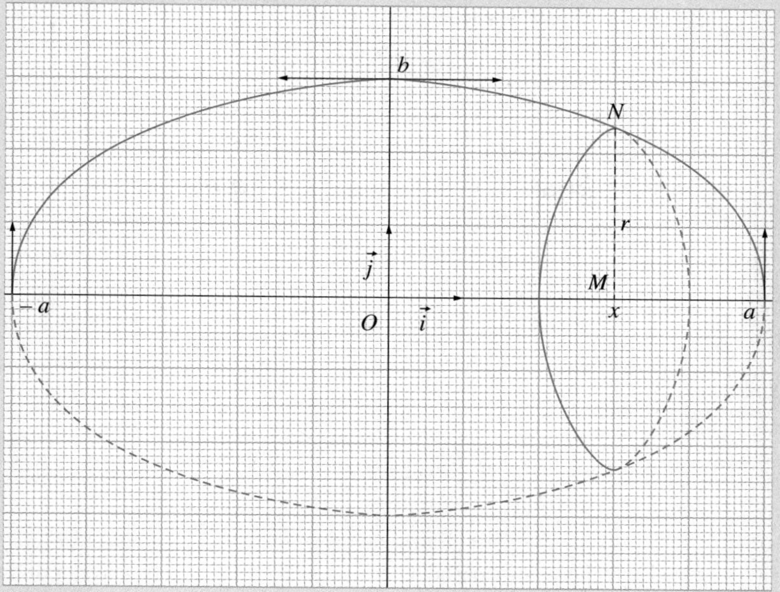

2° Soit $x \in [-a, a]$.

Considérons un disque (C) centré en $M(x, 0)$ et de rayon MN où N est le point de coordonnées $(x, f(x))$.

(C) a pour aire $S(x) = \pi MN^2 = \pi [f(x)]^2$.

Le volume de l'éllipsoïde de révolution est donc :

$$\begin{aligned} V &= \int_{-a}^{a} \pi b^2 \left(1 - \frac{x^2}{a^2}\right) \mathrm{d}x \\ &= \pi b^2 \left[x - \frac{x^3}{3a^2} \right]_{-a}^{a} \\ &= \pi b^2 \left[a - \frac{a}{3} - \left(-a + \frac{a}{3} \right) \right] \\ &= \frac{4}{3} \pi a b^2. \end{aligned}$$

6.19 1° La section du tronc du cône par un plan de symétrie est un trapèze isocèle $ABCD$. Le centre I de la calotte sphérique appartient à l'axe de symétrie du trapèze $ABCD$. D'autre part, puisque la calotte est tangente au tronc de cône, les droites (BI) et (AB) sont perpendiculaires.

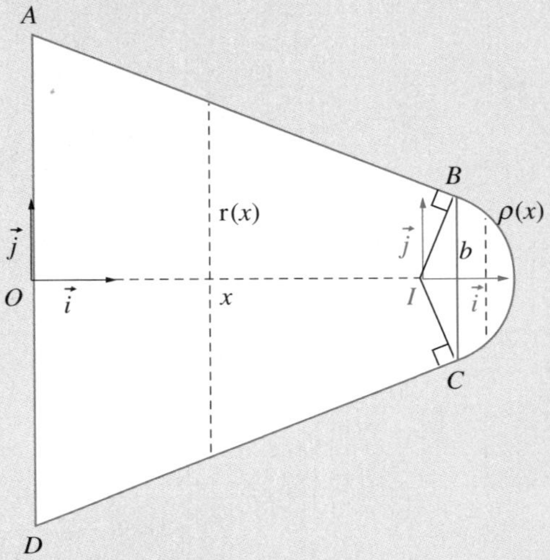

2° Rapportons le plan au repère orthonormé $(O\ ;\ \vec{i}, \vec{j})$ indiqué sur la figure. Dans ce repère, les points A, B, C et D ont respectivement pour coordonnées : $A(0, 3)$, $B(5, 1)$, $C(5, -1)$ et $D(0, -3)$.

Les vecteurs $\overrightarrow{AB}$ et $\overrightarrow{BI}$ sont orthogonaux ; or $\overrightarrow{AB}$ et $\overrightarrow{BI}$ ont respectivement pour coordonnées $(5, -2)$ et $(x-5, -1)$, en notant x l'abscisse du point I.

$\overrightarrow{AB} \cdot \overrightarrow{BI} = 0$ si, et seulement si : $5(x-5) + (-2)(-1) = 0$, soit $x = 4{,}6$.

Le centre de la calotte est donc situé à 4,6 cm de la base inférieure de la salière et appartient à l'axe de symétrie.

Le rayon de la calotte est IB ; or $\overrightarrow{IB}$ a pour coordonnées (0,4 ; 1), donc :

$$IB = \sqrt{0{,}4^2 + 1^2} = \sqrt{1{,}16}$$

La calotte a pour rayon $R = \sqrt{1{,}16}$ cm.

3° Déterminons le volume du tronc du cône :

la droite (AB) a pour équation $\quad y = -\dfrac{2}{5}x + 3.$

La section du tronc du cône par un plan parallèle aux bases est un disque de rayon $r(x) = -\dfrac{2}{5}x + 3$, avec $0 \leqslant x \leqslant 5$ (*cf.* figure ci-dessus), dont l'aire est, par conséquent :

$$S(x) = \pi\left(-\frac{2}{5}x + 3\right)^2.$$

Le tronc de cône a donc pour volume $V_1 = \displaystyle\int_0^5 S(x)\,\mathrm{d}x = \pi \int_0^5 \left(-\frac{2}{5}x + 3\right)^2 \mathrm{d}x.$

Donc :
$$V_1 = -\frac{5}{2}\pi\int_0^5 -\frac{2}{5}\left(-\frac{2}{5}x+3\right)^2 \mathrm{d}x$$
$$= -\frac{5}{2}\pi\left[\frac{1}{3}\left(-\frac{2}{5}x+3\right)^3\right]_0^5$$
$$= -\frac{5}{6}\pi\,[(-2+3)^3-3^3]$$
$$= \frac{65\pi}{3}.$$

Remarque : on pourrait également utiliser la formule $V = \frac{\pi h}{3}(R^2 + Rr + r^2)$, où R et r sont les rayons des deux disques de base et h la hauteur du tronc de cône (pour une démonstration de cette formule, le lecteur pourra se reporter au livre de 1re STI/STL publié dans le même collection).

Déterminons le volume de la calotte sphérique.

Le plan est rapporté au repère $(I\,;\vec{i},\vec{j})$ indiqué sur la figure. Dans ce repère la droite (BC) a pour équation $x = 0{,}4$.

La section de la calotte par un plan parallèle à la base est un disque de rayon $\rho(x) = \sqrt{R^2 - x^2}$ et d'aire $S(x) = \pi\rho^2(x) = \pi(R^2 - x^2)$, avec $0{,}4 \leqslant x \leqslant R$.

Le volume de la calotte est donc :
$$V_2 = \int_{0,4}^{R} S(x)\,\mathrm{d}x = \pi\int_{0,4}^{R}(R^2 - x^2)\,\mathrm{d}x$$
$$= \pi\left[R^2x - \frac{x^3}{3}\right]_{0,4}^{R}$$
$$= \pi\left[R^3 - \frac{R^3}{3} - \left(0{,}4R^2 - \frac{0{,}4^3}{3}\right)\right]$$
$$= \pi\left(\frac{2R^3}{3} - 0{,}4R^2 + \frac{0{,}4^3}{3}\right)$$
$$= \pi\left(\frac{2{,}32\sqrt{1{,}16}}{3} - 0{,}464 + \frac{0{,}064}{3}\right)$$
$$= \frac{\pi}{3}(2{,}32\sqrt{1{,}16} - 1{,}328).$$

On obtient donc pour le volume de la salière :
$$V = V_1 + V_2 = \frac{65\pi}{3} + \frac{\pi}{3}(2{,}32\sqrt{1{,}16} - 1{,}328) = \frac{\pi}{3}(63{,}672 + 2{,}32\sqrt{1{,}16}),$$

soit, approximativement, $69{,}294\ \mathrm{cm}^3$.

7

ÉQUATIONS DIFFÉRENTIELLES

RÉSUMÉ DU COURS

Solution d'une équation différentielle linéaire du premier ordre

■ Soit a un nombre réel fixé. Une fonction numérique f est solution d'une équation différentielle du premier ordre $y' = ay$ sur un intervalle I de $\mathbb{R}$ lorsque pour tout $x \in I$:

$$f'(x) = af(x).$$

■ Si f est une solution de l'équation différentielle, la courbe représentative de f d'équation $y = f(x)$ est une courbe intégrale de l'équation différentielle.

■ **Résoudre** une équation différentielle, c'est trouver toutes les fonctions solutions de l'équation différentielle. On dit aussi **intégrer** une équation différentielle.

Résolution de l'équation différentielle $y' = ay$

■ Solution générale

■ Soit $a \in \mathbb{R}$, les solutions de l'équation différentielle $y' = ay$ sont les fonctions définies sur $\mathbb{R}$ par $x \mapsto C\,e^{ax}$, où C est une constante réelle quelconque.

■ Il y a donc une infinité de solutions correspondant chacune à une valeur de la constante C.

■ La fonction $x \mapsto C\,e^{ax}$ est la **solution générale** de l'équation différentielle.

Exemple : les solutions de l'équation $y' = y$ sont les fonctions $x \mapsto C\,e^{x}$.
Celles qui correspondent aux valeurs respectives $C = 1$, $C = 2$, $C = 0,5$, $C = 0,1$, $C = -1$ et $C = -0,2$ sont représentées par les courbes ci-dessous :

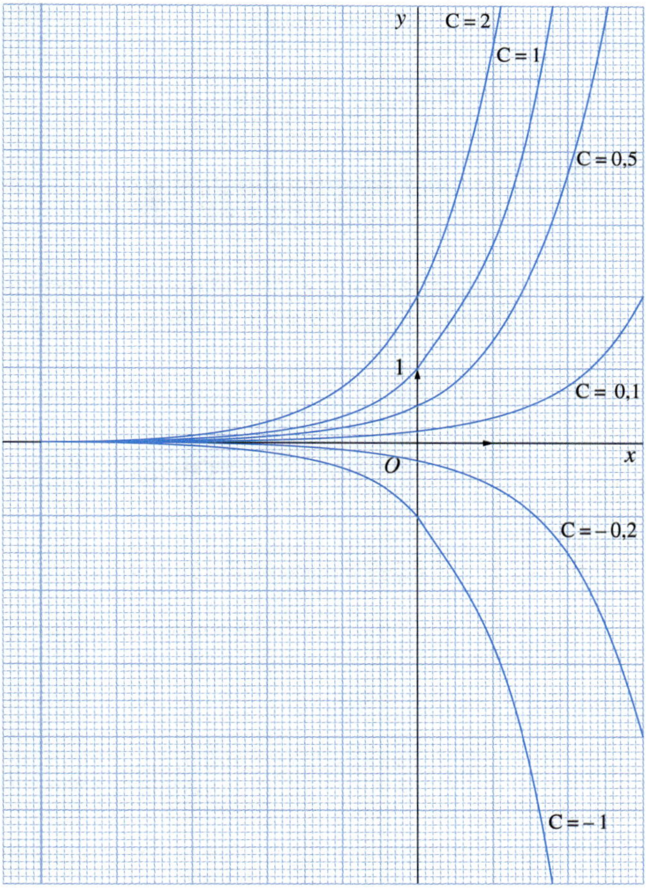

■ Notation différentielle : on peut écrire l'équation $y' = ay$ sous la forme suivante :

$$\frac{dy}{dx} = ay.$$

■ Condition initiale et solution particulière

En imposant une condition supplémentaire à la fonction, on donne une valeur à la constante C et on détermine ainsi une **solution particulière**.

Une solution particulière est donc définie par une condition initiale.
On peut ainsi, par exemple, choisir la fonction f dont la courbe intégrale passe par un point donné $M_0(x_0, y_0)$. La condition se traduit alors par $f(x_0) = y_0$.

Solution d'une équation différentielle linéaire du second ordre

Soit ω un nombre réel fixé. Une fonction numérique f est solution d'une équation différentielle du second ordre $y'' + \omega^2 y = 0$ sur un intervalle I de $\mathbb{R}$ lorsque pour tout $x \in I$:

$$f''(x) + \omega^2 f(x) = 0.$$

Résolution de l'équation différentielle $y'' + \omega^2 y = 0$

Solution générale

■ Soit $\omega \in \mathbb{R}$, l'équation différentielle $y'' + \omega^2 y = 0$ admet pour solutions les fonctions définies sur $\mathbb{R}$ par $x \mapsto \lambda \cos(\omega x) + \mu \sin(\omega x)$, λ et μ étant des constantes réelles.

■ Il y a donc une infinité de solutions ; chacune est déterminée par une valeur de λ et une valeur de μ.

■ La fonction $x \mapsto \lambda \cos(\omega x) + \mu \sin(\omega x)$ est la **solution générale** de l'équation différentielle.

■ On peut écrire la solution générale sous les formes suivantes :

$$y(x) = A \cos(\omega x + \phi)$$

ou :

$$y(x) = A \sin(\omega x + \phi),$$

où A et ϕ sont des constantes réelles quelconques.

Condition initiale et solution particulière

■ En imposant deux conditions supplémentaires à la fonction, on donne une valeur à chacune des deux constantes et on détermine ainsi une **solution particulière**.
Une solution particulière est donc définie par deux conditions initiales.

■ Notation différentielle : on peut écrire l'équation $y'' + \omega^2 y = 0$ sous la forme :

$$\frac{d^2 y}{dx^2} + \omega^2 y = 0.$$

DES EXERCICES

Équations différentielles de premier ordre

7.1 **1°** Résoudre l'équation différentielle :

$$y' = e^x + 2x + 1.$$

2° Déterminer la solution f qui vérifie la condition initiale $f(0) = 2$.

3° Représenter graphiquement la solution obtenue (utiliser une calculette).

7.2 On considère l'équation différentielle :

$$y' = 2y.$$

1° Déterminer toutes les solutions de cette équation.

2° Quelle est la solution dont la courbe représentative passe par le point $P(0, 2)$?

3° Donner une équation de la tangente à cette courbe en P.

4° Tracer, dans un même repère, la courbe représentative de f et sa tangente en P.

7.3 On considère une fonction numérique f dont la fonction dérivée f' prend la valeur 1 pour $x = 0$ et vérifie, pour tout nombre réel x : $f'(x) = 3f(x)$. Déterminer la fonction f.

7.4 On considère l'équation différentielle : $y' - y = e^x$. (1)
On note f une solution de cette équation et g la fonction numérique définie par :

$$\text{pour tout } x \text{ de } \mathbb{R}, \quad g(x) = f(x) - xe^x.$$

1° Calculer la fonction dérivée de la fonction g.

2° *a*) Exprimer $f'(x)$ en fonction de $f(x)$.

b) En déduire une équation différentielle vérifiée par g.

3° Résoudre l'équation différentielle vérifiée par g.

4° En déduire les solutions de l'équation différentielle (1).

5° Déterminer la solution ϕ de l'équation différentielle (1) dont la courbe représentative admet une tangente de coefficient directeur 1 pour $x = 0$.

7.5 On considère l'équation différentielle :

$$\frac{dy}{dx} - 4y = 0.$$

1° Déterminer toutes les solutions de cette équation.

2° Montrer qu'il existe une solution f de cette équation différentielle qui admet pour primitive la fonction $F(x) = e^{4x} - 1$.
Donner une équation de la tangente à la courbe représentative de cette fonction f au point d'abscisse $x = 0$.

♦ **7.6** On considère la fonction numérique f définie dans $\mathbb{R}$ par :

$$\text{pour tout } x \text{ de } \mathbb{R}, \quad f(x) = \frac{e^x}{(e^x - 2)^2}.$$

Montrer que la fonction f est une solution particulière de l'équation différentielle :

$$y'e^x + y^2(e^{2x} - 4) = 0.$$

♦ **7.7** On considère l'équation différentielle :

$$y'e^x - e^{2x}y^2 = 0.$$

On ne demande pas de résoudre cette équation différentielle.

1° Montrer que toute solution de cette équation différentielle sur un intervalle I est une fonction croissante.

2° Soit f la solution de cette équation différentielle dont la courbe représentative (C) passe par le point $M(+1, -1)$. Déterminer une équation de la tangente à la courbe (C) au point M.

♦♦ **7.8** On considère la fonction numérique f définie dans $\mathbb{R}$ par :

$$\text{pour tout } x \text{ de } \mathbb{R}, \quad f(x) = e^x - x - 1.$$

1° Montrer que la fonction f est une solution particulière de l'équation différentielle :

$$y' - y = x \quad (1).$$

2° Montrer que toute solution g de l'équation différentielle (1) peut s'écrire sous la forme :

$$g(x) = f(x) + u(x).$$

u étant une fonction solution de l'équation différentielle :

$$u' - u = 0 \quad (2).$$

3° Résoudre l'équation (2) et en déduire les solutions de l'équation (1).

♦♦ **7.9** Soit f la fonction numérique, définie dans $\mathbb{R}$, par :

$$\text{pour tout } x \text{ de } \mathbb{R}, \quad f(x) = e^{2-x} + x.$$

1° Montrer que la fonction f est une solution particulière de l'équation différentielle :

$$y' + y = x + 1 \quad (1).$$

2° Montrer que toute solution g de l'équation différentielle (1) peut s'écrire sous la forme :

$$g(x) = f(x) + u(x),$$

où u est une fonction solution de l'équation différentielle :

$$u' + u = 0 \quad (2).$$

3° Résoudre l'équation (2) et en déduire les solutions de l'équation (1).

4° Déterminer la solution particulière de l'équation différentielle (1) dont la courbe représentative admet la première bissectrice comme asymptote lorsque x tend vers $-\infty$.

Applications aux sciences physiques et biologiques

♦ **7.10** Dans une réaction chimique, la concentration x en produit A à l'instant t ($t \geqslant 0$) vérifie l'équation différentielle :

$$\frac{\mathrm{d}x}{\mathrm{d}t} = k(x - a) \quad (1), \quad \text{ou } k \text{ et } a \text{ sont des constantes liées à la réaction.}$$

On note f la fonction numérique définie par :

$$\text{pour tout } t \text{ de } [0, +\infty[, \quad f(t) = x(t) - a.$$

1° Calculer la dérivée de la fonction f.

2° En déduire une équation différentielle vérifiée par f.

3° Résoudre l'équation différentielle vérifiée par f.

4° En déduire les solutions de l'équation différentielle (1).

5° Sachant qu'à l'instant $t = 0$ la concentration $x(0)$ est nulle, exprimer x en fonction de k, a et t.

7.11 **1°** Montrer que toute fonction f solution de l'équation différentielle :

$$ay' + by = c \quad (1), \text{ où } b \neq 0,$$

peut s'écrire sous la forme : $f(x) = u(x) + \dfrac{c}{b}$,

où u est une fonction solution de l'équation différentielle :

$$au' + bu = 0 \quad (2).$$

2° Utiliser cette propriété pour résoudre les équations différentielles suivantes (tirées du cours d'électricité) :

$$L\frac{\mathrm{d}i}{\mathrm{d}t}+Ri=E \quad (3)$$

$$R\frac{\mathrm{d}q}{\mathrm{d}t}+\frac{q}{C}=E \quad (4).$$

7.12 On injecte à un ornithorynque à poil ras du ragnaniate de bisodium sulfurisé radioactif. Le ragnaniate passe dans le sang, puis est éliminé. La quantité de ragnaniate présente dans le sang à l'instant t est notée $q(t)$ et définit une fonction q solution de l'équation différentielle suivante :

$$\frac{\mathrm{d}q}{\mathrm{d}t}+\alpha q=0, \text{ où } \alpha \text{ est un nombre réel strictement positif.}$$

On note q_0 la quantité de ragnaniate présente dans le sang à l'instant $t=0$. Déterminer q en fonction de q_0 et de t.

Équations différentielles du second ordre

7.13 On considère l'équation différentielle : $y''-y'=0$ (1).

1° On pose $z=y'$. Établir une équation différentielle du premier ordre dont z est la solution générale. Résoudre cette équation différentielle. En déduire toutes les solutions de l'équation différentielle (1).

2° Quelle est la solution particulière de l'équation différentielle (1) dont la courbe représentative (C) admet au point $P(0, 1)$ une tangente parallèle à la première bissectrice ?

7.14 On considère l'équation différentielle : $y''=\sin 2x-\mathrm{e}^{-x}+x+1$.

1° Déterminer toutes les solutions de cette équation différentielle.

2° Quelle est la solution particulière de cette équation différentielle dont la courbe représentative admet au point $P(0, 0)$ une tangente horizontale ?

7.15 On considère l'équation différentielle : $4y''+9y=0$.

1° Déterminer toutes les solutions de cette équation.

2° Quelle est la solution f de cette équation qui vérifie les conditions suivantes :

$$f\left(\frac{\pi}{6}\right)=0 \quad \text{et} \quad f'\left(\frac{\pi}{3}\right)=-3\ ?$$

7.16 On considère l'équation différentielle :

$$16y'' + \pi^2 y = 0.$$

1° Déterminer la solution générale de cette équation.

2° Quelle est la solution particulière f de cette équation dont la courbe représentative admet la droite d'équation $y = 2$ comme tangente pour $x = 0$?

3° Résoudre, dans $\mathbb{R}$, l'équation $f(x) = 1$.

7.17 **1°** Intégrer l'équation différentielle :

$$y'' + 4y = 0.$$

2° Quelle est la solution f de cette équation qui vérifie les conditions suivantes :

$$f\left(\frac{\pi}{2}\right) = -1 \quad \text{et} \quad f\left(\frac{\pi}{4}\right) = 1 \ ?$$

3° Résoudre l'équation $f(x) = 1$.

7.18 On considère l'équation différentielle suivante :

$$y'' + 16y = 0.$$

1° Intégrer cette équation différentielle.

2° Déterminer la solution particulière f qui vérifie les conditions $f(0) = 1$ et $f'(0) = 4$, sous la forme $f(x) = \lambda \cos(\omega t + \phi)$.

3° Résoudre, dans $\mathbb{R}$, l'équation suivante : $f(x) = \sqrt{2} \cos x$.

7.19 On considère l'équation différentielle :

$$y'' + 9y = 18 \quad (1).$$

Soit f une solution de cette équation et g la fonction définie, dans $\mathbb{R}$, par :

$$g(x) = f(x) - 2.$$

1° Calculer $g'(x)$ et $g''(x)$.

2° Exprimer $g''(x)$ en fonction de $g(x)$. Résoudre l'équation différentielle obtenue.

3° En déduire les solutions de l'équation différentielle (1).

4° Quelle est la solution f de cette équation qui vérifie les conditions suivantes :

$$f\left(\frac{\pi}{3}\right) = 1 \quad \text{et} \quad f'\left(\frac{\pi}{4}\right) = 0 \ ?$$

7.20 On considère l'équation différentielle :

$$y'' + 3y = 3x \quad (1).$$

Soit f une solution de cette équation et g la fonction définie dans $\mathbb{R}$ par :

$$g(x) = f(x) - x.$$

1° Calculer $g'(x)$ et $g''(x)$.

2° Exprimer $g''(x)$ en fonction de $g(x)$. Résoudre l'équation différentielle obtenue.

3° En déduire les solutions de l'équation différentielle (1).

7.21 Montrer que la fonction numérique f définie dans $\mathbb{R}$ par :

$$\text{pour tout } x \text{ de } \mathbb{R}, \quad f(x) = (1 - 2x)e^{2x}$$

est solution de l'équation différentielle :

$$y'' - 4y' + 4y = 0.$$

♦♦ **7.22** Soit f une solution de l'équation différentielle :

$$y'' + 2y' + 5y = 0 \quad (1).$$

1° Montrer que la fonction numérique F définie dans $\mathbb{R}$ par :

$$\text{pour tout } x \text{ de } \mathbb{R}, \quad F(x) = -\frac{1}{5}(f'(x) + 2f(x))$$

est une primitive de la fonction f.

2° Montrer que la fonction numérique g définie dans $\mathbb{R}$ par :

$$\text{pour tout } x \text{ de } \mathbb{R}, \quad g(x) = \cos 2x \, e^{-x}$$

est une solution de l'équation différentielle (1).

3° Déterminer une primitive de la fonction g.

4° Calculer l'intégrale : $\int_0^{\frac{\pi}{2}} g(x)\,dx$.

7.1 **1°** Les solutions sont les primitives de la fonction $x \mapsto e^x + 2x + 1$. La solution générale sur $\mathbb{R}$ est donc définie par $y(x) = e^x + x^2 + x + C$, où C est une constante réelle quelconque.

2° La condition initiale donne $f(0) = 1 + C = 2$, donc $C = 1$. On en déduit la fonction définie par la condition initiale $f: x \mapsto f(x) = e^x + x^2 + x + 1$.

3° Courbe représentative de la solution :

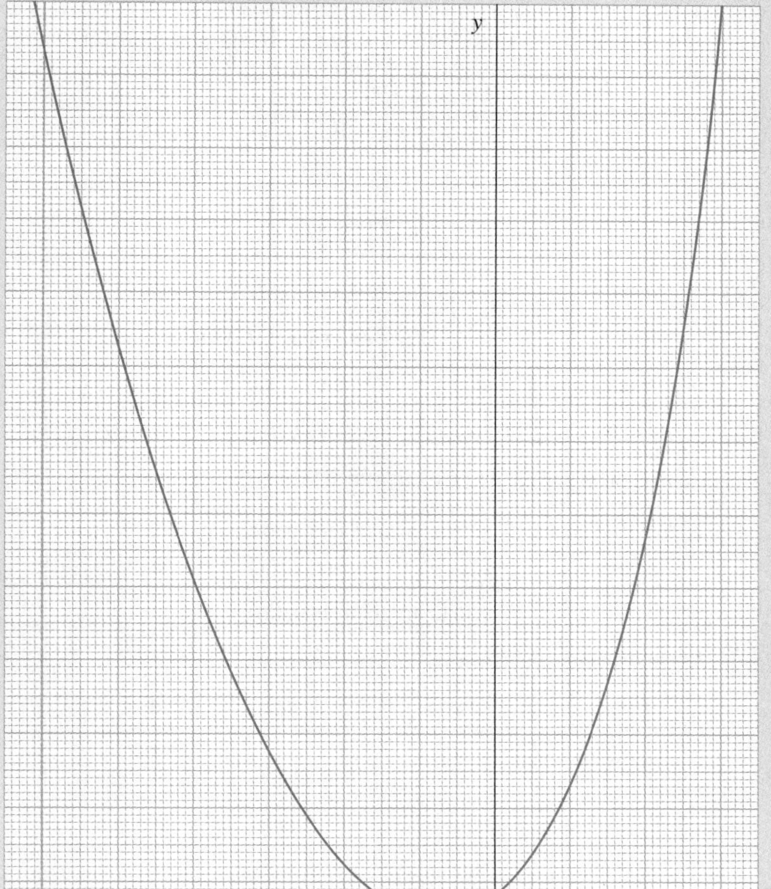

7.2 **1°** L'équation différentielle est de la forme $y' = ay$, par conséquent la solution générale de cette équation est $x \mapsto C\,e^{2x}$.

2° La courbe représentative de la fonction f passe par le point $P(0, 2)$ si, et seulement si, $f(0) = 2$. La fonction f étant une solution de l'équation différentielle, elle est de la forme $x \mapsto f(x) = C\,e^{2x}$. La condition initiale donne $f(0) = C = 2$.
On a donc $f : x \mapsto f(x) = 2e^{2x}$.

3° La fonction f admet pour fonction dérivée la fonction définie sur $\mathbb{R}$ par $f'(x) = 4e^{2x}$.
On a $f'(0) = 4$. La relation $y - f(0) = f'(0)(x - 0)$ nous donne une équation de la tangente à la courbe en P : $y = 4x + 2$.

4° Courbe représentative de f et tangente en P :

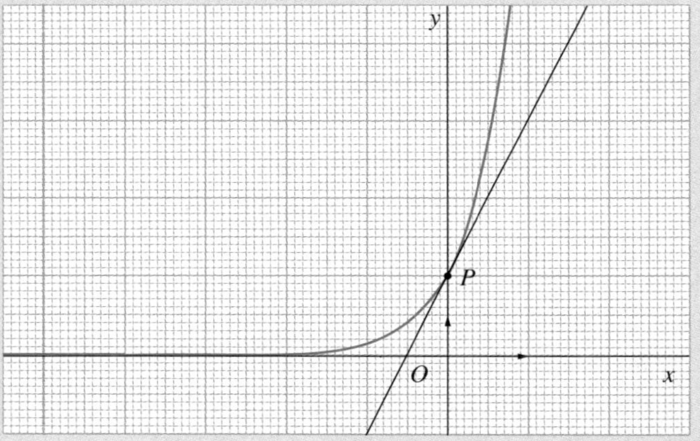

7.3 La fonction f vérifie l'équation différentielle $y' = 3y$, avec la condition initiale $f'(0) = 1$.

On a donc, $f : x \mapsto f(x) = C\,e^{3x}$; $f' : x \mapsto f'(x) = 3C\,e^{3x}$; $f'(0) = 3C = 1$.

Ce qui donne $f : x \mapsto f(x) = \dfrac{1}{3}\,e^{3x}$.

7.4 **1°** Pour tout x de $\mathbb{R}$, $\dfrac{d(xe^x)}{dx} = (x + 1)e^x$.

D'où la fonction dérivée de g : pour tout x de $\mathbb{R}$, $g'(x) = f'(x) - (x + 1)e^x$.

2° *a*) f étant une solution de l'équation différentielle (1), on a :

$$f'(x) = f(x) + e^x.$$

b) On en tire :

$$\text{pour tout } x \text{ de } \mathbb{R},\quad g'(x)=f(x)+e^x-(x+1)e^x=f(x)-xe^x=g(x).$$

La fonction g est donc solution de l'équation différentielle $y'=y$.

3° Par conséquent, on a : pour tout x de $\mathbb{R}$, $g(x)=C\,e^x$, $C\in\mathbb{R}$.

4° On obtient ainsi la solution générale de l'équation différentielle (1) :

$$\text{pour tout } x \text{ de } \mathbb{R},\quad f(x)=g(x)+xe^x=(x+C)e^x.$$

5° La courbe représentative de la fonction ϕ admet une tangente de coefficient directeur 1 pour $x=0$ si, et seulement si, $\phi'(0)=1$. La fonction ϕ étant solution de l'équation différentielle (1), on a :

$$\text{pour tout } x \text{ de } \mathbb{R},$$

$$\phi(x)=(x+C)e^x\ ;\quad \phi'(x)=(x+C+1)e^x\ ;\quad \phi'(0)=C+1=1.$$

On en tire $C=0$, et pour tout x de $\mathbb{R}$: $\phi(x)=xe^x$.

7.5 **1°** L'équation différentielle s'écrit $\dfrac{dy}{dx}=4y$; elle est de la forme $y'=ay$, avec $a=4$.

La solution générale y est donc :

$$\text{pour tout } x \text{ de } \mathbb{R},\quad y(x)=C\,e^{4x},\quad C\in\mathbb{R}.$$

2° Soit f la fonction dérivée de F : $f(x)=4e^{4x}$. F est donc la solution de l'équation différentielle correspondant à $C=4$.

Pour déterminer l'équation de la tangente pour $x=0$, calculons $f(0)=4$ et $f'(0)=4f(0)=16$.

En explicitant l'équation $y-f(0)=f'(0)x$ de la tangente, on obtient :

$$y=16x+4.$$

7.6 Dérivons f en utilisant la dérivée d'une fraction $\dfrac{u}{v}$:

$$f'(x)=\frac{e^x(e^x-2)^2-2(e^x)^2(e^x-2)}{(e^x-2)^4}=\frac{e^x(e^x-2)-2e^{2x}}{(e^x-2)^3}=\frac{-e^x(2+e^x)}{(e^x-2)^3}.$$

En remplaçant y' et y par $f'(x)$ et $f(x)$ dans l'expression $y'+y^2(e^{2x}-4)$, on obtient :

$$\frac{-e^{2x}(2+e^x)}{(e^x-2)^3}+\frac{e^{2x}(e^{2x}-4)}{(e^x-2)^4}=\frac{e^{2x}[-(2+e^x)(e^x-2)+(e^{2x}-4)]}{(e^x-2)^4}$$

$$=\frac{e^{2x}[-(e^{2x}-4)+(e^{2x}-4)]}{(e^x-2)^4}=0.$$

f est donc solution de l'équation différentielle.

7.7 **1°** Remarquons d'abord que l'équation différentielle peut s'écrire sous la forme $e^x(y' - e^x y^2) = 0$, qui est équivalente à l'équation $y' = e^x y^2$ (car e^x est strictement positif).

Soit f une solution de l'équation différentielle sur un intervalle I ; on a donc :

$$\text{pour tout } x \text{ de } I,\ f'(x) = e^x (f(x))^2.$$

Cette relation montre que la fonction dérivée f' est positive, la fonction f est donc croissante.

2° Si la courbe passe par le point $M(+1, -1)$, on a : $f(1) = -1$.

On en déduit $f'(1) = e^1 (f(1))^2 = e$. L'équation de la tangente en M à la courbe (C) est donc :

$$y = f'(1)(x-1) + f(1) = ex - e - 1.$$

7.8 **1°** La fonction f admet pour fonction dérivée la fonction $f' : x \mapsto e^x - 1$. Le calcul $f'(x) - f(x) = e^x - 1 - e^x + x + 1 = x$ montre que la fonction f est solution de l'équation différentielle (1).

2° Soit g une fonction définie sur $\mathbb{R}$. Posons $u = g - f$.
Comme $(g-f)' = g' - f'$, $u' - u = (g-f)' - (g-f) = (g' - g) - (f' - f)$.
La fonction f étant une solution de l'équation (1), pour tout x de $\mathbb{R}$, $f'(x) - f(x) = x$, donc :

$$\text{pour tout réel } x,\ u'(x) - u(x) = g'(x) - g(x) - x.$$

Ce qui prouve que :

$$\text{pour tout réel } x,\ [u'(x) - u(x) = 0 \text{ équivaut à } g'(x) - g(x) = x] ;$$

g est solution de l'équation (1) si, et seulement si, u est solution de l'équation (2).

3° L'équation (2) s'écrit $u' = u$. La solution générale est donc définie sur $\mathbb{R}$ par $u(x) = C e^x$, avec $C \in \mathbb{R}$.

On en déduit la solution générale g de l'équation (2) :

$$\text{pour tout réel } x,$$
$$g(x) = f(x) + u(x) = (C+1)e^x - x - 1 = Ke^x - x - 1,\ K \in \mathbb{R}.$$

7.9 **1°** pour tout réel x, $f'(x) = 1 - e^{2-x}$.
On a donc :

$$f'(x) + f(x) = 1 - e^{2-x} + e^{2-x} + x = x + 1.$$

La fonction f est solution de l'équation différentielle (1).

2° Soit $g = f + u$ une fonction quelconque définie sur $\mathbb{R}$; on a :

$$u = g - f.$$

Le calcul des dérivées nous permet d'écrire :

$$u' + u = (g - f)' + (g - f) = (g' + g) - (f' + f).$$

La fonction f est une solution de l'équation (1) ; donc :

$$\text{pour tout réel } x,\ f'(x) + f(x) = x + 1.$$

On a ainsi : pour tout réel x, $u'(x) + u(x) = g'(x) + g(x) - x - 1$ qui donne l'équivalence :

pour tout réel x, $[u'(x) + u(x) = 0$ si, et seulement si, $g'(x) + g(x) = x + 1]$.

$g = f + u$ est solution de l'équation (1) si, et seulement si, u est solution de l'équation (2).

3° L'équation (2) s'écrit $u' = -u$; sa solution générale u est définie sur $\mathbb{R}$ par $u(x) = \mathrm{C}\,\mathrm{e}^{-x}$, avec $\mathrm{C} \in \mathbb{R}$.
On en déduit la solution générale g de l'équation (2) :

$$\text{pour tout réel } x,\ g(x) = f(x) + u(x) = \mathrm{e}^{2-x} + x + \mathrm{C}\,\mathrm{e}^{-x}$$
$$= (\mathrm{e}^2 + \mathrm{C})\mathrm{e}^{-x} + x = K\mathrm{e}^{-x} + x,\ K \in \mathbb{R}.$$

4° La courbe représentative de g admet la droite $y = x$ comme asymptote lorsque x tend vers $-\infty$ si, et seulement si, il existe une fonction ε telle que :

$$\text{pour tout réel } x,$$
$$g(x) = x + \varepsilon(x), \text{ avec } \lim_{x \to -\infty} \varepsilon(x) = 0, \text{ c'est-à-dire } \lim_{x \to -\infty} K\mathrm{e}^{-x} = 0,$$

ce qui n'est possible que pour $K = 0$.

La fonction g correspondante est définie sur $\mathbb{R}$ par $g(x) = x$.

Remarque : la fonction g est représentée par une droite. Dans ce cas, l'asymptote est confondue avec la courbe. C'est un cas particulier où l'on a $g(x) = ax + b + \varepsilon(x)$, la fonction ε étant égale à la fonction nulle.

7.10 **1°** Comme $f(t) = x(t) - a$, on a $f'(t) = x'(t)$. La fonction x étant solution de l'équation différentielle, on peut écrire $x'(t) = k(x(t) - a)$, donc :

$$f'(t) = k(x(t) - a) = kf(t).$$

2° La fonction f est donc solution de l'équation différentielle $f' = kf$.

3° Cette équation a pour solution générale l'ensemble des fonctions $t \overset{f}{\mapsto} \mathrm{C}\,\mathrm{e}^{kt}$, C étant une constante réelle.

4° Comme $f = x - a$, on obtient $x(t) = f(t) + a = \mathrm{C}\,\mathrm{e}^{kt} + a$.

5° En appliquant la condition initiale $x(0) = 0$, on obtient $0 = \mathrm{C} + a$, ce qui donne $\mathrm{C} = -a$. On en déduit :

$$\text{pour tout réel } t \text{ de } [0, +\infty[,\ x(t) = -a\mathrm{e}^{kt} + a = a(1 - \mathrm{e}^{kt}).$$

7.11 **1°** Soit u la fonction définie par $u(x) = f(x) - \frac{c}{b}$.

En dérivant, on obtient $u'(x) = f'(x)$. En remplaçant $u'(x)$ et $u(x)$ par leurs expressions respectives en fonction de $f(x)$ et $f'(x)$, on obtient l'égalité $au'(x) + bu(x) = af'(x) + bf(x) - c$. Ce qui donne l'équivalence :

$$\text{pour tout réel } x,$$
$$[au'(x) + bu(x) = 0 \text{ si, et seulement si, } af'(x) + bf(x) = c].$$

On montre ainsi que f est solution de l'équation différentielle (1) si, et seulement si, u est solution de l'équation différentielle (2).

2° L'équation (3) se résout en posant $u(t) = i(t) - \frac{E}{R}$, ce qui donne l'équation différentielle $Lu' + Ru = 0$ (d'après le **1°**) dont les solutions sont les fonctions définies sur $\mathbb{R}$ par $u(t) = \mathrm{C}\,\mathrm{e}^{\frac{-Rt}{L}}$;

ce qui donne : $$i(t) = \mathrm{C}\,\mathrm{e}^{\frac{-Rt}{L}} + \frac{E}{R}.$$

En utilisant la même méthode, on obtient les solutions de l'équation (4) :

$$q(t) = \mathrm{C}\,\mathrm{e}^{\frac{-t}{RC}} + \mathrm{C}E.$$

7.12 Il s'agit de résoudre l'équation différentielle $q' = -\alpha q$, avec la condition initiale $q(0) = q_0$. La solution générale est l'ensemble des fonctions définies sur $[0, +\infty[$ par $q(t) = \mathrm{C}\,\mathrm{e}^{-\alpha t}$, la constante C dépend de la condition initiale : $q(0) = \mathrm{C} = q_0$.

On a donc : pour tout réel t positif, $q(t) = q_0\,\mathrm{e}^{-\alpha t}$.

7.13 **1°** De la relation $z = y'$, on déduit $z' = y''$. La fonction z est donc solution de l'équation différentielle $z' - z = 0$ qui a pour solutions les fonctions f définies par :

$$\text{pour tout réel } x,\ f(x) = \mathrm{C}\,\mathrm{e}^{x},\ \mathrm{C} \in \mathbb{R}.$$

Comme $z = y'$, y est une primitive de z.

Les solutions de l'équation différentielle (1) sont donc les primitives des fonctions f, c'est-à-dire les fonctions F définies par :

$$\text{pour tout réel } x,\ F(x) = \mathrm{C}\,\mathrm{e}^{x} + \lambda,\ \mathrm{C} \in \mathbb{R} \text{ et } \lambda \in \mathbb{R}.$$

2° Si la courbe représentative admet au point $P(0, 1)$ une tangente de coefficient directeur égal à 1, la fonction F vérifie les relations suivantes : $F(0) = 1$ et $F'(0) = 1$. On en déduit $\mathrm{C} = 1$ et $\lambda = 0$.

La solution est la fonction définie par : pour tout réel x, $F(x) = \mathrm{e}^{x}$.

7.14 **1°** Il s'agit de déterminer successivement y' et y par deux calculs de primitives.

On obtient : $$y' = -\frac{1}{2}\cos 2x + e^{-x} + \frac{x^2}{2} + x + \lambda$$
$$y = -\frac{1}{4}\sin 2x - e^{-x} + \frac{x^3}{6} + \frac{x^2}{2} + \lambda x + \mu,\quad \lambda \in \mathbb{R} \text{ et } \mu \in \mathbb{R}.$$

2° Si la courbe représentative de la fonction f, solution de l'équation différentielle, admet au point $P(0, 0)$ une tangente horizontale, on a :

$f(0) = 0$ et $f'(0) = 0$; ce qui donne $\lambda = -\frac{1}{2}$ et $\mu = 1$.

La fonction f est donc définie par :

$$\text{pour tout réel } x,\ f(x) = -\frac{1}{4}\sin 2x - e^{-x} + \frac{x^3}{6} + \frac{x^2 - x}{2} + 1.$$

7.15 **1°** C'est une équation du type $y'' + \omega^2 y = 0$, avec $\omega = \frac{3}{2}$.

Les solutions sont donc les fonctions définies par :

$$y(x) = \lambda\cos\left(\frac{3x}{2}\right) + \mu\sin\left(\frac{3x}{2}\right),$$

où λ et μ sont deux constantes réelles.

2° En appliquant les conditions initiales, on obtient :

$0 = \lambda\cos\frac{\pi}{4} + \mu\sin\frac{\pi}{4} = \frac{\sqrt{2}}{2}(\lambda + \mu)$; $-3 = -\frac{3}{2}\lambda\sin\frac{\pi}{2} + \frac{3}{2}\mu\cos\frac{\pi}{2} = -\frac{3}{2}\lambda.$

On en déduit $\lambda = 2$ et $\mu = -2$;

ce qui donne : $$f(x) = 2\cos\left(\frac{3x}{2}\right) - 2\sin\left(\frac{3x}{2}\right).$$

7.16 **1°** C'est une équation du type $y'' + \omega^2 y = 0$, avec $\omega = \frac{\pi}{4}$.

Les solutions sont donc les fonctions définies par :

$$y(x) = \lambda\cos\left(\frac{\pi x}{4}\right) + \mu\sin\left(\frac{\pi x}{4}\right),$$

où λ et μ sont deux constantes réelles.

2° Si la droite $y = 2$ est tangente à la courbe représentative de f pour $x = 0$, la courbe passe par le point de coordonnées $(0, 2)$ et la fonction dérivée de f s'annule en ce point, ce qui donne : $f(0) = 2$ et $f'(0) = 0$.

On a ainsi : $2 = \lambda\cos 0 + \mu\sin 0 = \lambda$; $0 = -\lambda\frac{\pi}{4}\sin 0 + \mu\frac{\pi}{4}\cos 0 = \mu\frac{\pi}{4}.$

Ce qui donne : $\lambda = 2$ et $\mu = 0$. La fonction f est définie par :

$$\text{pour tout réel } x,\ f(x) = 2\cos\frac{\pi x}{4}.$$

3° Résolution de $f(x) = 1$.

$$f(x) = 1 \quad \text{équivaut à} \quad \cos\frac{\pi x}{4} = \frac{1}{2} = \cos\frac{\pi}{3}.$$

Il y a donc deux séries de solutions :

$$\frac{\pi x}{4} = \frac{\pi}{3} + k2\pi \ ; \quad \frac{\pi x}{4} = -\frac{\pi}{3} + k'2\pi.$$

En simplifiant, on obtient :

$$x = \frac{4}{3} + 8k,\ k \in \mathbb{Z} \quad \text{ou} \quad x = -\frac{4}{3} + 8k',\ k' \in \mathbb{Z}.$$

7.17 **1°** C'est une équation du type $y'' + \omega^2 y = 0$, avec $\omega = 2$.
Les solutions sont donc les fonctions définies par $y(x) = \lambda\cos 2x + \mu\sin 2x$, où $\lambda \in \mathbb{R}$ et $\mu \in \mathbb{R}$.

2° En appliquant les conditions initiales, on obtient :

$$-1 = \lambda\cos\pi + \mu\sin\pi = -\lambda \quad \text{et} \quad 1 = \lambda\cos\frac{\pi}{2} + \mu\sin\frac{\pi}{2} = \mu.$$

On en déduit la fonction f :

$$\text{pour tout réel } x,\ f(x) = \cos 2x + \sin 2x.$$

3° Pour résoudre l'équation $\cos 2x + \sin 2x = 1$, transformons $\cos 2x + \sin 2x$:

$$\begin{aligned}\cos 2x + \sin 2x &= \sqrt{2}\left(\frac{\sqrt{2}}{2}\cos 2x + \frac{\sqrt{2}}{2}\sin 2x\right)\\ &= \sqrt{2}\left(\cos\frac{\pi}{4}\cos 2x + \sin\frac{\pi}{4}\sin 2x\right)\\ &= \sqrt{2}\cos\left(2x - \frac{\pi}{4}\right).\end{aligned}$$

L'équation devient : $\cos\left(2x - \frac{\pi}{4}\right) = \frac{\sqrt{2}}{2} = \cos\frac{\pi}{4}$. Elle est équivalente à :

$$2x - \frac{\pi}{4} = \frac{\pi}{4} + k2\pi \quad \text{ou} \quad 2x - \frac{\pi}{4} = -\frac{\pi}{4} + k'2\pi,$$

ce qui donne comme solutions :

$$x = \frac{\pi}{4} + k\pi,\ k \in \mathbb{Z} \quad \text{ou} \quad x = k'\pi,\ k' \in \mathbb{Z}.$$

7.18 **1°** C'est une équation du type $y'' + \omega^2 y = 0$, avec $\omega = 4$.
Les solutions sont donc les fonctions définies par :

$$y(x) = \lambda \cos(4x + \phi), \text{ où } \lambda \in \mathbb{R} \text{ et } \phi \in \mathbb{R}.$$

2° En appliquant les conditions initiales, on obtient :

$$\lambda \cos \phi = 1 \text{ et } -4\lambda \sin \phi = 4.$$

On en tire $\dfrac{\sin \phi}{\cos \phi} = \tan \phi = -1$. On peut prendre $\phi = -\dfrac{\pi}{4}$ et $\lambda = \sqrt{2}$ comme constantes pour exprimer f sous la forme :

$$f(x) = \sqrt{2} \cos\left(4x - \frac{\pi}{4}\right).$$

3° L'équation est équivalente à :

$$\cos\left(4x - \frac{\pi}{4}\right) = \cos x,$$

c'est-à-dire : $4x - \dfrac{\pi}{4} = x + k2\pi$ ou $4x - \dfrac{\pi}{4} = -x + k'2\pi$.

On en déduit l'ensemble des solutions :

$$x = \frac{\pi}{12} + k\frac{2\pi}{3}, \ k \in \mathbb{Z} \quad \text{ou} \quad x = \frac{\pi}{20} + k'\frac{2\pi}{5}, \ k' \in \mathbb{Z}.$$

7.19 **1°** De $g(x) = f(x) - 2$ on obtient, en dérivant :

$$g'(x) = f'(x) \text{ et } g''(x) = f''(x).$$

2° On en tire $f''(x) + 9f(x) = g''(x) + 9g(x) + 18$.
Donc f est solution de l'équation (1) : $y'' + 9y = 18$, si, et seulement si, g est solution de l'équation $g'' + 9g = 0$ qui admet pour solutions les fonctions g définies par :

$$\text{pour tout réel } x,\ g(x) = \lambda \cos 3x + \mu \sin 3x.$$

3° De la relation $f(x) = g(x) + 2$, on déduit la forme générale des solutions f de l'équation (1).

Pour tout x de $\mathbb{R}$, $f(x) = \lambda \cos 3x + \mu \sin 3x + 2$, $\lambda \in \mathbb{R}$, $\mu \in \mathbb{R}$.

4° En appliquant les conditions initiales, on obtient :

$$\lambda \cos \pi + \mu \sin \pi + 2 = 1 \quad \text{et} \quad -3\lambda \sin \frac{3\pi}{4} + 3\mu \cos \frac{3\pi}{4} = 0,$$

c'est-à-dire : $\lambda = 1$ et $\mu = -\lambda = -1$.
La fonction f correspondant aux conditions initiales est donc :

$$\text{pour tout réel } x,\ f(x) = \cos 3x - \sin 3x + 2.$$

7.20 1° Comme $g(x)=f(x)-x$, on a $g'(x)=f'(x)-1$ et $g''(x)=f''(x)$.

2° On en déduit $f''(x)+3f(x)=g''(x)+3g(x)+3x$.
Donc f est solution de l'équation (1) si, et seulement si, g est solution de l'équation $g''+3g=0$ dont les solutions sont les fonctions g définies par :

$$\text{pour tout réel } x,\quad g(x)=\lambda\cos(x\sqrt{3})+\mu\sin(x\sqrt{3}).$$

3° De $f(x)=g(x)+x$, on déduit la solution générale f de l'équation (1) :

$$\text{pour tout réel } x,\quad f(x)=\lambda\cos(x\sqrt{3})+\mu\sin(x\sqrt{3})+x,\quad \lambda\in\mathbb{R},\quad \mu\in\mathbb{R}.$$

7.21 Il faut donc vérifier que :

$$\text{pour tout réel } x,\quad f''(x)-4f'(x)+4f(x)=0.$$

Calculons $f'(x)$ et $f''(x)$:

$$f'(x)=-2e^{2x}+2(1-2x)e^{2x}=-4xe^{2x}$$

et

$$f''(x)=-4e^{2x}-8xe^{2x}=-(4+8x)e^{2x}.$$

Ce qui donne :

$$f''(x)-4f'(x)+4f(x)=-(4+8x)e^{2x}+16xe^{2x}+4(1-2x)e^{2x}=0.$$

La fonction f est bien une solution de l'équation différentielle.

7.22 1° Dérivons la fonction F :

$$F'(x)=-\frac{1}{5}[f''(x)+2f'(x)].$$

Comme f est solution de l'équation différentielle (1), on a :

$$f''(x)+2f'(x)=-5f(x),$$

ce qui donne :

$$\text{pour tout réel } x,\quad F'(x)=-\frac{1}{5}[-5f(x)]=f(x).$$

La fonction F est donc une primitive de f sur $\mathbb{R}$.

2° Calculons $g'(x)$ et $g''(x)$:

$$\begin{aligned} g'(x) &= -2(\sin 2x)e^{-x}-(\cos 2x)e^{-x} \\ &= -(2\sin 2x+\cos 2x)e^{-x}\,; \end{aligned}$$

$$\begin{aligned} g''(x) &= -(4\cos 2x-2\sin 2x)e^{-x}+(2\sin 2x+\cos 2x)e^{-x} \\ &= (-3\cos 2x+4\sin 2x)e^{-x}. \end{aligned}$$

On en déduit :

$$\begin{aligned} &g''(x)+2g'(x)+5g(x) \\ &\quad =(-3\cos 2x+4\sin 2x)e^{-x}-2(2\sin 2x+\cos 2x)e^{-x}+5\cos 2x\,e^{-x}=0. \end{aligned}$$

La fonction g est donc une solution de l'équation différentielle (1).

3° En utilisant la question **1°**, on obtient une primitive G de la fonction g :

$$\text{pour tout réel } x,\quad G(x) = -\frac{1}{5}[g'(x) + 2g(x)]$$

$$= -\frac{1}{5}[-(2\sin 2x + \cos 2x) + 2\cos 2x]\mathrm{e}^{-x}$$

$$= -\frac{1}{5}(\cos 2x - 2\sin 2x)\mathrm{e}^{-x}.$$

4° $$\int_0^{\frac{\pi}{2}} g(x)\,\mathrm{d}x = G\left(\frac{\pi}{2}\right) - G(0)$$

$$= -\frac{1}{5}\left[(\cos\pi - 2\sin\pi)\mathrm{e}^{-\frac{\pi}{2}} - (\cos 0 - 2\sin 0)\mathrm{e}^{0}\right]$$

$$= \frac{1}{5}\left(\mathrm{e}^{-\frac{\pi}{2}} + 1\right).$$

8

LES NOMBRES COMPLEXES

RÉSUMÉ DU COURS

■ Il existe un ensemble noté $\mathbb{C}$ dont les éléments, appelés nombres complexes, s'écrivent $a+b\mathrm{i}$ où a et b sont des réels et i un nombre tel que :

$$\mathrm{i}^2=-1.$$

■ Si $z=a+b\mathrm{i}$, a est la partie réelle de z et b la partie imaginaire de z.
On note :

$$a=\mathrm{Re}(z) \text{ et } b=\mathrm{Im}(z).$$

■ $a+b\mathrm{i}$ est la forme algébrique de z.

■ Le nombre complexe conjugué de $z=a+b\mathrm{i}$ est $\bar{z}=a-b\mathrm{i}$.

■ Quels que soient les nombres complexes z et z' :

$$\overline{z+z'}=\bar{z}+\bar{z}', \quad \overline{zz'}=\bar{z}\,\bar{z}', \quad \overline{\left(\frac{z}{z'}\right)}=\frac{\bar{z}}{\bar{z}'} \quad (z'\neq 0), \quad \overline{z^n}=(\bar{z})^n \quad (n\in\mathbb{Z})$$

■ z est réel si, et seulement si, $z=\bar{z}$.

■ z est imaginaire pur si, et seulement si, $z=-\bar{z}$.

Forme trigonométrique d'un nombre complexe non nul

■ Le point $M(a, b)$ est **le point image** du nombre complexe $z = a + bi$.
Le nombre complexe $z = a + bi$ est **l'affixe** du point $M(a, b)$.

■ Si un vecteur $\vec{V}$ a pour coordonnées (a, b), le nombre complexe $z = a + bi$ est **l'affixe** du vecteur $\vec{V}$.

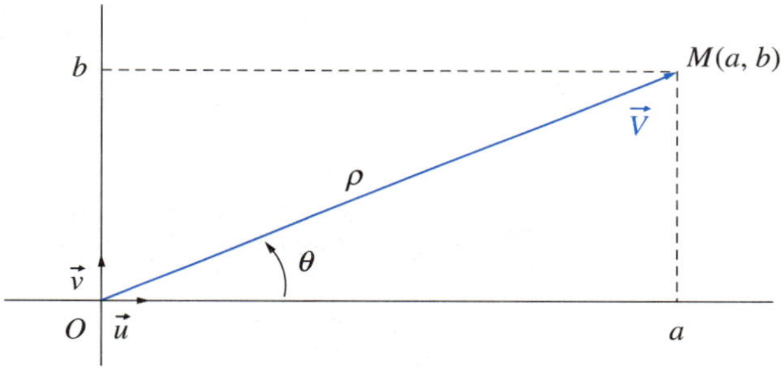

■ Le module de z est le réel positif :

$$|z| = \sqrt{a^2 + b^2} \quad (|z| = \rho = OM).$$

■ Si $z \neq 0$, un **argument** de z est une mesure de l'angle $(\vec{u}, \overrightarrow{OM})$.

■ Si θ est un argument de z, alors :

$$\cos\theta = \frac{a}{\sqrt{a^2 + b^2}} \quad \text{et} \quad \sin\theta = \frac{b}{\sqrt{a^2 + b^2}}$$

■ Si $|z| = \rho$ et $\arg z = \theta$, la forme trigonométrique de z est :

$$z = \rho(\cos\theta + \mathrm{i}\sin\theta)$$

que l'on note $z = [\rho, \theta]$.

■ Si $z = [\rho, \theta]$ et $z' = [\rho', \theta']$, alors :

$$zz' = [\rho\rho', \theta + \theta']$$

$$\frac{1}{z} = \left[\frac{1}{\rho}, -\theta\right]$$

$$\frac{z}{z'} = \left[\frac{\rho}{\rho'}, \theta - \theta'\right]$$

Formule de Moivre

Quels que soient le nombre complexe non nul $z = [\rho, \theta]$ et l'entier relatif n :

$$z^n = \rho^n (\cos n\theta + \mathrm{i} \sin n\theta), \quad z^n = [\rho^n, n\theta]$$

Formules d'Euler

■ Pour tout réel θ :

$$\mathrm{e}^{\mathrm{i}\theta} = \cos \theta + \mathrm{i} \sin \theta$$

■ Quel que soit le nombre complexe non nul $z = [\rho, \theta]$:

$$z = \rho \, \mathrm{e}^{\mathrm{i}\theta}$$

■ Quels que soient les réels θ et θ' :

$$\mathrm{e}^{\mathrm{i}\theta} \times \mathrm{e}^{\mathrm{i}\theta'} = \mathrm{e}^{\mathrm{i}(\theta+\theta')} ; \quad (\mathrm{e}^{\mathrm{i}\theta})^n = \mathrm{e}^{\mathrm{i}n\theta} \quad (n \in \mathbb{Z}) ; \quad \frac{\mathrm{e}^{\mathrm{i}\theta}}{\mathrm{e}^{\mathrm{i}\theta'}} = \mathrm{e}^{\mathrm{i}(\theta-\theta')}$$

■ Quel que soit le réel θ :

$$\cos \theta = \frac{1}{2}(\mathrm{e}^{\mathrm{i}\theta} + \mathrm{e}^{-\mathrm{i}\theta}) \quad \text{et} \quad \sin \theta = \frac{1}{2\mathrm{i}}(\mathrm{e}^{\mathrm{i}\theta} - \mathrm{e}^{-\mathrm{i}\theta})$$

Translation - Rotation

■ Soit $z_0 = a + b\mathrm{i}$ et $\vec{V}$ le vecteur d'affixe z_0.
L'application du plan complexe dans lui-même qui, à tout point M d'affixe z, fait correspondre le point M' d'affixe $z' = z + z_0$ est la translation de vecteur $\vec{V}$.

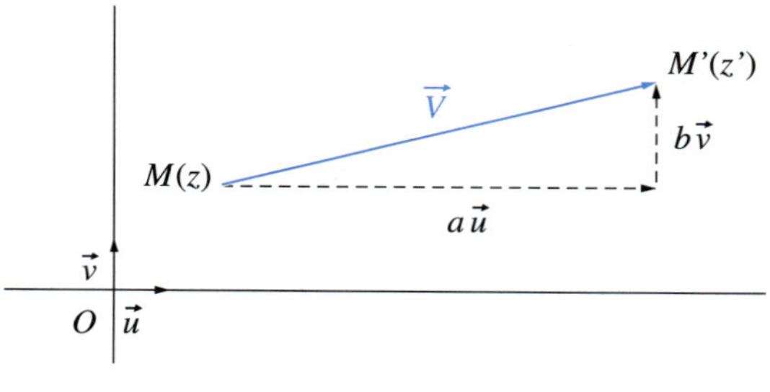

Soit $z_0 = a + b\mathrm{i}$ et θ un nombre réel.
L'application du plan complexe dans lui-même qui à tout point M d'affixe z fait correspondre le point M' d'affixe z' tel que $z' - z_0 = \mathrm{e}^{\mathrm{i}\theta}(z - z_0)$ est la rotation de centre A d'affixe z_0 et d'angle θ.

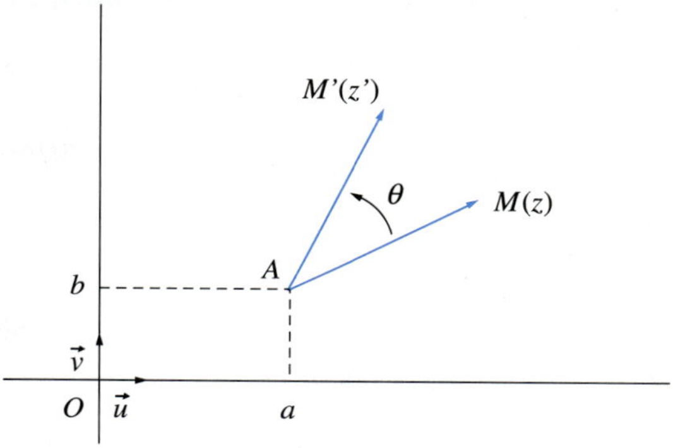

Module et argument d'un nombre complexe

8.1 Déterminer le module et un argument du nombre complexe :

$$z = \frac{5 + 11\mathrm{i}\sqrt{3}}{7 - 4\mathrm{i}\sqrt{3}}.$$

8.2 Soient $z_1 = \sqrt{2} + \mathrm{i}\sqrt{2}$ et $z_2 = 1 + \mathrm{i}\sqrt{3}$, deux nombres complexes.

1° Calculer le module et donner un argument des nombres complexes :

$$z_1 \quad \text{et} \quad z_2.$$

2° En déduire le module et un argument des nombres complexes :

$$z_1^3, \quad z_2^2 \quad \text{et} \quad \frac{z_1^3}{z_2^2}.$$

3° Écrire z_1^3, z_2^2 et $\frac{z_1^3}{z_2^2}$ sous forme algébrique.

4° Déduire, des questions précédentes, la valeur exacte de :

$$\cos\frac{\pi}{12} \quad \text{et} \quad \sin\frac{\pi}{12}.$$

♦ **8.3** Soit θ un réel de l'intervalle $\left]-\frac{\pi}{2}, \frac{\pi}{2}\right[$.

1° Montrer que $1 + \tan^2\theta = \frac{1}{\cos^2\theta}$.

2° On considère les nombres complexes :

$$z_1 = 1 + \mathrm{i}\tan\theta \quad \text{et} \quad z_2 = 1 - \mathrm{i}\tan\theta.$$

Calculer le module des nombres complexes z_1, z_2 et $\frac{z_1}{z_2}$.

3° Exprimer en fonction de θ un argument de z_1, z_2 et $\frac{z_1}{z_2}$.

4° Écrire sous forme algébrique le nombre complexe $\frac{z_1}{z_2}$.

En déduire $\cos 2\theta$ et $\sin 2\theta$ en fonction de $\tan\theta$.

Formule de Moivre

8.4 Soit le nombre complexe $z = -\sqrt{2} - \mathrm{i}\sqrt{6}$.

1° Calculer le module et un argument de z.

2° Écrire, sous forme algébrique, le nombre complexe z^{12}.

8.5 On considère un nombre complexe z vérifiant $z^2 = \sqrt{2} + \mathrm{i}\sqrt{2}$.

1° On pose $z = x + \mathrm{i}y$, avec $x \in \mathbb{R}$ et $y \in \mathbb{R}$.

a) Montrer que les réels x et y vérifient le système :

$$\begin{cases} x^2 - y^2 = \sqrt{2} \\ xy = \dfrac{\sqrt{2}}{2}. \end{cases}$$

b) En comparant les modules de z^2 et $\sqrt{2} + \mathrm{i}\sqrt{2}$, montrer que : $x^2 + y^2 = 2$.

c) En déduire les solutions de l'équation $z^2 = \sqrt{2} + \mathrm{i}\sqrt{2}$.

2° On pose $z = [\rho, \theta]$.

a) Calculer un argument du nombre complexe $\sqrt{2} + \mathrm{i}\sqrt{2}$.

b) Exprimer en fonction de ρ et de θ le module et un argument de z^2.

c) Écrire les solutions de l'équation $z^2 = \sqrt{2} + \mathrm{i}\sqrt{2}$ sous forme trigonométrique.

d) En comparant les résultats obtenus aux questions **1°** et **2°**, donner la valeur exacte de :

$$\cos\frac{\pi}{8} \quad \text{et} \quad \sin\frac{\pi}{8}.$$

♦ **8.6** **1°** Calculer $\cos 5a$ en fonction de $\cos a$.

2° En déduire la valeur de $\cos\dfrac{\pi}{10}$ en remarquant que $\cos\dfrac{5\pi}{10} = 0$.

Équations du second degré à coefficients réels

8.7 Résoudre, dans $\mathbb{C}$, les équations suivantes :

1° $z^2 - 3z + 13 = 0$.

2° $z^2-(2\sin\theta)z+\tan^2\theta=0$, où $\theta\in\left]-\frac{\pi}{2},\frac{\pi}{2}\right[$.

(On donnera le module des solutions lorsqu'elles sont distinctes.)

3° $z^2+2\lambda z(1+\cos\theta)\cos\theta+\lambda^2(1+\cos\theta)^2=0$,

où $\lambda>0$ et $\theta\in\left]0,\frac{\pi}{2}\right[$.

8.8 Soit $P(z)=z^4-z^3+z^2+2$ et $z\in\mathbb{C}$.

1° Montrer que $P(\bar{z}_0)=\overline{P(z_0)}$.

2° En déduire que si z_0 est racine de P, alors $\bar{z}_0$ est également racine de P.

3° Montrer que $z_0=1+\mathrm{i}$ est racine de P.

4° En déduire une factorisation de P, sous la forme d'un produit de deux polynômes du second degré.

5° Résoudre l'équation :

$$P(z)=0.$$

♦ **8.9** Soit z_0 le nombre complexe de module 1 et d'argument $\frac{2\pi}{5}$.

1° Montrer que z_0 est solution de l'équation $z^5-1=0$.

2° Simplifier l'écriture de :

$$(z-1)(1+z+z^2+z^3+z^4).$$

3° En déduire que z_0 est solution de l'équation :

$$\left(z^2+\frac{1}{z^2}\right)+\left(z+\frac{1}{z}\right)+1=0.$$

4° On pose $Z=z+\frac{1}{z}$.

Montrer que Z vérifie une équation du second degré (E).

5° Résoudre (E).

6° En déduire z_0 puis la valeur exacte de :

$$\cos\frac{2\pi}{5}\quad\text{et}\quad\sin\frac{2\pi}{5}.$$

Formules d'Euler - Linéarisation

8.10 Transformer en somme les expressions suivantes :

1° $f(x) = \cos 4x \sin 3x$.

2° $f(x) = \cos x\,(\cos 3x - \sin 5x)$.

3° $f(x) = \cos^3 x \sin 4x$.

8.11 Calculer la valeur exacte de :

$$A = \sin \frac{7\pi}{24} \sin \frac{\pi}{24}.$$

Nombres complexes et géométrie

Dans les exercices qui suivent, le plan complexe est muni d'un repère orthonormal $(O\,;\vec{u}, \vec{v})$.

8.12 On considère les nombres complexes :

$$z_0 = 3 - \sqrt{3i}, \quad z_1 = 2\sqrt{3} + 3 + i\sqrt{3} \quad \text{et} \quad z_2 = \sqrt{3} + 3i.$$

M_0, M_1 et M_2 sont les points du plan complexe d'affixes respectives z_0, z_1 et z_2.

1° Calculer le module et un argument de z_0 et z_2.

2° Placer les points M_0 et M_2 dans le plan complexe.

3° Montrer que M_1 appartient à la médiatrice du segment $[M_0, M_2]$ puis que $M_0M_1 = M_0M_2$.

4° En déduire la nature du triangle $M_0M_1M_2$. Placer le point M_1 dans le plan complexe.

5° Déterminer l'affixe du centre de gravité G du triangle $M_0M_1M_2$.

8.13 Soit $z \in \mathbb{C}$. On considère les points M, N et P du plan complexe d'affixes respectives z, z^2 et z^3.

1° Pour quelles valeurs de z, deux au moins des trois points M, N et P sont-ils confondus ?

Dorénavant, on suppose que les points M, N et P sont distincts deux à deux.

2° Calculer MN et MP en fonction de z.

3° On pose $z = x + \mathrm{i}y$, avec $x \in \mathbb{R}$ et $y \in \mathbb{R}$.

a) Déterminer l'ensemble $\mathscr{E}$ des points M du plan tels que $MN = MP$.
Représenter $\mathscr{E}$ dans le plan.

b) Soit A le point du plan complexe d'affixe -1.
Montrer que $MN = MP$ si, et seulement si, $AM = 1$.
Retrouver le résultat précédent.

4° Déterminer l'ensemble $\mathscr{F}$ des points M du plan tels que le triangle MNP soit rectangle en M.
Représenter $\mathscr{F}$ dans le plan.

5° Soit $z = -1 + \mathrm{i}$.

a) Écrire sous forme algébrique les nombres complexes z^2 et z^3.
Placer M, N et P dans le plan complexe.

b) Que peut-on constater ? Justifier la réponse.

♦ **8.14** Soient A et B les points du plan complexe d'affixes respectives :

$$z_A = 2\sqrt{2} - 2\sqrt{2}\,\mathrm{i} \quad \text{et} \quad z_B = -2 + 2\sqrt{3}\,\mathrm{i}.$$

1° Calculer le module et un argument des nombres complexes z_A et z_B.

2° Faire une figure que l'on complètera au fur et à mesure.

3° Soit M le point du plan complexe d'affixe :

$$z = z_A + z_B.$$

a) Quelle est la nature du quadrilatère $OAMB$?

b) En déduire un argument de z.

c) Calculer $|z|$.

d) Déduire des questions précédentes la valeur exacte de :

$$\cos\frac{5\pi}{24} \quad \text{et} \quad \sin\frac{5\pi}{24}.$$

8.1 $z = \dfrac{5 + 11\mathrm{i}\sqrt{3}}{7 - 4\mathrm{i}\sqrt{3}}$

$= \dfrac{(5 + 11\mathrm{i}\sqrt{3})(7 + 4\mathrm{i}\sqrt{3})}{49 + 48}$

(En multipliant le numérateur et le dénominateur par le nombre conjugué du dénominateur.)

$= \dfrac{-97 + 97\mathrm{i}\sqrt{3}}{97}$

$= -1 + \mathrm{i}\sqrt{3}.$

Par conséquent,

$$|z| = \sqrt{(-1)^2 + (\sqrt{3})^2} = 2.$$

Posons $\theta = \arg z$, avec $\theta \in]-\pi, \pi]$:

$$\cos\theta = -\frac{1}{2} \quad \text{et} \quad \sin\theta = \frac{\sqrt{3}}{2}\ ;$$

donc : $\theta = \dfrac{2\pi}{3}.$

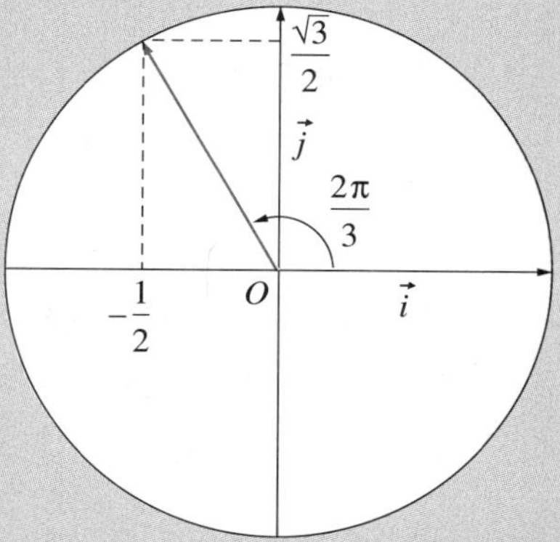

En conclusion, $z = \left[2, \dfrac{2\pi}{3}\right]$

ou encore $z = 2\mathrm{e}^{\mathrm{i}\frac{2\pi}{3}}.$

8.2 **1°** $|z_1| = |z_2| = 2.$
Posons $\theta_1 = \arg z_1$ et $\theta_2 = \arg z_2$, avec $-\pi < \theta_1 \leqslant \pi$ et $-\pi < \theta_2 \leqslant \pi$.

$\cos\theta_1 = \sin\theta_1 = \dfrac{\sqrt{2}}{2}$; donc $\theta_1 = \dfrac{\pi}{4}.$

$\cos\theta_2 = \dfrac{1}{2}$ et $\sin\theta_2 = \dfrac{\sqrt{3}}{2}$; donc $\theta_2 = \dfrac{\pi}{3}.$

Par conséquent :

$$z_1 = \left[2, \frac{\pi}{4}\right] \quad \text{et} \quad z_2 = \left[2, \frac{\pi}{3}\right].$$

2° D'après la formule de Moivre, si $z = [\rho, \theta]$ alors $z^n = [\rho^n, n\theta]$ pour tout entier relatif n $(\rho \neq 0)$.

Par conséquent, $z_1^3 = \left[8, \dfrac{3\pi}{4}\right]$ et $z_2^2 = \left[4, \dfrac{2\pi}{3}\right]$.

D'autre part, si $z = [\rho, \theta]$ et $z' = [\rho', \theta']$, alors $\dfrac{z}{z'} = \left[\dfrac{\rho}{\rho'}, \theta - \theta'\right]$ $(z' \neq 0)$.

On en déduit :

$$\frac{z_1^3}{z_2^2} = \left[\frac{8}{4}, \frac{3\pi}{4} - \frac{2\pi}{3}\right], \text{ soit } \frac{z_1^3}{z_2^2} = \left[2, \frac{\pi}{12}\right].$$

Remarque : on peut aussi utiliser la notation exponentielle.

$z_1 = 2e^{i\frac{\pi}{4}}$ et $z_2 = 2e^{i\frac{\pi}{3}}$;

donc $z_1^3 = \left(2e^{i\frac{\pi}{4}}\right)^3 = 8e^{i\frac{3\pi}{4}}$, $z_2^2 = \left(2e^{i\frac{\pi}{3}}\right)^2 = 4e^{2i\frac{\pi}{3}}$

et $\dfrac{z_1^3}{z_2^2} = \dfrac{8e^{i\frac{3\pi}{4}}}{4e^{2i\frac{\pi}{3}}} = 2e^{i\left(\frac{3\pi}{4} - \frac{2\pi}{3}\right)} = 2e^{i\frac{\pi}{12}}$.

3° $z_1^3 = 8\left(\cos\dfrac{3\pi}{4} + i\sin\dfrac{3\pi}{4}\right)$ et $z_2^2 = 4\left(\cos\dfrac{2\pi}{3} + i\sin\dfrac{2\pi}{3}\right)$

$= 8\left(-\dfrac{\sqrt{2}}{2} + i\dfrac{\sqrt{2}}{2}\right)$ $\qquad = 4\left(-\dfrac{1}{2} + i\dfrac{\sqrt{3}}{2}\right)$

$= -4\sqrt{2}(1 - i)$. $\qquad = -2(1 - i\sqrt{3})$.

On en déduit :

$$\begin{aligned}\frac{z_1^3}{z_2^2} &= \frac{-4\sqrt{2}(1-i)}{-2(1-i\sqrt{3})}\\ &= \frac{2\sqrt{2}(1-i)(1+i\sqrt{3})}{1+3}\\ &= \frac{2\sqrt{2}(1+i\sqrt{3}-i+\sqrt{3})}{4}\\ &= \frac{\sqrt{2}}{2}[1+\sqrt{3}+i(\sqrt{3}-1)].\end{aligned}$$

4° D'après les résultats obtenus aux questions **2°** et **3°**, on peut écrire :

$$2\left(\cos\frac{\pi}{12} + i\sin\frac{\pi}{12}\right) = \frac{\sqrt{2}}{2}[1+\sqrt{3}+i(\sqrt{3}-1)].$$

Or deux nombres complexes sont égaux si, et seulement si, ils ont la même partie réelle et la même partie imaginaire ; par conséquent :

$$2\cos\frac{\pi}{12} = \frac{\sqrt{2}+\sqrt{6}}{2} \quad \text{et} \quad 2\sin\frac{\pi}{12} = \frac{\sqrt{6}-\sqrt{2}}{2}.$$

On en déduit :

$$\cos\frac{\pi}{12} = \frac{\sqrt{2}+\sqrt{6}}{4} \quad \text{et} \quad \sin\frac{\pi}{12} = \frac{\sqrt{6}-\sqrt{2}}{4}.$$

8.3 **1°** Si $\theta \in \left]-\frac{\pi}{2}, \frac{\pi}{2}\right[$, tan θ est définie.

$$1 + \tan^2\theta = 1 + \frac{\sin^2\theta}{\cos^2\theta} = \frac{\cos^2\theta + \sin^2\theta}{\cos^2\theta} = \frac{1}{\cos^2\theta},$$

car $\cos^2\theta + \sin^2\theta = 1$ pour tout réel θ.

2° $|z_1| = \sqrt{1+\tan^2\theta} = \sqrt{\frac{1}{\cos^2\theta}} = \left|\frac{1}{\cos\theta}\right| = \frac{1}{\cos\theta}$,

car $\cos\theta > 0$ puisque $\theta \in \left]-\frac{\pi}{2}, \frac{\pi}{2}\right[$.

De la même façon, $|z_2| = \frac{1}{\cos\theta}$.

On en déduit : $\left|\frac{z_1}{z_2}\right| = \frac{|z_1|}{|z_2|} = 1$.

3° $z_1 = 1 + \mathrm{i}\tan\theta = \frac{1}{\cos\theta}(\cos\theta + \mathrm{i}\sin\theta)$.

$z_2 = 1 - \mathrm{i}\tan\theta = \frac{1}{\cos\theta}(\cos\theta - \mathrm{i}\sin\theta) = \frac{1}{\cos\theta}[\cos(-\theta) + \mathrm{i}\sin(-\theta)]$.

On en déduit que θ est un argument de z_1 et $(-\theta)$ un argument de z_2.

$\frac{z_1}{z_2}$ a donc pour argument le réel $\theta - (-\theta) = 2\theta$.

En conclusion :

$$z_1 = \left[\frac{1}{\cos\theta}, \theta\right]; \quad z_2 = \left[\frac{1}{\cos\theta}, -\theta\right]; \quad \frac{z_1}{z_2} = [1, 2\theta].$$

4° $\dfrac{z_1}{z_2} = \dfrac{1 + \mathrm{i} \tan \theta}{1 - \mathrm{i} \tan \theta} = \dfrac{(1 + \mathrm{i} \tan \theta)^2}{1 + \tan^2 \theta}$ (En utilisant l'expression conjuguée du dénominateur.)

$$= \frac{1 - \tan^2 \theta + 2\mathrm{i} \tan \theta}{1 + \tan^2 \theta}.$$

Or, d'après la question **3°**, $\dfrac{z_1}{z_2} = \cos 2\theta + \mathrm{i} \sin 2\theta.$

En identifiant les parties réelles et imaginaires des deux expressions de $\dfrac{z_1}{z_2}$, on obtient :

$$\cos 2\theta = \frac{1 - \tan^2 \theta}{1 + \tan^2 \theta} \quad \text{et} \quad \sin 2\theta = \frac{2 \tan \theta}{1 + \tan^2 \theta}.$$

8.4 **1°** $|z| = \sqrt{(-\sqrt{2})^2 + (-\sqrt{6})^2} = \sqrt{8} = 2\sqrt{2}.$

Soit θ l'argument de z tel que $-\pi < \theta \leqslant \pi$.

$$\cos \theta = \frac{-\sqrt{2}}{2\sqrt{2}} = -\frac{1}{2} \quad \text{et} \quad \sin \theta = \frac{-\sqrt{6}}{2\sqrt{2}} = \frac{-\sqrt{3}}{2}, \quad \text{donc} \quad \theta = \frac{-2\pi}{3}.$$

Donc $z = \left[2\sqrt{2}, \dfrac{-2\pi}{3}\right].$

2° En utilisant la formule de Moivre, on peut écrire :

$$z^{12} = \left[(2\sqrt{2})^{12}, \frac{-2\pi}{3} \times 12\right]$$
$$= [262\,144, -8\pi].$$

Par conséquent :

$$z^{12} = 262\,144\,[\cos(-8\pi) + \mathrm{i} \sin(-8\pi)]$$
$$= 262\,144.$$

8.5 **1°** *a)* $z^2 = (x + \mathrm{i}y)^2 = x^2 - y^2 + 2\mathrm{i}xy.$

Les nombres complexes z^2 et $\sqrt{2} + \mathrm{i}\sqrt{2}$ sont égaux, donc ils ont même partie réelle et même partie imaginaire.

On en déduit :

$$\begin{cases} x^2 - y^2 = \sqrt{2} \\ xy = \dfrac{\sqrt{2}}{2}. \end{cases}$$

b) Puisque $z^2=\sqrt{2}+i\sqrt{2}$, on en déduit :

$$|z^2|=|\sqrt{2}+i\sqrt{2}|.$$

Or : $\quad |z^2|=|z|^2=x^2+y^2 \quad$ et $\quad |\sqrt{2}+i\sqrt{2}|=2.$

Donc, $x^2+y^2=2.$

c) Les réels x et y vérifient donc le système :

$$\begin{cases} x^2-y^2=\sqrt{2} & (1) \\ x^2+y^2=2 & (2) \\ xy=\dfrac{\sqrt{2}}{2}. & (3) \end{cases}$$

En additionnant, membre à membre, les égalités (1) et (2), on obtient :

$$2x^2=2+\sqrt{2}, \quad \text{d'où} \quad x^2=1+\frac{\sqrt{2}}{2}.$$

On en déduit $y^2=1-\dfrac{\sqrt{2}}{2}$.

L'égalité (3) montre que x et y ont le même signe puisque le produit xy est positif.

En conséquence :

$$\text{si} \quad x=\sqrt{1+\frac{\sqrt{2}}{2}}, \quad \text{alors} \quad y=\sqrt{1-\frac{\sqrt{2}}{2}},$$

et

$$\text{si} \quad x=-\sqrt{1+\frac{\sqrt{2}}{2}}, \quad \text{alors} \quad y=-\sqrt{1-\frac{\sqrt{2}}{2}}.$$

Les solutions de l'équation $z^2=\sqrt{2}+i\sqrt{2}$ sont donc les nombres complexes :

$$z_1=\sqrt{1+\frac{\sqrt{2}}{2}}+i\sqrt{1-\frac{\sqrt{2}}{2}}$$

et

$$z_2=-z_1=-\left(\sqrt{1+\frac{\sqrt{2}}{2}}+i\sqrt{1-\frac{\sqrt{2}}{2}}\right).$$

2° *a*) Soit α un argument de $\sqrt{2}+i\sqrt{2}$, avec $-\pi<\alpha\leqslant\pi$.

On obtient :

$$\cos\alpha=\frac{\sqrt{2}}{2} \quad \text{et} \quad \sin\alpha=\frac{\sqrt{2}}{2}\ ; \quad \text{donc} \quad \alpha=\frac{\pi}{4}.$$

b) D'après la formule de Moivre :

$$z^2=[\rho^2, 2\theta].$$

c) Les nombres complexes $z^2 = [\rho^2, 2\theta]$ et $\sqrt{2} + i\sqrt{2} = \left[2, \frac{\pi}{4}\right]$ sont égaux ; donc :

$$\begin{cases} \rho^2 = 2 \\ 2\theta = \frac{\pi}{4} + 2k\pi, \text{ avec } k \in \mathbb{Z}. \end{cases}$$

On en déduit :

$$\rho = \sqrt{2} \quad (\text{car } \rho > 0) \quad \text{et} \quad \theta = \frac{\pi}{8} + k\pi.$$

Les solutions de l'équation sont donc les nombres complexes :

$$z'_1 = \left[\sqrt{2}, \frac{\pi}{8}\right] \quad \text{et} \quad z'_2 = \left[\sqrt{2}, \frac{9\pi}{8}\right].$$

d) $\frac{\pi}{8} \in \left]0, \frac{\pi}{2}\right[$; donc $\cos\frac{\pi}{8} > 0$ et $\sin\frac{\pi}{8} > 0$.

On en déduit que z'_1 possède une partie réelle et une partie imaginaire positive ; donc $z'_1 = z_1$.

En identifiant les parties réelle et imaginaire, on obtient :

$$\sqrt{2}\cos\frac{\pi}{8} = \sqrt{1 + \frac{\sqrt{2}}{2}} \quad \text{et} \quad \sqrt{2}\sin\frac{\pi}{8} = \sqrt{1 - \frac{\sqrt{2}}{2}}.$$

Finalement :

$$\cos\frac{\pi}{8} = \sqrt{\frac{1}{2} + \frac{\sqrt{2}}{4}} \quad \text{et} \quad \sin\frac{\pi}{8} = \sqrt{\frac{1}{2} - \frac{\sqrt{2}}{4}}.$$

8.6 **1°** D'après la formule de Moivre :

$$(\cos a + i \sin a)^5 = \cos 5a + i \sin 5a.$$

D'autre part, $(a+b)^5 = a^5 + 5a^4 b + 10a^3 b^2 + 10a^2 b^3 + 5ab^4 + b^5$.

On en déduit :

$$(\cos a + i \sin a)^5 = \cos^5 a - 10\cos^3 a \sin^2 a + 5\cos a \sin^4 a + i(5\cos^4 a \sin a - 10\cos^2 a \sin^3 a + \sin^5 a).$$

En identifiant les parties réelle et imaginaire, on obtient :

$$\cos 5a = \cos^5 a - 10\cos^3 a \sin^2 a + 5\cos a \sin^4 a.$$

Or, $\sin^2 a = 1 - \cos^2 a$.

Donc :

$$\cos 5a = \cos^5 a - 10\cos^3 a\,(1 - \cos^2 a) + 5\cos a\,(1 - \cos^2 a)^2$$
$$= 16\cos^5 a - 20\cos^3 a + 5\cos a,$$

après développement et réduction.

2° Soit $a = \frac{\pi}{10}$.

D'après la question **1°**, on peut écrire :

$$\cos\frac{5\pi}{10} = 16\cos^5\frac{\pi}{10} - 20\cos^3\frac{\pi}{10} + 5\cos\frac{\pi}{10}.$$

Or, $\cos\frac{5\pi}{10} = \cos\frac{\pi}{2} = 0$;

donc :

$$16\cos^5\frac{\pi}{10} - 20\cos^3\frac{\pi}{10} + 5\cos\frac{\pi}{10} = 0 ;$$

$\cos\frac{\pi}{10}$ est donc une solution de l'équation $16x^5 - 20x^3 + 5x = 0$,

ou encore $x(16x^4 - 20x^2 + 5) = 0$.

D'autre part, $\cos\frac{\pi}{10} \neq 0$; donc $\cos\frac{\pi}{10}$ est une solution de l'équation :

$$16x^4 - 20x^2 + 5 = 0.$$

Il s'agit d'une équation bicarrée.

Posons $X = x^2$; on obtient :

$$16X^2 - 20X + 5 = 0.$$

Cette dernière équation admet pour solutions les réels :

$$X_1 = \frac{5-\sqrt{5}}{8} \quad \text{et} \quad X_2 = \frac{5+\sqrt{5}}{8} \quad (X_1 > 0 \text{ et } X_2 > 0).$$

De l'égalité $X = x^2$; on tire :

$$x_1 = -\sqrt{\frac{5-\sqrt{5}}{8}}, \quad x_2 = \sqrt{\frac{5-\sqrt{5}}{8}}, \quad x_3 = -\sqrt{\frac{5+\sqrt{5}}{8}}, \quad x_4 = \sqrt{\frac{5+\sqrt{5}}{8}}.$$

$\cos\frac{\pi}{5}$ est donc égal à l'un de ces quatre réels. $\cos\frac{\pi}{5} > 0$; on peut donc exclure x_1 et x_3. De plus $0 < \frac{\pi}{5} < \frac{\pi}{4}$; donc $\cos\frac{\pi}{5} > \cos\frac{\pi}{4}$, car la fonction $x \mapsto \cos x$ est décroissante sur $\left[0, \frac{\pi}{2}\right]$.

Il reste donc à comparer les réels positifs x_2 et x_4 à $\frac{\sqrt{2}}{2} = \cos\frac{\pi}{4}$.

Or, $x_2^2 < \left(\frac{\sqrt{2}}{2}\right)^2$; donc $\cos\frac{\pi}{10} = \sqrt{\frac{5+\sqrt{5}}{8}}$.

8.7 **1°** $z^2 - 3z + 13 = 0$.

$\Delta = (-3)^2 - 4 \times 13 = -43 = (i\sqrt{43})^2$.

L'équation possède donc deux racines conjuguées :

$$z_1 = \frac{3 + i\sqrt{43}}{2} \quad \text{et} \quad z_2 = \frac{3 - i\sqrt{43}}{2}.$$

2° $z^2 - (2\sin\theta)z + \tan^2\theta = 0$.

$$\begin{aligned}
\Delta &= (-2\sin\theta)^2 - 4\tan^2\theta = 4(\sin^2\theta - \tan^2\theta) \\
&= 4\left(\sin^2\theta - \frac{\sin^2\theta}{\cos^2\theta}\right) = 4\,\frac{\sin^2\theta}{\cos^2\theta}\,(\cos^2\theta - 1) \\
&= 4\,\frac{\sin^2\theta}{\cos^2\theta}\,(-\sin^2\theta) = 4i^2\,\frac{\sin^4\theta}{\cos^2\theta} \\
&= \left[2i\,\frac{\sin^2\theta}{\cos\theta}\right]^2.
\end{aligned}$$

■ Si $\theta \neq 0$, $\Delta \neq 0$, donc l'équation possède deux racines conjuguées :

$$z_1 = \frac{1}{2}\left(2\sin\theta + 2i\,\frac{\sin^2\theta}{\cos\theta}\right) = \sin\theta + i\,\frac{\sin^2\theta}{\cos\theta} = \sin\theta(1 + i\tan\theta).$$

$z_2 = \sin\theta(1 - i\tan\theta)$.

■ Si $\theta = 0$, l'équation possède une solution unique : $z = 0$.

■ Si $\theta \neq 0$,

$$|z_1| = |z_2| = \sqrt{\sin^2\theta + \frac{\sin^4\theta}{\cos^2\theta}} = \sqrt{\frac{\sin^2\theta(\cos^2\theta + \sin^2\theta)}{\cos^2\theta}}.$$

Or, $\cos^2\theta + \sin^2\theta = 1$,

donc $|z_1| = |z_2| = \sqrt{\dfrac{\sin^2\theta}{\cos^2\theta}} = |\tan\theta|$.

3° $z^2 + 2\lambda z(1 + \cos\theta)\cos\theta + \lambda^2(1 + \cos\theta)^2 = 0$.

$$\begin{aligned}
\Delta &= [2\lambda(1 + \cos\theta)\cos\theta]^2 - 4\lambda^2(1 + \cos\theta)^2 \\
&= 4\lambda^2(1 + \cos\theta)^2\cos^2\theta - 4\lambda^2(1 + \cos\theta)^2 \\
&= 4\lambda^2(1 + \cos\theta)^2(\cos^2\theta - 1) \\
&= -4\lambda^2(1 + \cos\theta)^2\sin^2\theta, \quad \text{car } \cos^2\theta - 1 = -\sin^2\theta \\
&= [2i\lambda(1 + \cos\theta)\sin\theta]^2.
\end{aligned}$$

Puisque $\lambda > 0$ et $\theta \in \left]0, \frac{\pi}{2}\right[$, le discriminant Δ est non nul.

L'équation possède donc deux racines conjuguées :

$$z_1 = \frac{-2\lambda(1+\cos\theta)\cos\theta - 2i\lambda(1+\cos\theta)\sin\theta}{2}$$

$$= -\lambda(1+\cos\theta)(\cos\theta + i\sin\theta)\,;$$

et $$z_2 = -\lambda(1+\cos\theta)(\cos\theta - i\sin\theta).$$

Remarquons que z_1 peut encore s'écrire :

$$z_1 = \lambda(1+\cos\theta)(-\cos\theta - i\sin\theta)$$

$$= \lambda(1+\cos\theta)\,[\cos(\theta-\pi) + i\sin(\theta-\pi)].$$

Puisque $\lambda(1+\cos\theta) > 0$ et $\theta \in \left]0, \frac{\pi}{2}\right[$, $|z_1| = \lambda(1+\cos\theta)$ et l'argument principal de z_1 est $\theta-\pi$, car $\theta - \pi \in \left]-\pi, -\frac{\pi}{2}\right[$.

De la même façon, $|z_2| = \lambda(1+\cos\theta)$ et l'argument principal de z_2 est $\pi - \theta$.

8.8 **1°** $P(\bar{z}_0) = \bar{z}_0^4 - \bar{z}_0^3 + \bar{z}_0^2 + 2.$

Or, $(\bar{z}_0)^n = (\overline{z_0^n})$,

donc :

$$P(\bar{z}_0) = (\overline{z_0^4}) - (\overline{z_0^3}) + (\overline{z_0^2}) + 2 = \overline{z_0^4 - z_0^3 + z_0^2 + 2} = \overline{P(z_0)}.$$

2° Si z_0 est racine de P, alors $P(z_0) = 0$, donc $\overline{P(z_0)} = 0$; par conséquent $P(\bar{z}_0) = 0$, ce qui prouve que $\bar{z}_0$ est racine de P.

3° $P(1+i) = (1+i)^4 - (1+i)^3 + (1+i)^2 + 2.$

Or, $(1+i)^2 = 2i$, donc $(1+i)^3 = 2i - 2$ et $(1+i)^4 = -4$.

On en déduit :

$$P(1+i) = -4 - (2i-2) + 2i + 2 = 0.$$

4° D'après la question **2°**, $1 - i$ est également racine de P ; puisque $\deg P = 4$, on peut donc écrire :

$$P(z) = [z-(1+i)][z-(1-i)](az^2+bz+c)$$

$$= (z^2 - 2z + 2)(az^2 + bz + c)$$

$$= az^4 + (b-2a)z^3 + (c-2b+2a)z^2 + (2b-2c)z + 2c.$$

En identifiant les coefficients de même degré, on obtient :

$$a = 1\,;\quad b - 2a = -1\,;\quad c - 2b + 2a = 1\,;\quad 2b - 2c = 0 \quad \text{et} \quad 2c = 2.$$

Par conséquent, $a = b = c = 1$.

On en déduit :

$$P(z) = (z^2 - 2z + 2)(z^2 + z + 1).$$

5° $P(z) = 0$ si, et seulement si :

$$(z^2 - 2z + 2)(z^2 + z + 1) = 0.$$

Soit, $z^2 - 2z + 2 = 0$ ou $z^2 + z + 1 = 0$.

- $z^2 - 2z + 2$ a pour racines $1 + \mathrm{i}$ et $1 - \mathrm{i}$ d'après la question **4°**.
- $z^2 + z + 1 = 0$; $\Delta = -3 = (\mathrm{i}\sqrt{3})^2$.

Donc :

$$z = \frac{-1 + \mathrm{i}\sqrt{3}}{2} \quad \text{ou} \quad z = \frac{-1 - \mathrm{i}\sqrt{3}}{2}.$$

En résumé, l'équation $P(z) = 0$ possède quatre solutions :

$$z_1 = 1 + \mathrm{i}, \quad z_2 = 1 - \mathrm{i}, \quad z_3 = \frac{-1 + \mathrm{i}\sqrt{3}}{2} \quad \text{et} \quad z_4 = \frac{-1 - \mathrm{i}\sqrt{3}}{2}.$$

8.9 **1°** $z_0 = \left[1, \frac{2\pi}{5}\right]$; donc, d'après la formule de Moivre :

$$z_0^5 = \left[1^5, \frac{2\pi}{5} \times 5\right] = [1, 2\pi].$$

Par conséquent, $z_0^5 = \cos 2\pi + \mathrm{i} \sin 2\pi = 1$.

z_0 est donc solution de l'équation $z^5 - 1 = 0$.

2° $(z - 1)(1 + z + z^2 + z^3 + z^4) = z + z^2 + z^3 + z^4 + z^5 - 1 - z - z^2 - z^3 - z^4$
$= z^5 - 1.$

3° $z^5 - 1 = 0$, si et seulement si, $(z - 1)(1 + z + z^2 + z^3 + z^4) = 0$.
Soit, $z - 1 = 0$ ou $1 + z + z^2 + z^3 + z^4 = 0$.
Or, $z_0 \neq 1$; donc z_0 est solution de l'équation $1 + z + z^2 + z^3 + z^4 = 0$.
Or :

$$1 + z + z^2 + z^3 + z^4 = z^2\left(\frac{1}{z^2} + \frac{1}{z} + 1 + z + z^2\right) \quad \text{si } z \neq 0.$$

Donc, puisque $z_0 \neq 0$, on peut écrire que z_0 est solution de l'équation :

$$\left(z^2 + \frac{1}{z^2}\right) + \left(z + \frac{1}{z}\right) + 1 = 0.$$

4° $Z = z + \frac{1}{z}$, donc :

$$Z^2 = \left(z + \frac{1}{z}\right)^2 = z^2 + 2 + \frac{1}{z^2}.$$

L'équation précédente peut donc s'écrire :

$$(Z^2-2)+Z+1=0, \text{ soit } Z^2+Z-1=0 \quad (E).$$

5° $\Delta=5$, l'équation (E) possède donc deux racines réelles distinctes :

$$Z_1=\frac{-1+\sqrt{5}}{2} \quad \text{et} \quad Z_2=\frac{-1-\sqrt{5}}{2}.$$

6° D'après ce qui précède, z_0 est solution de l'une des deux équations :

$$z+\frac{1}{z}=Z_1 \quad \text{ou} \quad z+\frac{1}{z}=Z_2.$$

Soit : $$z^2-Z_1z+1=0 \quad \text{ou} \quad z^2-Z_2z+1=0.$$

■ $z^2+\left(\dfrac{1-\sqrt{5}}{2}\right)z+1=0.$

$$\Delta=\left(\frac{1-\sqrt{5}}{2}\right)^2-4$$
$$=\left(\frac{3-\sqrt{5}}{2}\right)-4$$
$$=-\left(\frac{5+\sqrt{5}}{2}\right)$$
$$=\left[\mathrm{i}\sqrt{\frac{5+\sqrt{5}}{2}}\right]^2.$$

■ $z^2+\left(\dfrac{1+\sqrt{5}}{2}\right)z+1=0$

$$\Delta=\left(\frac{1+\sqrt{5}}{2}\right)^2-4$$
$$=\left(\frac{3+\sqrt{5}}{2}\right)-4$$
$$=-\left(\frac{5-\sqrt{5}}{2}\right)$$
$$=\left[\mathrm{i}\sqrt{\frac{5-\sqrt{5}}{2}}\right]^2.$$

On obtient :

$$z_1=\frac{-1+\sqrt{5}}{4}+\frac{\mathrm{i}}{2}\sqrt{\frac{5+\sqrt{5}}{2}}\ ; \qquad z_2=\frac{-1+\sqrt{5}}{4}-\frac{\mathrm{i}}{2}\sqrt{\frac{5+\sqrt{5}}{2}}\ ;$$

$$z_3=\frac{-1-\sqrt{5}}{4}+\frac{\mathrm{i}}{2}\sqrt{\frac{5-\sqrt{5}}{2}}\ ; \qquad z_4=\frac{-1-\sqrt{5}}{4}-\frac{\mathrm{i}}{2}\sqrt{\frac{5-\sqrt{5}}{2}}.$$

D'autre part, $\mathrm{Re}(z_0)>0$ et $\mathrm{Im}(z_0)>0$, car $\cos\dfrac{2\pi}{5}>0$ et $\sin\dfrac{2\pi}{5}>0$.

La seule solution qui convient est donc z_1.

Par conséquent, $z_0=\dfrac{-1+\sqrt{5}}{4}+\dfrac{\mathrm{i}}{2}\sqrt{\dfrac{5+\sqrt{5}}{2}}$.

D'où : $$\cos\frac{2\pi}{5}=\frac{-1+\sqrt{5}}{4} \quad \text{et} \quad \sin\frac{2\pi}{5}=\frac{1}{2}\sqrt{\frac{5+\sqrt{5}}{2}}.$$

8.10 **1°** $\cos 4x \sin 3x = \left(\frac{e^{4ix}+e^{-4ix}}{2}\right)\left(\frac{e^{3ix}-e^{-3ix}}{2i}\right)$

$$= \frac{e^{7ix}+e^{-ix}-e^{ix}-e^{-7ix}}{4i}$$

$$= \frac{1}{2}\left[\left(\frac{e^{7ix}-e^{-7ix}}{2i}\right)-\left(\frac{e^{ix}-e^{-ix}}{2i}\right)\right]$$

$$= \frac{1}{2}(\sin 7x - \sin x).$$

2° $\cos x(\cos 3x - \sin 5x)$

$$= \left(\frac{e^{ix}+e^{-ix}}{2}\right)\left(\frac{e^{3ix}+e^{-3ix}}{2} - \frac{e^{5ix}-e^{-5ix}}{2i}\right)$$

$$= \frac{e^{4ix}+e^{2ix}+e^{-2ix}+e^{-4ix}}{4} - \frac{e^{6ix}+e^{4ix}-e^{-4ix}-e^{-6ix}}{4i}$$

$$= \frac{1}{2}\left[\frac{e^{4ix}+e^{-4ix}}{2} + \frac{e^{2ix}+e^{-2ix}}{2} - \frac{e^{6ix}-e^{-6ix}}{2i} - \frac{e^{4ix}-e^{-4ix}}{2i}\right]$$

$$= \frac{1}{2}(\cos 4x + \cos 2x - \sin 6x - \sin 4x).$$

3° $\cos^3 x \sin 4x$

$$= \left(\frac{e^{ix}+e^{-ix}}{2}\right)^3\left(\frac{e^{4ix}-e^{-4ix}}{2i}\right)$$

$$= \left(\frac{e^{3ix}+3e^{2ix}e^{-ix}+3e^{ix}e^{-2ix}+e^{-3ix}}{8}\right)\left(\frac{e^{4ix}-e^{-4ix}}{2i}\right)$$

$$= \left(\frac{e^{3ix}+3e^{ix}+3e^{-ix}+e^{-3ix}}{8}\right)\left(\frac{e^{4ix}-e^{-4ix}}{2i}\right)$$

$$= \frac{e^{7ix}+3e^{5ix}+3e^{3ix}+e^{ix}-e^{-ix}-3e^{-3ix}-3e^{-5ix}-e^{-7ix}}{16i}$$

$$= \frac{1}{8}\left[\frac{e^{7ix}-e^{-7ix}}{2i} + 3\left(\frac{e^{5ix}-e^{-5ix}}{2i}\right) + 3\left(\frac{e^{3ix}-e^{-3ix}}{2i}\right) + \left(\frac{e^{ix}-e^{-ix}}{2i}\right)\right]$$

$$= \frac{1}{8}(\sin 7x + 3\sin 5x + 3\sin 3x + \sin x).$$

8.11 Posons $x = \frac{\pi}{24}$; A s'écrit : $\sin x \sin 7x$.

$$A = \left(\frac{e^{ix} - e^{-ix}}{2i}\right)\left(\frac{e^{7ix} - e^{-7ix}}{2i}\right) = \frac{e^{8ix} - e^{-6ix} - e^{6ix} + e^{-8ix}}{-4}$$

$$= -\frac{1}{2}\left[\left(\frac{e^{8ix} + e^{-8ix}}{2}\right) - \left(\frac{e^{6ix} + e^{-6ix}}{2}\right)\right] = -\frac{1}{2}(\cos 8x - \cos 6x).$$

$$= -\frac{1}{2}\left(\cos\frac{8\pi}{24} - \cos\frac{6\pi}{24}\right) = -\frac{1}{2}\left(\cos\frac{\pi}{3} - \cos\frac{\pi}{4}\right)$$

$$= -\frac{1}{2}\left(\frac{1}{2} - \frac{\sqrt{2}}{2}\right);\ \text{donc}\ \ A = \frac{\sqrt{2} - 1}{4}.$$

8.12 **1°** $|z_0| = \sqrt{9+3} = 2\sqrt{3} = |z_2|$.

Notons, respectivement, θ_0 et θ_2 un argument de z_0 et z_2, avec :

$$-\pi < \theta_0 \leqslant \pi \ \text{ et } \ -\pi < \theta_2 \leqslant \pi.$$

■ $\cos\theta_0 = \frac{3}{2\sqrt{3}} = \frac{\sqrt{3}}{2}$ et $\sin\theta_0 = \frac{-\sqrt{3}}{2\sqrt{3}} = -\frac{1}{2}$; donc $\theta_0 = -\frac{\pi}{6}$.

■ $\cos\theta_2 = \frac{\sqrt{3}}{2\sqrt{3}} = \frac{1}{2}$ et $\sin\theta_2 = \frac{3}{2\sqrt{3}} = \frac{\sqrt{3}}{2}$; donc $\theta_2 = \frac{\pi}{3}$.

2°

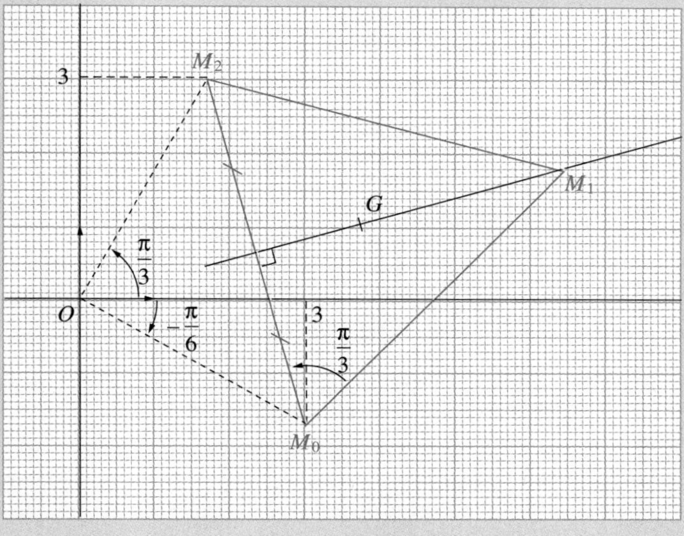

3° ■ Le vecteur $\overrightarrow{M_0 M_1}$ a pour affixe $z_1 - z_0$.

• $z_1 - z_0 = 2\sqrt{3} + 3 + i\sqrt{3} - 3 + i\sqrt{3} = 2\sqrt{3} + 2i\sqrt{3}$.

• $M_0 M_1 = |z_1 - z_0| = \sqrt{(2\sqrt{3})^2 + (2\sqrt{3})^2} = 2\sqrt{6}$.

• $z_1 - z_2 = 2\sqrt{3} + 3 + i\sqrt{3} - \sqrt{3} - 3i = (\sqrt{3} + 3) + i(\sqrt{3} - 3)$.

Donc, $M_2 M_1 = |z_1 - z_2| = \sqrt{(\sqrt{3} + 3)^2 + (\sqrt{3} - 3)^2} = 2\sqrt{6}$.

Par conséquent, $M_0 M_1 = M_2 M_1$, ce qui prouve que M_1 appartient à la médiatrice de $[M_0, M_2]$.

■ $M_0 M_2 = |z_2 - z_0| = |(\sqrt{3} - 3) + (\sqrt{3} + 3)i| = 2\sqrt{6}$.

4° $M_0 M_1 = M_0 M_2 = M_1 M_2$: le triangle $M_0 M_1 M_2$ est donc équilatéral.

5° Puisque G est centre de gravité de $M_0 M_1 M_2$:

$$\overrightarrow{GM_0} + \overrightarrow{GM_1} + \overrightarrow{GM_2} = \vec{0}.$$

Donc : $(z_0 - z_G) + (z_1 - z_G) + (z_2 - z_G) = 0$, en notant z_G l'affixe de G.

On en déduit :

$$\begin{aligned} z_G &= \frac{1}{3}(z_0 + z_1 + z_2) \\ &= \frac{1}{3}(3 - \sqrt{3}i + 2\sqrt{3} + 3 + i\sqrt{3} + \sqrt{3} + 3i) \\ &= 2 + \sqrt{3} + i. \end{aligned}$$

8.13 **1°** ■ $M = N$ si, et seulement si $z = z^2$, soit $z(z - 1) = 0$, ou encore $z = 0$ ou $z = 1$.

■ $M = P$ si, et seulement si $z = z^3$, soit $z(z^2 - 1) = 0$, d'où $z(z - 1)(z + 1) = 0$.
Par conséquent $z = 0$ ou $z = 1$ ou $z = -1$.

■ $N = P$ si, et seulement si $z^2 = z^3$, soit $z^2(z - 1) = 0$, donc $z = 0$ ou $z = 1$.

En conclusion, deux des trois points M, N et P sont confondus si, et seulement si : $z = 0$ ou $z = 1$ ou $z = -1$.

2° ■ $MN = |z^2 - z| = |z(z - 1)| = |z||z - 1|$.

■ $MP = |z^3 - z| = |z(z - 1)(z + 1)| = |z||z - 1||z + 1|$.

3° *a*) $MN = MP$ si, et seulement si : $|z||z - 1| = |z||z - 1||z + 1|$.
Soit $|z + 1| = 1$ puisque $z \neq 0$ et $z \neq 1$.
On en déduit $|(x + 1) + iy| = 1$, donc $(x + 1)^2 + y^2 = 1$.
On reconnaît l'équation du cercle de centre $A(-1, 0)$ et de rayon 1.
$\mathscr{E}$ est donc ce cercle privé du point O puisque $z \neq 0$.

b) $MN = MP$ si, et seulement si $|z+1| = 1$, d'après la question *a*).
Soit $AM = 1$.
M appartient donc au cercle de centre A et de rayon 1.

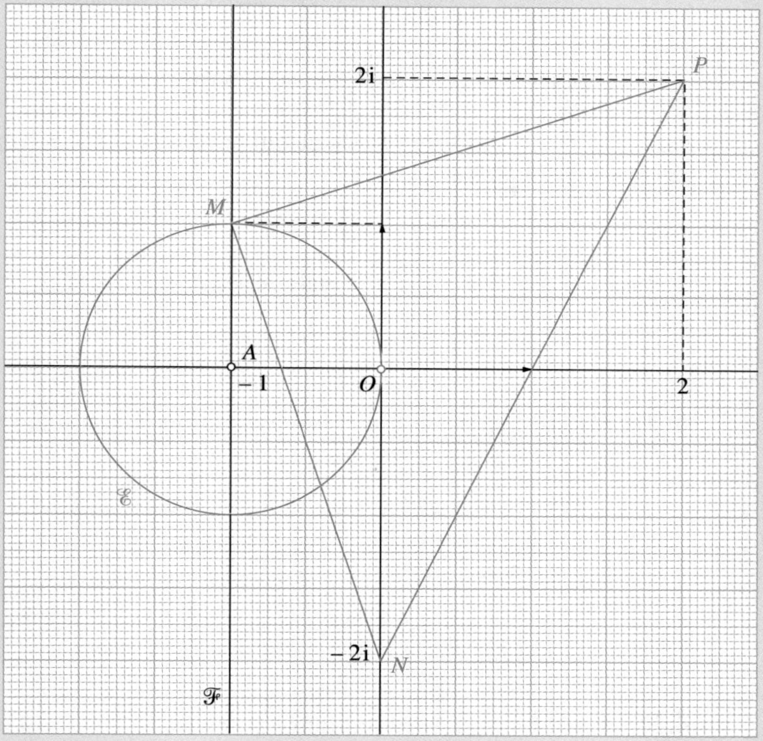

4° MNP est rectangle en M si, et seulement si $NP^2 = MN^2 + MP^2$.
Or, $NP^2 = |z^3 - z^2|^2 = |z^2|^2\,|z-1|^2$.

On obtient donc :

$$|z^2|^2\,|z-1|^2 = |z|^2\,|z-1|^2 + |z|^2\,|z-1|^2\,|z+1|^2.$$

Soit $|z|^2 = 1 + |z+1|^2$.

Si $z = x + \mathrm{i}y$, l'égalité précédente se traduit par $x^2 + y^2 = 1 + (x+1)^2 + y^2$, ou encore $2x + 2 = 0$, soit $x = -1$.

$\mathcal{F}$ est donc la droite d'équation $x = -1$ privée du point A.

5° *a*) $z^2 = (-1+\mathrm{i})^2 = -2\mathrm{i}$.
$z^3 = -2\mathrm{i}\,(-1+\mathrm{i}) = 2 + 2\mathrm{i}$.

b) Le triangle MNP est rectangle isocèle. Cela s'explique en remarquant que le point M appartient à la fois aux ensembles $\mathcal{E}$ et $\mathcal{F}$.

8.14 **1°** $|z_A| = 4$ et $|z_B| = 4$.

Notons $z_A = [4, \theta_A]$ et $z_B = [4, \theta_B]$, avec $-\pi < \theta_A \leqslant \pi$ et $-\pi < \theta_B \leqslant \pi$.

$$\cos \theta_A = \frac{2\sqrt{2}}{4} = \frac{\sqrt{2}}{2} \quad \text{et} \quad \sin \theta_A = -\frac{\sqrt{2}}{2},$$

donc $$\theta_A = -\frac{\pi}{4}.$$

$$\cos \theta_B = \frac{-2}{4} = -\frac{1}{2} \quad \text{et} \quad \sin \theta_B = \frac{2\sqrt{3}}{2} = \frac{\sqrt{3}}{2},$$

donc $$\theta_B = -\frac{2\pi}{3}.$$

2°

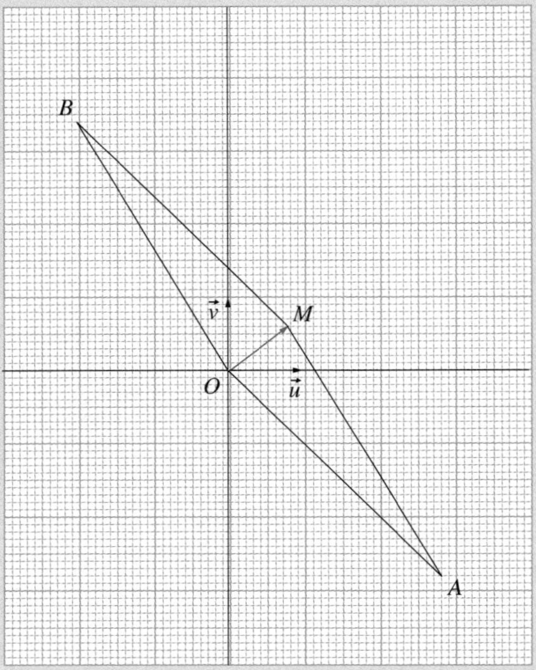

3° *a*) $z = z_A + z_B$, donc $\overrightarrow{OM} = \overrightarrow{OA} + \overrightarrow{OB}$: le quadrilatère $OAMB$ est donc un parallélogramme.

De plus, $OA = OB = 4$: $OAMB$ est un losange.

b) Puisque $OAMB$ est un losange, la droite (OM) est axe de symétrie de $OAMB$; par conséquent une mesure de $(\widehat{\overrightarrow{OA}, \overrightarrow{OM}})$ est $\frac{1}{2}(\overrightarrow{OA}, \overrightarrow{OB})$.

Or, en notant $(\overrightarrow{OA}, \overrightarrow{OB})$ une mesure de l'angle $(\widehat{\overrightarrow{OA}, \overrightarrow{OB}})$:

$$\begin{aligned}(\overrightarrow{OA}, \overrightarrow{OB}) &= (\overrightarrow{OA}, \vec{u}) + (\vec{u}, \overrightarrow{OB}) + 2k\pi, \quad \text{avec} \quad k \in \mathbb{Z} \\ &= (\vec{u}, \overrightarrow{OB}) - (\vec{u}, \overrightarrow{OA}) + 2k\pi \\ &= \frac{2\pi}{3} - \left(-\frac{\pi}{4}\right) + 2k\pi \\ &= \frac{11\pi}{12} + 2k\pi.\end{aligned}$$

On en déduit que :

$$(\overrightarrow{OA}, \overrightarrow{OM}) = \frac{11\pi}{24} + k\pi,$$

puis que :

$$\begin{aligned}(\vec{u}, \overrightarrow{OM}) &= \frac{11\pi}{24} + k\pi + (\vec{u}, \overrightarrow{OA}) \\ &= \frac{11\pi}{24} + k\pi + \left(-\frac{\pi}{4}\right) \\ &= \frac{5\pi}{24} + k\pi.\end{aligned}$$

Posons $z = [\rho, \theta]$, avec $-\pi < \theta \leqslant \pi$.

Alors : $$\theta = \frac{5\pi}{24} \quad \text{ou} \quad \theta = \frac{19\pi}{24}.$$

Or, $z = 2\sqrt{2} - 2 + (2\sqrt{3} - 2\sqrt{2})\text{i}$, donc $\text{Re}(z) > 0$.

En conséquence, $\theta = \dfrac{5\pi}{24}$ $\left(\text{car } \cos\dfrac{19\pi}{24} < 0\right)$.

c) $$\begin{aligned}|z| &= \sqrt{(2\sqrt{2} - 2)^2 + (2\sqrt{3} - 2\sqrt{2})^2} \\ &= \sqrt{32 - 8\sqrt{2} - 8\sqrt{6}} \\ &= 2\sqrt{8 - 2\sqrt{2} - 2\sqrt{6}}.\end{aligned}$$

d) $$\cos\theta = \frac{\text{Re}\,z}{|z|} = \frac{2(\sqrt{2} - 1)}{2\sqrt{8 - 2\sqrt{2} - 2\sqrt{6}}} \quad \text{et} \quad \sin\theta = \frac{\text{Im}\,z}{|z|} = \frac{2(\sqrt{3} - \sqrt{2})}{2\sqrt{8 - 2\sqrt{2} - 2\sqrt{6}}}.$$

Finalement :

$$\cos\frac{5\pi}{24} = \frac{\sqrt{2} - 1}{\sqrt{8 - 2\sqrt{2} - 2\sqrt{6}}} \quad \text{et} \quad \sin\frac{5\pi}{24} = \frac{\sqrt{3} - \sqrt{2}}{\sqrt{8 - 2\sqrt{2} - 2\sqrt{6}}}.$$

9

GÉOMÉTRIE DANS L'ESPACE

RÉSUMÉ DU COURS

Barycentre de deux ou plusieurs points pondérés (ou massifs)

■ Soient α et β deux réels tels que $\alpha + \beta \neq 0$ et A, B deux points. Le barycentre des deux points pondérés (A, α) et (B, β) est le point G défini par :

$$\alpha\overrightarrow{GA} + \beta\overrightarrow{GB} = \vec{0}.$$

■ Soient α, β et γ trois réels tels que $\alpha + \beta + \gamma \neq 0$ et A, B, C trois points. Le barycentre des trois points pondérés (A, α), (B, β) et (C, γ) est le point G défini par :

$$\alpha\overrightarrow{GA} + \beta\overrightarrow{GB} + \gamma\overrightarrow{GC} = \vec{0}.$$

■ Cette définition s'étend à $4, 5, \ldots, n$ points.

■ Lorsque les coefficients α, β, γ, ... sont égaux, G est appelé isobarycentre.

Produit scalaire dans le plan

■ Le produit scalaire du vecteur $\vec{u}$ par le vecteur $\vec{v}$ est le nombre réel noté $\vec{u} \cdot \vec{v}$ défini par :

$$\frac{1}{2}(\|\vec{u} + \vec{v}\|^2 - \|\vec{u}\|^2 - \|\vec{v}\|^2).$$

■ Deux vecteurs $\vec{u}$ et $\vec{v}$ sont orthogonaux si, et seulement si :

$$\vec{u} \cdot \vec{v} = 0.$$

■ Quels que soient les vecteurs $\vec{u}$ et $\vec{v}$, on a :

$$\vec{u} \cdot \vec{v} = \|\vec{u}\| \times \|\vec{v}\| \cos \theta,$$

θ étant une mesure de l'angle $(\vec{u}, \vec{v})$.

■ Quels que soient les vecteurs $\vec{u}, \vec{v}, \vec{w}$ et le réel k :

- $\vec{u} \cdot \vec{v} = \vec{v} \cdot \vec{u}$;
- $\vec{u} \cdot (\vec{v} + \vec{w}) = \vec{u} \cdot \vec{v} + \vec{u} \cdot \vec{w}$;
- $\vec{u} \cdot (k\vec{v}) = k(\vec{u} \cdot \vec{v})$;
- $\vec{u} \cdot \vec{u} = \vec{u}^2 = \|\vec{u}\|^2$.

■ Soient $(\vec{i}, \vec{j})$ une base orthonormale du plan, $\vec{u}(x, y)$ et $\vec{v}(x', y')$ deux vecteurs ; alors :

$$\vec{u} \cdot \vec{v} = xx' + yy'.$$

Relations métriques dans un triangle quelconque

■ $\hat{A} + \hat{B} + \hat{C} = \pi$;

■ $a^2 = b^2 + c^2 - 2bc \cos \hat{A}$;

■ $b^2 = a^2 + c^2 - 2ac \cos \hat{B}$;

■ $c^2 = a^2 + b^2 - 2ab \cos \hat{C}$;

■ $\dfrac{a}{\sin \hat{A}} = \dfrac{b}{\sin \hat{B}} = \dfrac{c}{\sin \hat{C}}$;

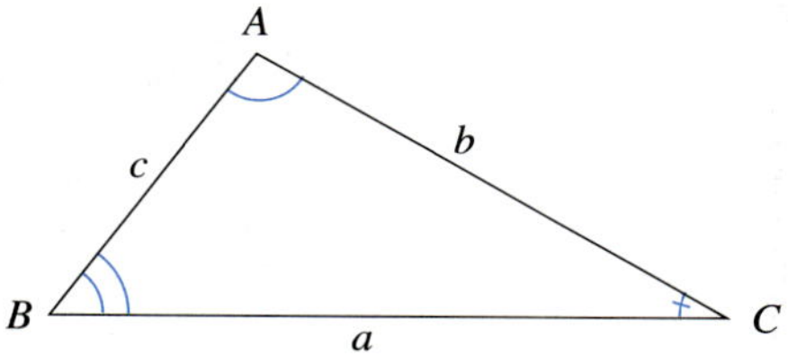

■ $S = \dfrac{1}{2} bc \sin \hat{A} = \dfrac{1}{2} ac \sin \hat{B} = \dfrac{1}{2} ab \sin \hat{C}$, où S représente l'aire du triangle ABC.

Calcul vectoriel dans l'espace

■ Soient O un point de l'espace et $\vec{i}, \vec{j}, \vec{k}$ trois vecteurs non coplanaires de l'espace. On dit que $(\vec{i}, \vec{j}, \vec{k})$ est une base de l'ensemble des vecteurs de l'espace et que $(O ; \vec{i}, \vec{j}, \vec{k})$ est un repère de l'espace.

■ Si $(\vec{i}, \vec{j}, \vec{k})$ est une base, pour tout vecteur $\vec{u}$ de l'espace, il existe un triplet unique (x, y, z) de réels tels que :

$$\vec{u} = x\vec{i} + y\vec{j} + z\vec{k} ;$$

x, y et z sont les coordonnées de $\vec{u}$ dans la base $(\vec{i}, \vec{j}, \vec{k})$.

■ Soient M un point de l'espace, $(O\,;\vec{i},\vec{j},\vec{k})$ un repère de l'espace et $\vec{u}$ le vecteur défini par $\overrightarrow{OM}=\vec{u}$.
Les coordonnées (x, y, z) du vecteur $\vec{u}$ dans la base $(\vec{i},\vec{j},\vec{k})$ sont les coordonnées du point M dans le repère $(O\,;\vec{i},\vec{j},\vec{k})$.

■ Deux vecteurs $\vec{u}(x, y, z)$ et $\vec{v}(x', y', z')$ de l'espace sont colinéaires si, et seulement si, leurs coordonnées sont proportionnelles.

■ Soient $A(x_A, y_A, z_A)$ et $B(x_B, y_B, z_B)$ deux points de l'espace.
Le vecteur $\overrightarrow{AB}$ a pour coordonnées :

$$(x_B-x_A, y_B-y_A, z_B-z_A),$$

et le milieu de $[A, B]$ a pour coordonnées :

$$\left(\frac{x_A+x_B}{2}, \frac{y_A+y_B}{2}, \frac{z_A+z_B}{2}\right).$$

■ Une base $(\vec{i},\vec{j},\vec{k})$ est orthonormale :

si : $\|\vec{i}\|=\|\vec{j}\|=\|\vec{k}\|=1$

et si : $\vec{i}\perp\vec{j},\ \vec{i}\perp\vec{k}$ et $\vec{j}\perp\vec{k}$;

un repère $(O\,;\vec{i},\vec{j},\vec{k})$ est orthonormal si la base $(\vec{i},\vec{j},\vec{k})$ est orthonormale.

■ Soient $(\vec{i},\vec{j},\vec{k})$ une base orthonormale, $\vec{u}(x, y, z)$ et $\vec{v}(x', y', z')$ deux vecteurs de l'espace, alors :

$$\|\vec{u}\|=\sqrt{x^2+y^2+z^2},$$

$$\vec{u}\cdot\vec{v}=xx'+yy'+zz'.$$

Produit vectoriel

L'espace est orienté et $(\vec{i},\vec{j},\vec{k})$ est une base orthonormale directe.

■ Le produit vectoriel de deux vecteurs $\vec{u}$ et $\vec{v}$ de l'espace est le vecteur noté $\vec{u}\wedge\vec{v}$ défini de la façon suivante :

■ Si $\vec{u}$ et $\vec{v}$ sont colinéaires, $\vec{u}\wedge\vec{v}=\vec{0}$.

■ Si $\vec{u}$ et $\vec{v}$ ne sont pas colinéaires :
- $\vec{u}\wedge\vec{v}$ est orthogonal à $\vec{u}$ et à $\vec{v}$;
- $(\vec{u}, \vec{v}, \vec{u}\wedge\vec{v})$ est une base de sens direct ;
- $\|\vec{u}\wedge\vec{v}\|=\|\vec{u}\|\times\|\vec{v}\|\times|\sin(\vec{u}, \vec{v})|$.

■ Si $\vec{u}$ et $\vec{v}$ ont respectivement pour coordonnées (x, y, z) et (x', y', z'), alors $\vec{u}\wedge\vec{v}$ a pour coordonnées :

$$(yz'-zy', zx'-xz', xy'-yx').$$

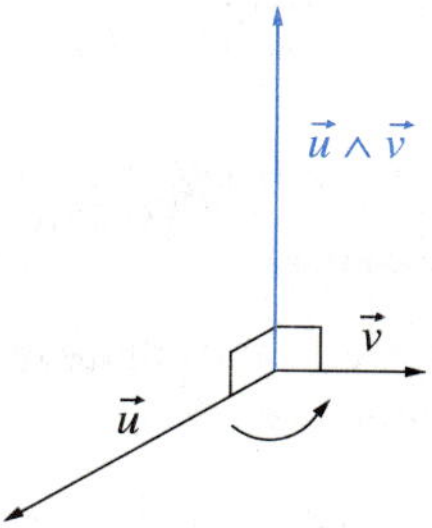

- $\vec{u} \wedge \vec{v} = -(\vec{v} \wedge \vec{u})$;
- $\vec{u} \wedge (k\vec{v}) = (k\vec{u}) \wedge \vec{v} = k(\vec{u} \wedge \vec{v}), \quad (k \in \mathbb{R})$;
- $\vec{u} \wedge (\vec{v} + \vec{w}) = \vec{u} \wedge \vec{v} + \vec{u} \wedge \vec{w}$.

L'aire d'un triangle ABC est :

$$S = \frac{1}{2} \| \overrightarrow{AB} \wedge \overrightarrow{AC} \|$$

Produit scalaire dans le plan

9.1 Soient A et B deux points du plan, I le milieu de $[A, B]$ et M un point quelconque du plan.

1° *a*) Montrer que : $MA^2 = IA^2 + IM^2 - 2\overrightarrow{IA} \cdot \overrightarrow{IM}$.

b) En déduire que : $MA^2 + MB^2 = 2IM^2 + \dfrac{AB^2}{2}$.

2° Soit $ABCD$ un losange dont les diagonales $[A, C]$ et $[B, D]$ mesurent respectivement 10 et 24 centimètres.
On considère le point M du demi-plan de frontière (AC) contenant B défini par $MA = 7$ et $MC = 4$.

a) Calculer OM, O étant le point d'intersection des diagonales du losange.

b) Calculer $\cos \widehat{COM}$. En déduire la valeur exacte de $\cos \widehat{BOM}$.

c) Calculer BM.

d) Exprimer DM^2 en fonction de AM^2, BM^2 et CM^2. En déduire la distance DM.

9.2 Soit ABC un triangle. On note $AB = c$, $AC = b$, $BC = a$ et O le centre du cercle (C) circonscrit au triangle ABC.

1° Soit C' le point de (C) diamétralement opposé à C.

a) Quelle est la nature du triangle BCC' ?

b) Comparer les angles $\widehat{BC'C}$ et $\widehat{BAC}$.

c) Déduire des questions précédentes que $\dfrac{a}{\sin \widehat{A}} = 2R$, où R est le rayon de (C).

2° Montrer que : $\dfrac{a}{\sin \widehat{A}} = \dfrac{b}{\sin \widehat{B}} = \dfrac{c}{\sin \widehat{C}} = 2R$.

3° Le plan étant rapporté à un repère orthonormé $(O\,;\vec{i}, \vec{j})$, on considère les points $A(-3, 1)$, $B(2, 4)$ et $C(3, -2)$.

a) Calculer $\overrightarrow{AB} \cdot \overrightarrow{AC}$. En déduire $\cos \widehat{A}$ puis $\sin \widehat{A}$.

b) Calculer le rayon du cercle circonscrit au triangle ABC.

♦ **9.3** $ABCD$ est un carré et ABE est un triangle équilatéral.

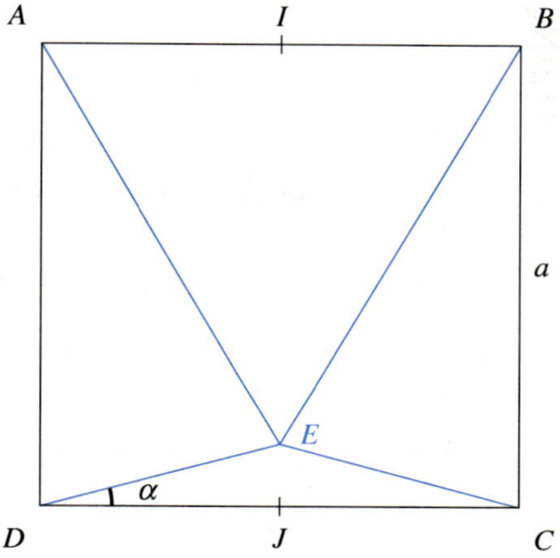

1° On note respectivement I et J les milieux de $[A, B]$ et $[C, D]$. Calculer JE en fonction de la longueur a du côté du carré.

2° On note α une mesure de l'angle $\widehat{CDE}$. Calculer $\tan\alpha$.

3° En déduire $\tan(2\alpha)$, puis α.

4° Quelle est la nature du triangle CDE ?

♦♦ **9.4** Soient ABC un triangle quelconque et M un point de $]B, C[$. On pose : $BC = a$, $AC = b$, $AB = c$, $AM = \alpha$, $BM = \beta$ et $CM = \gamma$.

1° Calculer $\cos\widehat{BMA}$ en fonction de c, α et β.

2° Calculer $\cos\widehat{CMA}$ en fonction de b, α et γ.

3° Montrer que $\cos\widehat{BMA} + \cos\widehat{CMA} = 0$, puis en déduire que :

$$a(\alpha^2 + \beta\gamma) = b^2\beta + c^2\gamma.$$

4° L'égalité est-elle encore vraie si M est confondu avec B ou C ?

5° *Application :* $a = 7$, $b = 6$, $c = 5$ et $\beta = 4$. Calculer α.

Barycentre de deux ou plusieurs points pondérés (ou massifs)

♦♦ **9.5** ABC étant un triangle équilatéral de côté a on se propose de déterminer l'ensemble des points M du plan vérifiant l'égalité :

$$MA^2 + 2MB^2 - 2MC^2 = k,$$

où k est une constante fixée.

1° Soit G le barycentre de $(A, 1)$, $(B, 2)$ et $(C, -2)$.
Exprimer $\overrightarrow{AG}$ en fonction de $\overrightarrow{BC}$, puis placer le point G sur la figure.

2° Montrer que l'égalité proposée peut s'écrire :

$$GM^2 = k - (GA^2 + 2GB^2 - 2GC^2).$$

3° Montrer que le triangle GBA est rectangle en B. En déduire GB^2 en fonction de a.

4° Calculer GC^2 en fonction de a.

5° En déduire GM^2 en fonction de k et a.

6° Déterminer, suivant les valeurs de k, l'ensemble des points M.

9.6 Une plaque homogène $ABCDE$ est formée par un rectangle $ABCD$ évidé selon un triangle ABE (*cf.* figure).

1° Déterminer l'isobarycentre des points A, B, C, D, E.

2° Déterminer le centre d'inertie I de la plaque.

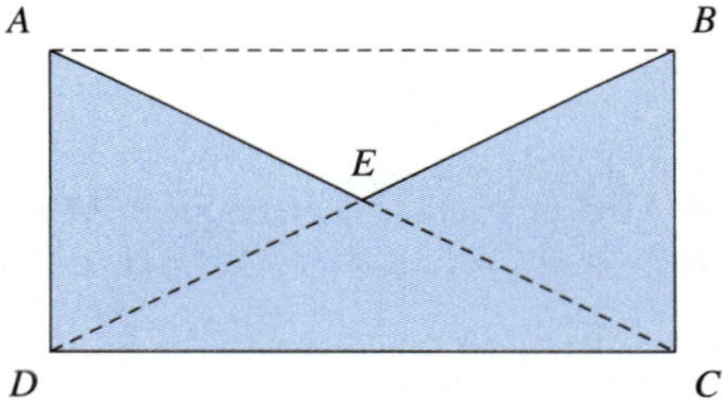

Géométrie dans l'espace

♦ **9.7** L'espace est rapporté à un repère orthonormal $(O\,;\vec{i}, \vec{j}, \vec{k})$.
Soient les points $A(-1, 2, 0)$, $B(1, -1, 2)$ et $C(0, -1, 3)$.

1° Faire une figure en perspective cavalière que l'on complètera au fur et à mesure. On prendra 0,5 cm pour unité sur l'axe $(O, \vec{i})$ et 1 cm pour unité sur les axes $(O, \vec{j})$ et $(O, \vec{k})$.

2° Montrer que les points A, B et C ne sont pas alignés.

3° Les points $D(3, 3, -1)$ et $E(-4, 5, 4)$ appartiennent-ils au plan (ABC) ?

4° Montrer que la droite (DE) n'est pas parallèle au plan (ABC).

5° On se propose de déterminer les coordonnées du point d'intersection F de (DE) avec le plan (ABC).

a) Soit $M(x, y, z)$ un point quelconque de (DE). En utilisant la relation $\overrightarrow{DM} = t\overrightarrow{DE}$ où $t \in \mathbb{R}$, calculer les coordonnées de M en fonction de t.

b) Soit $M(x, y, z)$ un point quelconque du plan (ABC).
En utilisant la relation $\overrightarrow{AM} = u\overrightarrow{AB} + v\overrightarrow{AC}$, avec $(u, v) \in \mathbb{R}^2$, calculer les coordonnées de M en fonction de u et v.

c) Déduire des questions précédentes les coordonnées du point F.

♦ **9.8** Soient ABC un triangle équilatéral de côté a, I le centre de son cercle circonscrit et (Δ) la perpendiculaire en I au plan (ABC).

1° Démontrer que, pour tout point M de (Δ), $MA = MB = MC$.

2° On considère un point S tel que $SABC$ soit un tétraèdre régulier. On note $\mathcal{P}$ le plan perpendiculaire à (SB) contenant le milieu J de $[S, B]$ (plan médiateur de $[S, B]$).

a) Faire une figure en perspective.

b) Montrer que, pour tout point M de $\mathcal{P}$, $MB = MS$.

c) Montrer que $\mathcal{P}$ et (Δ) sont sécants en un point O, centre de la sphère circonscrite au tétraèdre $SABC$.

d) Calculer, en fonction de a, le rayon R de cette sphère.

♦ **9.9** Soient ABC un triangle rectangle en A et isocèle, et (D) la perpendiculaire en C au plan (ABC). On pose $AB = a$ et on considère un point D de (D) tel que $CD = a\sqrt{2}$.

1° Calculer une mesure en radians de l'angle $\widehat{ADB}$.

2° Déterminer le centre O et le rayon R de la sphère (S) circonscrite au tétraèdre $ABCD$.

3° Soit P un point du segment $[A, C]$ tel que $CP = x$, avec $0 < x \leqslant \dfrac{a}{2}$.

Le plan (Π), perpendiculaire à (AC) contenant P, coupe (AD), (BD) et (BC) respectivement en Q, R et S et la sphère (S) suivant un cercle (Γ).

a) Calculer, en fonction de x, la distance $O\omega$ du point O au plan (Π).

b) Calculer, en fonction de x, le rayon r du cercle (Γ).

Produit vectoriel

♦♦ **9.10** Dans la figure ci-après, le tétraèdre $AIJK$ a été ôté du cube $ABCDEFGH$, d'arête a (a est en cm).

On pose : $AI = \dfrac{1}{4}a$, $AJ = \dfrac{1}{2}a$ et $AK = \dfrac{1}{3}a$.

1° Représenter la section du cube avec le plan (FIK).

On se place dorénavant dans le repère orthonormal direct $(E, \overrightarrow{EF}, \overrightarrow{EH}, \overrightarrow{EA})$.

2° On note N l'intersection des droites (IF) et (AB). En utilisant les triangles homothétiques IEF et IAN, calculer les coordonnées de N. En déduire les coordonnées du point L, intersection des droites (CD) et (KN).

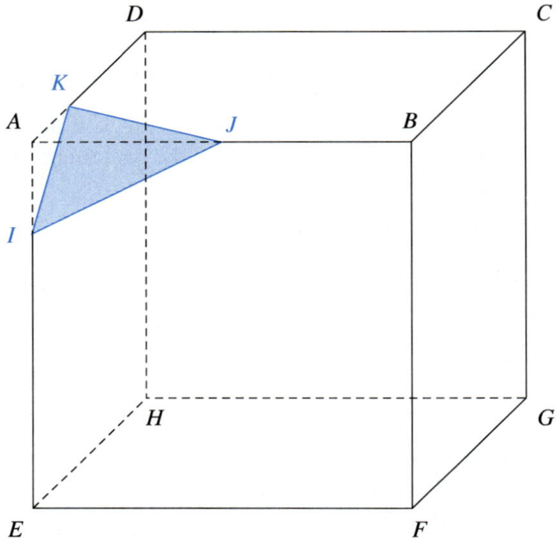

3° On note M le dernier sommet de la section du cube par le plan (FIK).

a) Montrer que les droites (LM) et (NF) sont parallèles.

b) Soit N', l'intersection de (CD) avec la parallèle à (NF) passant par G. En utilisant les triangles homothétiques CLM et $CN'G$, déterminer les coordonnées du point M.

4° Déterminer les coordonnées des vecteurs :

$$\overrightarrow{FI} \wedge \overrightarrow{FK} \ , \ \overrightarrow{FK} \wedge \overrightarrow{FL} \text{ et } \overrightarrow{FL} \wedge \overrightarrow{FM}.$$

5° Calculer l'aire du polygone $IKLMF$ en cm^2.

6° Calculer l'aire du triangle IJK.

7° On note P la projection orthogonale de A sur le plan (IJK).

a) Calculer $\overrightarrow{AI} \cdot (\overrightarrow{IJ} \wedge \overrightarrow{IK})$.

b) En déduire la distance AP, puis le volume du tétraèdre $AIJK$.

c) Calculer le volume du cube tronqué.

9.1 **1°** *a*) $\overrightarrow{MA} = \overrightarrow{IA} - \overrightarrow{IM}$,

donc : $$\overrightarrow{MA}^2 = (\overrightarrow{IA} - \overrightarrow{IM})^2 = \overrightarrow{IA}^2 - 2\overrightarrow{IA}\cdot\overrightarrow{IM} + \overrightarrow{IM}^2.$$

Or, $MA^2 = \overrightarrow{MA}^2$, $IA^2 = \overrightarrow{IA}^2$ et $IM^2 = \overrightarrow{IM}^2$.

Donc : $$MA^2 = IA^2 + IM^2 - 2\overrightarrow{IA}\cdot\overrightarrow{IM}.$$

b) À partir de la relation $\overrightarrow{MB} = \overrightarrow{IB} - \overrightarrow{IM}$, on obtient de façon analogue :

$$MB^2 = IB^2 + IM^2 - 2\overrightarrow{IB}\cdot\overrightarrow{IM}.$$

On en déduit :

$$\begin{aligned} MA^2 + MB^2 &= IA^2 + IM^2 - 2\overrightarrow{IA}\cdot\overrightarrow{IM} + IB^2 + IM^2 - 2\overrightarrow{IB}\cdot\overrightarrow{IM} \\ &= 2IM^2 + IA^2 + IB^2 - 2(\overrightarrow{IA} + \overrightarrow{IB})\cdot\overrightarrow{IM}. \end{aligned}$$

Or $\overrightarrow{IA} + \overrightarrow{IB} = \vec{0}$, car I est le milieu de $[A, B]$, et $IA^2 = IB^2 = \left(\frac{AB}{2}\right)^2$.

Finalement : $$MA^2 + MB^2 = 2IM^2 + \frac{AB^2}{2}.$$

Ce résultat est connu sous le nom de « théorème de la médiane » car il permet de calculer la longueur de la médiane $[I, M]$ du triangle ABM lors que l'on connaît les distances MA, MB et AB.

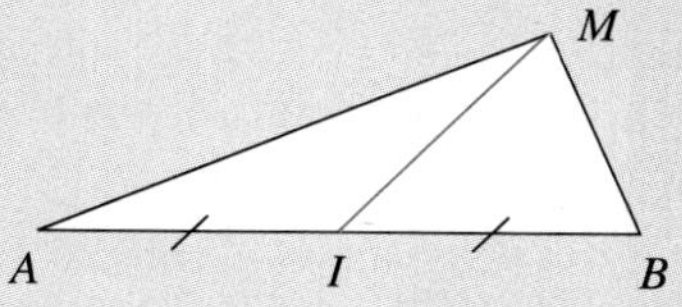

2° Le point M se trouve à l'intersection des cercles de centres A et C et respectivement de rayons 7 et 4 centimètres (ces deux cercles sont sécants car $AC < 7 + 4$). O est le milieu de $[A, C]$ et $[B, D]$ car $ABCD$ est un losange.

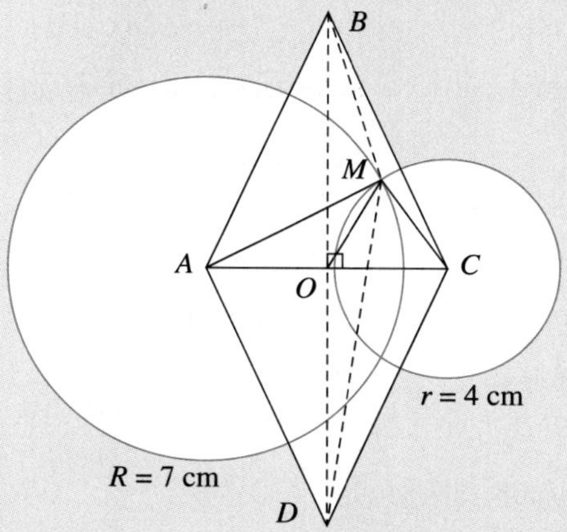

a) D'après le théorème de la médiane (*cf.* question **1**°) :

$$MA^2 + MC^2 = 2OM^2 + \frac{AC^2}{2}.$$

Donc : $$49 + 16 = 2OM^2 + 50,$$

soit : $$OM^2 = \frac{15}{2},$$

d'où : $$OM = \sqrt{\frac{15}{2}}.$$

b) • Dans le triangle OMC :

$$MC^2 = OM^2 + OC^2 - 2OM \times OC \cos \widehat{COM}.$$

$$16 = \frac{15}{2} + 25 - 2\sqrt{\frac{15}{2}} \times 5 \cos \widehat{COM}, \quad \text{car} \quad OC = \frac{AC}{2}.$$

On en déduit $\cos \widehat{COM} = \dfrac{-\dfrac{33}{2}}{-2\sqrt{\dfrac{15}{2}} \times 5} = \dfrac{33}{20}\sqrt{\dfrac{2}{15}}$;

soit, finalement, $\cos \widehat{COM} = \dfrac{11\sqrt{30}}{100}$.

• Les angles $\widehat{COM}$ et $\widehat{MOB}$ sont complémentaires car $\widehat{COB}$ est droit, et, puisque M appartient au demi-plan de frontière (BO) contenant C $(MC < MA)$:

$$\cos \widehat{MOB} = \cos\left(\frac{\pi}{2} - \widehat{COM}\right)$$
$$= |\sin \widehat{COM}|.$$

Or : $$\sin^2 \widehat{COM} + \cos^2 \widehat{COM} = 1.$$

Donc : $$\sin^2 \widehat{COM} = 1 - \frac{(11\sqrt{30})^2}{10\,000}$$
$$= \frac{637}{1\,000}.$$

Par conséquent : $$|\sin \widehat{COM}| = \sqrt{\frac{637}{1\,000}} = \frac{7}{10}\sqrt{\frac{13}{10}}.$$

En conclusion, $\cos \widehat{MOB} = \dfrac{7}{10}\sqrt{\dfrac{13}{10}}$.

c) Dans le triangle BOM :

$$BM^2 = OB^2 + OM^2 - 2OB \times OM \cos \widehat{BOM}$$

$$= 144 + \frac{15}{2} - 2 \times 12 \times \sqrt{\frac{15}{2}} \times \frac{7}{10}\sqrt{\frac{13}{10}}.$$

$$= \frac{303}{2} - \frac{84\sqrt{39}}{10}.$$

Finalement, $BM = \sqrt{\frac{303}{2} - \frac{84\sqrt{39}}{10}} = \sqrt{\frac{1\,515 - 84\sqrt{39}}{10}}.$

d) • D'après le théorème de la médiane :

$$MA^2 + MC^2 = 2OM^2 + \frac{AC^2}{2}.$$

Donc : $2OM^2 = MA^2 + MC^2 - 50$;

et : $MB^2 + MD^2 = 2OM^2 + \frac{BD^2}{2}$,

donc : $2OM^2 = MB^2 + MD^2 - 288.$

On en déduit : $MB^2 + MD^2 - 288 = MA^2 + MC^2 - 50,$
$MD^2 = MA^2 - MB^2 + MC^2 + 238.$

• Donc, $MD^2 = 49 - \left(\frac{1\,515 - 84\sqrt{39}}{10}\right) + 16 + 238 = \frac{1\,515 + 84\sqrt{39}}{10},$

d'où, $MD = \sqrt{\frac{1\,515 + 84\sqrt{39}}{10}}.$

9.2 Le centre O du cercle circonscrit au triangle ABC est le point d'intersection des médiatrices de ABC.

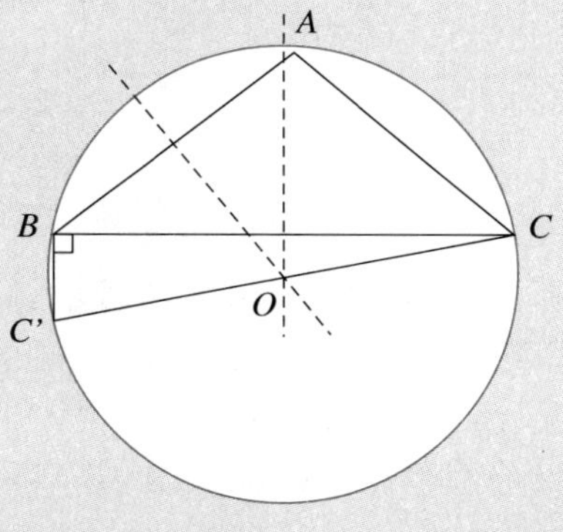

1° *a*) Le triangle BCC' est rectangle en B car il est inscrit dans un cercle de diamètre $[C, C']$.

b) Les angles inscrits $\widehat{BC'C}$ et $\widehat{BAC}$ qui interceptent le même arc $\widehat{BAC}$ sont égaux ou supplémentaires, donc $\sin \widehat{BC'C} = \sin \widehat{BAC}$.

c) Puisque le triangle $BC'C$ est rectangle en B on peut écrire :

$$\sin \widehat{BC'C} = \frac{BC}{C'C} = \frac{a}{2R},$$

puisque $[C', C]$ est un diamètre de (C).

Or $\sin \widehat{BC'C} = \sin \widehat{BAC}$, donc $\sin \widehat{BAC} = \frac{a}{2R}$, ou encore $\frac{a}{\sin \hat{A}} = 2R$, en notant $\hat{A}$ l'angle $\widehat{BAC}$.

2° En considérant les points A' et B' symétriques de A et B par rapport à O, on montre de la même façon que :

$$\frac{b}{\sin \hat{B}} = 2R \quad \text{et} \quad \frac{c}{\sin \hat{C}} = 2R.$$

Finalement, $\frac{a}{\sin \hat{A}} = \frac{b}{\sin \hat{B}} = \frac{c}{\sin \hat{C}} = 2R.$

3°

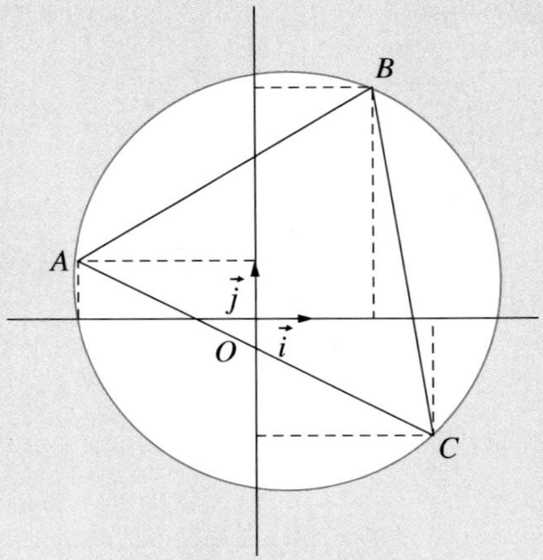

a) $\overrightarrow{AB}$ et $\overrightarrow{AC}$ ont respectivement pour coordonnées $(5, 3)$ et $(6, -3)$.
Donc, $\overrightarrow{AB} \cdot \overrightarrow{AC} = 5 \times 6 + 3 \times (-3) = 21$.
Or $\overrightarrow{AB} \cdot \overrightarrow{AC} = AB \times AC \cos \hat{A}$;
de plus, $AB = \sqrt{5^2 + 3^2} = \sqrt{34}$ et $AC = \sqrt{6^2 + 3^2} = \sqrt{45} = 3\sqrt{5}$.

On en déduit, $21 = 3\sqrt{5} \times \sqrt{34} \cos \widehat{A}$,

d'où, $\cos \widehat{A} = \dfrac{21}{3\sqrt{170}} = \dfrac{7}{\sqrt{170}}$.

De $\sin^2 \widehat{A} + \cos^2 \widehat{A} = 1$, on tire : $\sin^2 \widehat{A} = 1 - \left(\dfrac{7}{\sqrt{170}}\right)^2 = \dfrac{121}{170}$.

Par conséquent, $\sin \widehat{A} = \sqrt{\dfrac{121}{170}} = \dfrac{11}{\sqrt{170}}$ puisque $\sin \widehat{A} > 0$.

b) De $\dfrac{BC}{\sin \widehat{A}} = 2R$, on tire : $R = \dfrac{BC}{2 \sin \widehat{A}}$.

Or $BC = \sqrt{(-6)^2 + 1^2} = \sqrt{37}$;

donc : $$R = \frac{\sqrt{37} \times \sqrt{170}}{2 \times 11} = \frac{\sqrt{6\,290}}{22} ;$$

soit, approximativement, $R \approx 3{,}6$ cm.

9.3 **1°** I étant le milieu de $[A, B]$, (IE) est une hauteur, médiane et médiatrice du triangle équilatéral ABE et $IE = a\dfrac{\sqrt{3}}{2}$.

(IE) contient J car c'est un axe de symétrie du carré $ABCD$: I, E et J sont alignés dans cet ordre.
On en déduit :

$$EJ = IJ - IE = a - a\frac{\sqrt{3}}{2} = a\left(1 - \frac{\sqrt{3}}{2}\right).$$

2° (EJ) et (DC) sont perpendiculaires (*cf.* question **1°**), donc :

$$\tan \alpha = \frac{EJ}{DJ} = \frac{a\left(1 - \frac{\sqrt{3}}{2}\right)}{\frac{a}{2}},$$

d'où, l'on déduit $\tan \alpha = 2 - \sqrt{3}$.

3° $\tan(2\alpha) = \dfrac{2 \tan \alpha}{1 - \tan^2 \alpha} = \dfrac{2(2 - \sqrt{3})}{1 - (2 - \sqrt{3})^2} = \dfrac{2(2 - \sqrt{3})}{2\sqrt{3}(2 - \sqrt{3})} = \dfrac{1}{\sqrt{3}} = \dfrac{\sqrt{3}}{3}$.

Par conséquent : $2\alpha = \dfrac{\pi}{6}$, d'où $\alpha = \dfrac{\pi}{12}$.

4° E appartient à l'axe de symétrie de la figure, donc DEC est un triangle isocèle.

9.4

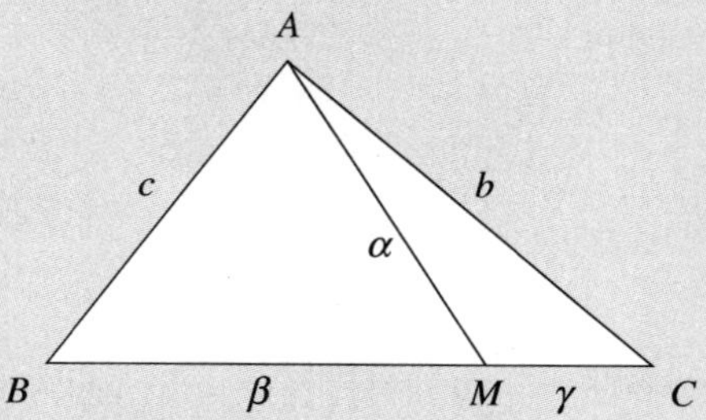

1° Dans le triangle BMA on peut écrire :

$$c^2 = \alpha^2 + \beta^2 - 2\alpha\beta\cos\widehat{BMA}.$$

Donc :

$$\cos\widehat{BMA} = \frac{\alpha^2 + \beta^2 - c^2}{2\alpha\beta}, \text{ car } \alpha\beta \neq 0.$$

2° De la même façon, en utilisant le triangle CMA, on obtient :

$$\cos\widehat{CMA} = \frac{\alpha^2 + \gamma^2 - b^2}{2\alpha\gamma}, \text{ car } \alpha\gamma \neq 0.$$

3° Les angles $\widehat{BMA}$ et $\widehat{CMA}$ sont supplémentaires.

Donc : $\cos\widehat{BMA} = -\cos\widehat{CMA}$,

ce qui entraîne : $\cos\widehat{BMA} + \cos\widehat{CMA} = 0$.

En utilisant les questions **1°** et **2°**, on obtient :

$$\frac{\alpha^2 + \beta^2 - c^2}{2\alpha\beta} + \frac{\alpha^2 + \gamma^2 - b^2}{2\alpha\gamma} = 0$$

$$\frac{(\alpha^2 + \beta^2 - c^2)\gamma + (\alpha^2 + \gamma^2 - b^2)\beta}{2\alpha\beta\gamma} = 0$$

$$\alpha^2\gamma + \beta^2\gamma - c^2\gamma + \alpha^2\beta + \gamma^2\beta - b^2\beta = 0.$$

$$\alpha^2(\beta + \gamma) + \beta\gamma(\beta + \gamma) = b^2\beta + c^2\gamma$$

$$(\beta + \gamma)(\alpha^2 + \beta\gamma) = b^2\beta + c^2\gamma.$$

Or, $\beta + \gamma = a$, donc $a(\alpha^2 + \beta\gamma) = b^2\beta + c^2\gamma$.
(Cette égalité est appelée « relation de Stewart ».)

4° Si $M = B$, $\alpha = c$, $\beta = 0$ et $\gamma = a$, la relation s'écrit :

$$ac^2 = c^2a,$$

ce qui est évidemment vérifié.

De la même façon, si $M = C$, on obtient :

$$ab^2 = b^2a.$$

5° $\gamma = a - \beta = 3$;

d'où :

$$7(\alpha^2 + 12) = 36 \times 4 + 25 \times 3$$
$$7\alpha^2 + 84 = 219.$$

Donc $\alpha^2 = \frac{135}{7}$, soit $\alpha = \sqrt{\frac{135}{7}} \approx 4{,}39$.

9.5 **1°** $\overrightarrow{GA} + 2\overrightarrow{GB} - 2\overrightarrow{GC} = \vec{0}$.

Donc : $\overrightarrow{GA} + 2(\overrightarrow{GA} + \overrightarrow{AB}) - 2(\overrightarrow{GA} + \overrightarrow{AC}) = \vec{0}$.

Soit :

$$\overrightarrow{GA} = -2\overrightarrow{AB} + 2\overrightarrow{AC}$$
$$\overrightarrow{AG} = 2(\overrightarrow{AB} - \overrightarrow{AC})$$
$$\overrightarrow{AG} = -2\overrightarrow{BC}.$$

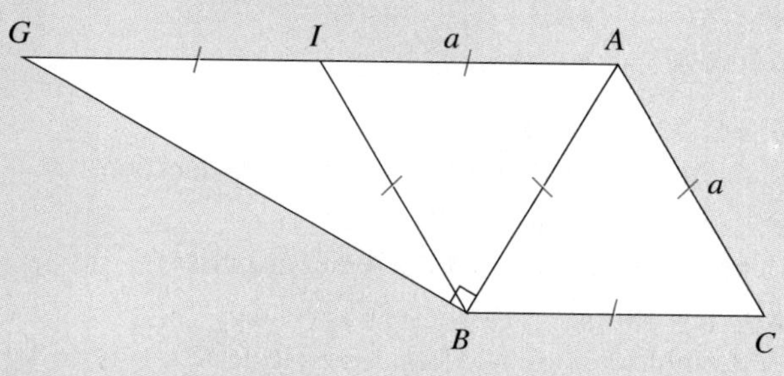

2° $MA^2 + 2MB^2 - 2MC^2 = k$.

Donc :

$$(\overrightarrow{MG} + \overrightarrow{GA})^2 + 2(\overrightarrow{MG} + \overrightarrow{GB})^2 - 2(\overrightarrow{MG} + \overrightarrow{GC})^2 = k.$$

Soit :

$$MG^2 + 2\overrightarrow{MG} \cdot \overrightarrow{GA} + GA^2 + 2MG^2 + 4\overrightarrow{MG} \cdot \overrightarrow{GB} + 2GB^2 - 2MG^2 - 4\overrightarrow{MG} \cdot \overrightarrow{GC} - 2GC^2 = k ;$$

$$MG^2 + 2\overrightarrow{MG} \cdot (\overrightarrow{GA} + 2\overrightarrow{GB} - 2\overrightarrow{GC}) = k - GA^2 - 2GB^2 + 2GC^2.$$

Or $\overrightarrow{GA} + 2\overrightarrow{GB} - 2\overrightarrow{GC} = \vec{0}$;

donc : $MG^2 = k - GA^2 - 2GB^2 + 2GC^2$.

3° Soit I le milieu de $[G, A]$. D'après la question **1°** :

$$\overrightarrow{IA} = \frac{1}{2}\overrightarrow{GA} = \overrightarrow{BC}.$$

$IACB$ est donc un parallélogramme et, puisque $IA = AC = a$, $IACB$ est un losange ; donc $BI = a$.

Le triangle GBA est donc rectangle en B puisque $IG = IB = IA$ (GBA est inscriptible dans un cercle de diamètre $[GA]$).

$$GB^2 = AG^2 - AB^2 = 4a^2 - a^2 = 3a^2.$$

4° Dans le triangle GAC, on peut écrire :

$$GC^2 = AG^2 + AC^2 - 2AG \cdot AC \cos(\widehat{\overrightarrow{AG}, \overrightarrow{AC}}).$$

Or : $(\widehat{\overrightarrow{AG}, \overrightarrow{AC}}) = (\widehat{\overrightarrow{AG}, \overrightarrow{AB}}) + (\widehat{\overrightarrow{AB}, \overrightarrow{AC}}) + 2k\pi$, avec $k \in \mathbb{Z}$,

$$= \frac{2\pi}{3} + 2k\pi.$$

Par conséquent : $\cos(\widehat{\overrightarrow{AG}, \overrightarrow{AC}}) = \cos\frac{2\pi}{3} = -\cos\frac{\pi}{3} = -\frac{1}{2}$.

On en déduit : $GC^2 = (2a)^2 + a^2 - 2(2a)a\left(-\frac{1}{2}\right) = 7a^2$.

5° $GM^2 = k - (4a^2 + 6a^2 - 14a^2)$;
soit $GM^2 = k + 4a^2$.

6° ■ Si $k < -4a^2$, alors $k + 4a^2 < 0$:
il n'existe pas de point M répondant à la question, car $GM^2 \geqslant 0$.

■ Si $k = -4a^2$, alors $GM^2 = 0$ et $M = G$:
l'ensemble des points M est réduit au point G.

■ Si $k > 4a^2$, alors $GM = \sqrt{k + 4a^2}$:
l'ensemble des points M est le cercle de centre G et de rayon $\sqrt{k + 4a^2}$.

9.6 **1°** E est isobarycentre des points A, B, C et D puisque dans un rectangle les diagonales se coupent en leur milieu :

$$(\overrightarrow{EA} + \overrightarrow{EC}) + (\overrightarrow{EB} + \overrightarrow{ED}) = \vec{0}.$$

Par conséquent, E est isobarycentre de A, B, C, D et E puisque :

$$(\overrightarrow{EA} + \overrightarrow{EC}) + (\overrightarrow{EB} + \overrightarrow{ED}) + \overrightarrow{EE} = \vec{0}.$$

2° Rappelons que si une plaque homogène admet un axe de symétrie (Δ), son centre de symétrie appartient à (Δ).
D'autre part, le centre d'inertie d'une plaque homogène qui admet un centre de symétrie I est confondu avec I, et le centre d'inertie d'une plaque triangulaire homogène est le centre de gravité du triangle.

Soit (Δ) l'axe de symétrie de la plaque $AEBCD$.
(Δ) coupe (DC) en P, milieu de $[D, C]$.
Le découpage réalisé en pointillé sur la figure ci-après montre clairement que les triangles ADE, BCE et CDE ont la même aire et donc que les parties ADE, BCE et CDE de la plaque ont la même masse.

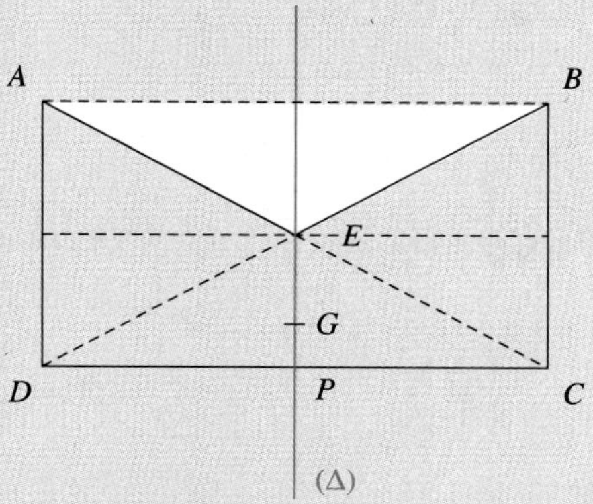

E est centre de symétrie, donc centre d'inertie, de la partie de la plaque représentée ci-dessous :

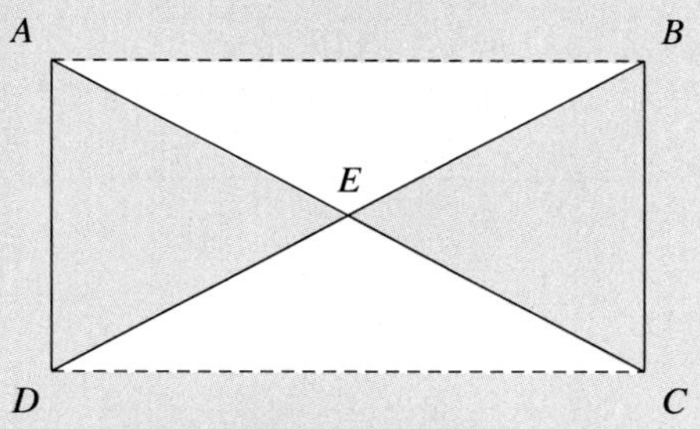

D'autre part, si G est le centre de gravité du triangle CED :

$$\overrightarrow{EG} = \frac{2}{3}\overrightarrow{EP}.$$

I est barycentre des points E et G affectés respectivement des coefficients $2m$ et m, si l'on note m la masse de l'une des parties ADE, BCE et CDE de la plaque.

En conséquence :

$$2m\overrightarrow{IE} + m\overrightarrow{IG} = \vec{0},$$

soit :

$$2\overrightarrow{IE} + \overrightarrow{IG} = \vec{0}.$$

On en déduit :

$$2\overrightarrow{IE} + \overrightarrow{IE} + \overrightarrow{EG} = \vec{0}$$

$$\overrightarrow{EI} = \frac{1}{3}\overrightarrow{EG}.$$

Soit, finalement, $\overrightarrow{EI} = \frac{2}{9}\overrightarrow{EP}.$

9.7 **1°**

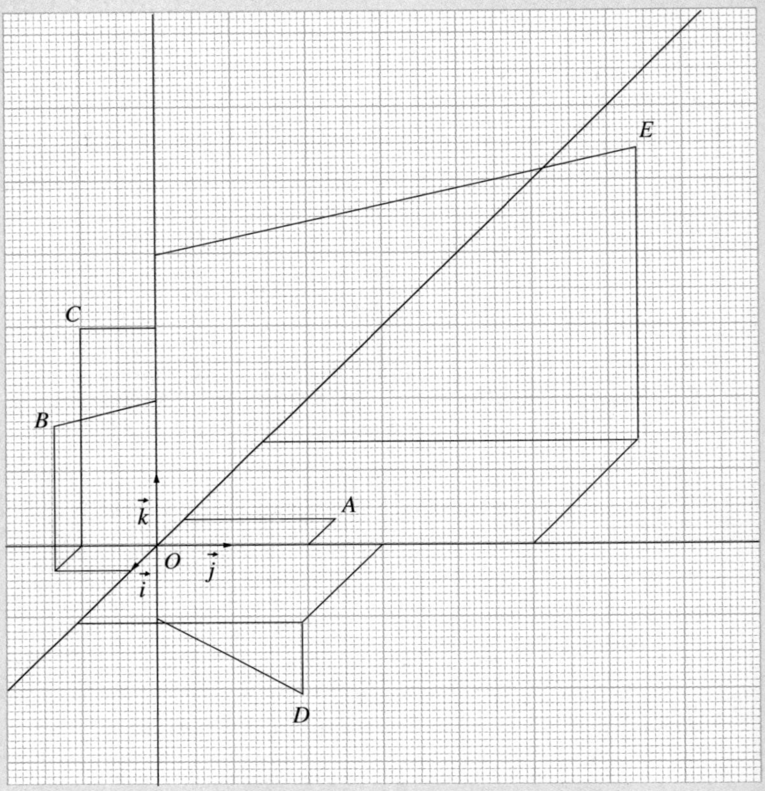

2° Puisque les points A, B et C sont distincts, il suffit de montrer que les vecteurs $\overrightarrow{AB}$ et $\overrightarrow{AC}$ ne sont pas colinéaires, c'est-à-dire qu'il n'existe pas de réel k tel que :

$$\overrightarrow{AB} = k\overrightarrow{AC}.$$

$\overrightarrow{AB}$ a pour coordonnées $(2, -3, 2)$ et $\overrightarrow{AC}$ a pour coordonnées $(1, -3, 3)$. Il est manifeste que les coordonnées de $\overrightarrow{AB}$ et $\overrightarrow{AC}$ ne sont pas proportionnelles, donc $\overrightarrow{AB}$ n'est pas colinéaire à $\overrightarrow{AC}$ et A, B, C ne sont pas alignés.

3° Le vecteur $\overrightarrow{AD}$ a pour coordonnées $(4, 1, -1)$.
Supposons que le point D appartienne au plan (ABC) ; $\overrightarrow{AD}$ peut s'écrire alors comme une combinaison linéaire des vecteurs $\overrightarrow{AB}$ et $\overrightarrow{AC}$, c'est-à-dire qu'il existe deux réels x et y tels que :

$$\overrightarrow{AD} = x\overrightarrow{AB} + y\overrightarrow{AC}.$$

Cette dernière égalité se traduit, en utilisant les coordonnées des vecteurs, par le système suivant :

$$\begin{cases} 2x + y = 4 & (1) \\ -3x - 3y = 1 & (2) \\ 2x + 3y = -1. & (3) \end{cases}$$

De l'équation (1) on tire $y = 4 - 2x$; soit, en remplaçant y par sa nouvelle expression dans les équations (2) et (3) :

$$\begin{cases} -3x - 3(4 - 2x) = 1 \\ 2x + 3(4 - 2x) = -1 \ ; \end{cases} \quad \text{ou encore} \quad \begin{cases} x = \dfrac{13}{3} \\ x = \dfrac{13}{4}. \end{cases}$$

x ne peut simultanément être égal à ces deux valeurs, donc le système n'a pas de solution : l'hypothèse de départ est donc fausse et D n'appartient pas au plan (ABC).

En raisonnant de façon analogue, on obtient successivement :

$$\overrightarrow{AE} = x\overrightarrow{AB} + y\overrightarrow{AC}$$

si, et seulement si :

$$\begin{cases} 2x + y = -3 & (1) \\ -3x - 3y = 3 & (2) \\ 2x + 3y = 4 \ ; & (3) \end{cases} \quad \text{soit} \quad \begin{cases} y = -3 - 2x \\ -3x - 3(-3 - 2x) = 3 \\ 2x + 3(-3 - 2x) = 4 \ ; \end{cases}$$

soit : $\begin{cases} y = -3 - 2x \\ x = -2 \\ x = -\dfrac{13}{4}. \end{cases}$

Un tel système n'admet pas de solution, donc E n'appartient pas au plan (ABC).

4° $\overrightarrow{DE}$ a pour coordonnées $(-7, 2, 5)$.
Supposons que la droite (DE) soit parallèle au plan (ABC) ; alors le vecteur $\overrightarrow{DE}$ peut s'exprimer comme une combinaison linéaire des vecteurs $\overrightarrow{AB}$ et $\overrightarrow{AC}$, c'est-à-dire qu'il existe deux réels x et y tels que :

$$\overrightarrow{DE} = x\overrightarrow{AB} + y\overrightarrow{AC}.$$

$$\begin{cases} 2x + y = -7 \\ -3x - 3y = 2 \\ 2x + 3y = 5 \ ; \end{cases} \quad \text{soit} \quad \begin{cases} y = -7 - 2x \\ -3x - 3(-7 - 2x) = 2 \\ 2x + 3(-7 - 2x) = 5 \ ; \end{cases}$$

$$\text{soit : } \begin{cases} y = -7 - 2x \\ x = -\dfrac{19}{3} \\ x = -\dfrac{13}{2}. \end{cases}$$

Un tel système n'admet pas de solution, donc l'hypothèse de départ est fausse et (DE) n'est pas parallèle au plan (ABC).

5° *a*) $\overrightarrow{DM}$ a pour coordonnées $(x - 3, y - 3, z + 1)$.
$\overrightarrow{DM} = t\overrightarrow{DE}$ se traduit par :

$$\begin{cases} x - 3 = -7t \\ y - 3 = 2t \\ z + 1 = 5t\,; \end{cases} \quad \text{soit} \quad \begin{cases} x = 3 - 7t \\ y = 3 + 2t \\ z = -1 + 5t. \end{cases} \quad \text{(I)}$$

Ce système est une équation paramétrique de la droite (DE).

b) $\overrightarrow{AM}$ a pour coordonnées $(x + 1, y - 2, z)$.
$\overrightarrow{AM} = u\overrightarrow{AB} + v\overrightarrow{AC}$ si, et seulement si :

$$\begin{cases} x + 1 = 2u + v \\ y - 2 = -3u - 3v \\ z = 2u + 3v\,; \end{cases} \quad \text{soit} \quad \begin{cases} x = 2u + v - 1 \\ y = -3u - 3v + 2 \\ z = 2u + 3v. \end{cases} \quad \text{(II)}$$

Ce système est une équation paramétrique du plan (ABC).

c) Les coordonnées du point d'intersection F de (DE) et (ABC) doivent vérifier simultanément les deux systèmes. Donc :

$$\begin{cases} 3 - 7t = 2u + v - 1 \\ 3 + 2t = -3u - 3v + 2 \\ -1 + 5t = 2u + 3v\,; \end{cases} \quad \text{ou encore} \quad \begin{cases} 2u + v + 7t = 4 & (1) \\ 3u + 3v + 2t = -1 & (2) \\ 2u + 3v - 5t = -1. & (3) \end{cases}$$

En multipliant l'équation (1) par (-3) et en ajoutant l'équation (2), on obtient le système équivalent :

$$\begin{cases} -3u - 19t = -13 \\ 3u + 3v + 2t = -1 \\ 2u + 3v - 5t = -1. \end{cases}$$

Soustrayons, membre à membre, les deux dernières équations :

$$\begin{cases} 3u + 19t = 13 \\ u + 7t = 0 \\ 2u + 3v - 5t = -1\,; \end{cases} \quad \text{soit} \quad \begin{cases} u = -7t \\ -21t + 19t = 13 \\ 2u + 3v - 5t = -1\,; \end{cases}$$

ou encore : $\begin{cases} t = -\dfrac{13}{2} \\ u = \dfrac{91}{2} \\ v = -\dfrac{83}{2}. \end{cases}$

En remplaçant t par $-\dfrac{13}{2}$ dans le système (I) on obtient les coordonnées de F :

$$\begin{cases} x_F = 3 + \dfrac{91}{2} = \dfrac{97}{2} \\ y_F = 3 - 13 = -10 \\ z_F = -1 - \dfrac{65}{2} = -\dfrac{67}{2}. \end{cases}$$

9.8 Rappelons que dans un triangle équilatéral le centre du cercle circonscrit est à la fois point d'intersection des médiatrices, des médianes et des hauteurs.

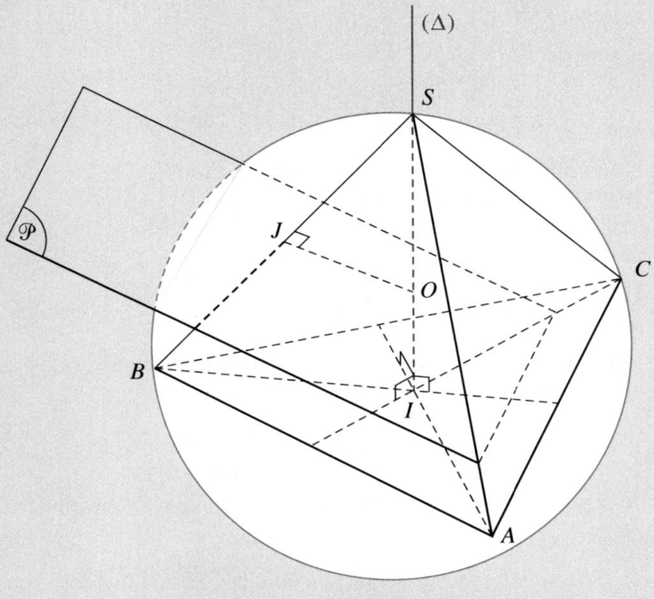

Puisque (Δ) est perpendiculaire au plan (ABC), (Δ) est orthogonale à toute droite du plan (ABC) ; en particulier, (IM) est orthogonale aux droites (AI), (BI) et (CI).

On en déduit, d'après le théorème de Pythagore appliqué aux triangles AIM, CIM et BIM rectangles en I, que :

$$AM^2 = AI^2 + IM^2,$$

$$BM^2 = BI^2 + IM^2$$

et $$CM^2 = CI^2 + IM^2.$$

Or $AI = BI = CI$ puisque I est le centre du cercle circonscrit à (ABC) ; donc :

$$AM^2 = BM^2 = CM^2,$$

ce qui entraîne :

$$AM = BM = CM$$

(la droite (Δ) est appelée axe du triangle ABC).

2° *a*) *Cf.* figure.

b) Les triangles JMB et JMS sont rectangles en J, donc :

$$SM^2 = SJ^2 + JM^2$$

et $$BM^2 = BJ^2 + JM^2.$$

Or, $JB = JS$ puisque J est le milieu de $[B, S]$, donc :

$$SM^2 = BM^2 \text{ et } SM = BM.$$

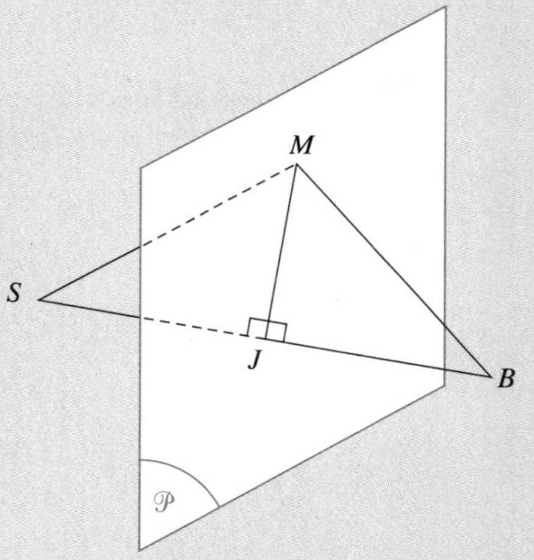

c) Supposons $\mathcal{P}$ et (Δ) parallèles ; alors (SB) est orthogonale à (Δ) et, puisque (Δ) est perpendiculaire au plan (ABC), (SB) est parallèle au plan (ABC), ce qui est impossible.

Donc (Δ) coupe le plan $\mathcal{P}$ en un point O.

Puisque O appartient à (Δ), $OA = OB = OC$, et puisque O appartient à $\mathcal{P}$, $OB = OS$.

On en déduit :

$$OA = OB = OC = OS\ ;$$

ce qui prouve que O est le centre de la sphère circonscrite au tétraèdre $SABC$.

d) $OB^2 = OI^2 + IB^2$ puisque le triangle OIB est rectangle en I.

$O \in [S, I]$, donc $OI = SI - OS$.

On en déduit que :

$$OB^2 = (SI - OS)^2 + IB^2\ ;$$

et, puisque $OB = OS$, on peut écrire :

$$OS^2 = (SI - OS)^2 + IB^2$$
$$OS^2 = SI^2 - 2SI \cdot OS + OS^2 + IB^2$$
$$OS = \frac{SI^2 + IB^2}{2SI}.$$

Or $IB = \frac{2}{3} a \times \frac{\sqrt{3}}{2} = \frac{a\sqrt{3}}{3}$, car la médiane d'un triangle équilatéral a pour longueur $\frac{a\sqrt{3}}{3}$ et I est situé aux deux-tiers de la médiane en partant du sommet.

De plus, $SI^2 = SB^2 - IB^2$ car SIB est rectangle en I ; donc :

$$SI^2 = a^2 - \frac{a^2}{3} = \frac{2a^2}{3}.$$

En conséquence, $R = OS = \dfrac{\dfrac{2a^2}{3} + \dfrac{a^2}{3}}{2a\sqrt{\dfrac{2}{3}}} = \dfrac{a\sqrt{6}}{4}.$

9.9 **1°** Puisque (CD) est perpendiculaire au plan (ABC), $(CD) \perp (CA)$ et $(CD) \perp (CB)$.

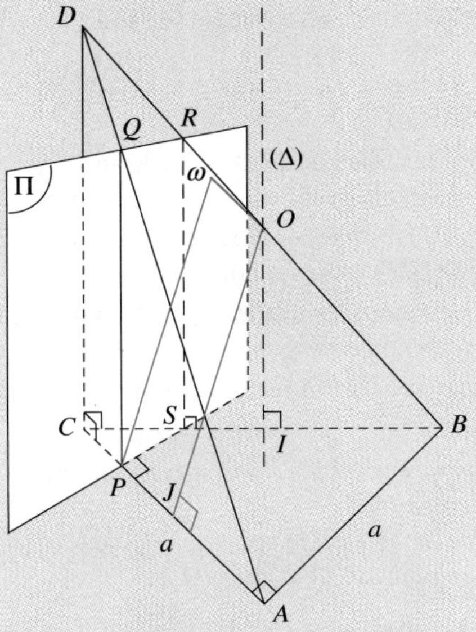

Par conséquent :

- $AD^2 = AC^2 + CD^2 = a^2 + 2a^2 = 3a^2$; donc $AD = a\sqrt{3}$.

- $BC = a\sqrt{2}$ (diagonale d'un carré de côté a).
- $BD^2 = BC^2 + CD^2 = 2a^2 + 2a^2 = 4a^2$; donc $BD = 2a$.

Dans le triangle ABD, on peut écrire :

$$AB^2 = AD^2 + BD^2 - 2AD \times BD \cos\widehat{ADB}\,;$$
$$a^2 = 3a^2 + 4a^2 - 2a\sqrt{3} \times 2a\cos\widehat{ADB}.$$

On en déduit : $$\cos\widehat{ADB} = \frac{-6a^2}{-4a^2\sqrt{3}} = \frac{\sqrt{3}}{2}.$$

Par conséquent, une mesure de $\widehat{ADB}$ est $\frac{\pi}{6}$ rd.

2° L'axe (Δ) du triangle ABC (*cf.* exercice précédent) est la perpendiculaire au plan (ABC) passant par le milieu I de $[B, C]$, car ABC est rectangle en A (le centre de son cercle circonscrit est donc le milieu de l'hypoténuse).

(Δ) qui contient un point du plan (BCD), le point I, et qui est parallèle à (CD) est incluse dans le plan (BCD) et coupe $[B, D]$ en son milieu O (droite des milieux d'un triangle).

$OA = OB = OC$ car O appartient à l'axe du triangle ABC (*cf.* exercice précédent) et $OB = OC = OD$ car O est le milieu de l'hypothénuse du triangle rectangle BCD.

Par conséquent $OA = OB = OC = OD$, ce qui prouve que O est le centre de la sphère circonscrite au tétraèdre $ABCD$:

$$R = OB = \frac{BD}{2} = a.$$

3° *a*) Soit J le milieu de $[A, C]$. La droite (OJ) qui joint le centre O de la sphère au milieu J de la corde $[A, C]$ est perpendiculaire à (AC).

La droite (PJ) est perpendiculaire à la droite $(P\omega)$ car $(P\omega)$ est incluse dans (Π) et (PJ) est perpendiculaire au plan (Π).

De la même façon, les droites $(O\omega)$ et (ωP) sont perpendiculaires car ω est la projection orthogonale de O sur le plan (Π).

Le quadrilatère $OJP\omega$ est donc un rectangle car il possède trois angles droits.

Donc, $O\omega = JP = CJ - CP = \frac{a}{2} - x.$

b) Le centre de (Γ) est le point ω.
Si M est un point de (Γ), $r = \omega M$ et :

$$r^2 = OM^2 - O\omega^2 = R^2 - \left(\frac{a}{2} - x\right)^2 = a^2 - \frac{a^2}{4} + ax - x^2 = \frac{3a^2}{4} + ax - x^2.$$

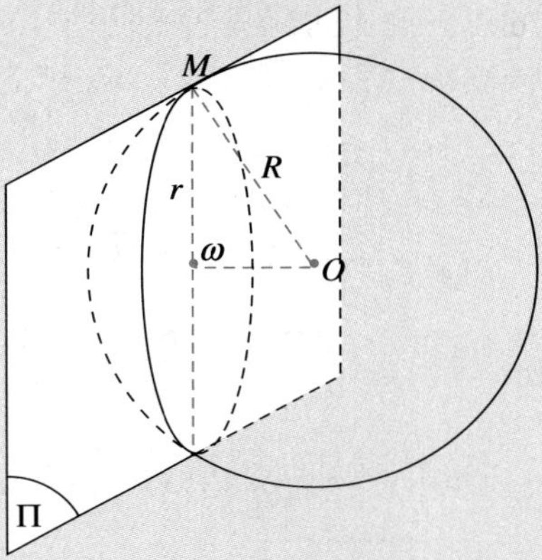

D'où l'on déduit : $r=\sqrt{\dfrac{3a^2}{4}+ax-x^2}$.

9.10 1°

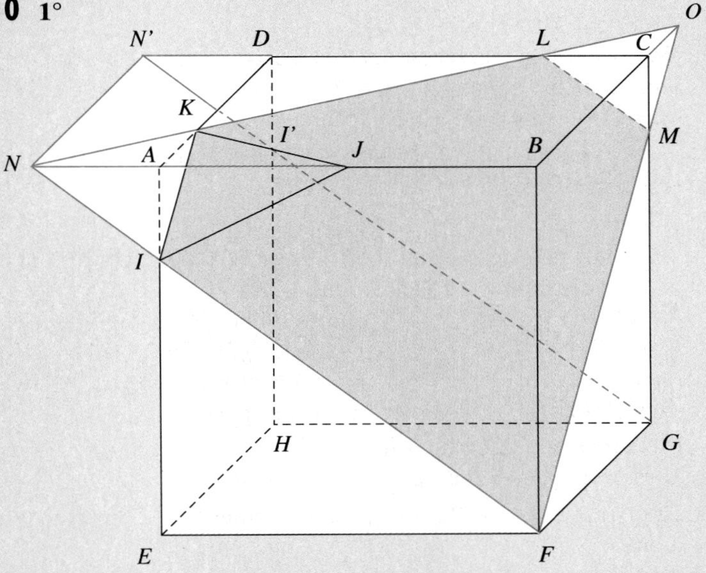

L'intersection du plan (FIK) avec le plan (EBF) est la droite (FI). Les droites (FI) et (BJ) sont coplanaires et non parallèles : elles se coupent en N. Les droites (KN), (CD) et (BC) sont coplanaires et non parallèles ; (KN) coupe (CD) et (BC) respectivement en L et O. Les droites (FO) et (CG), coplanaires et non parallèles, se coupent en M.

Le polygone $FIKLM$ est la section du cube avec le plan (FIK).

2° Puisque IAN et IEF sont homothétiques (car $(NA) // (EF)$), on peut écrire :

$$\frac{\overline{AN}}{\overline{EF}} = \frac{\overline{IA}}{\overline{IE}} \text{ ; donc, } \frac{\overline{AN}}{1} = \frac{\frac{1}{4}}{-\frac{3}{4}}.$$

D'où l'on tire : $\frac{\overline{AN}}{1} = -\frac{1}{3}$, soit $\overline{AN} = -\frac{1}{3}$.

Puisque N appartient à la droite (AB), ses coordonnées sont $\left(-\frac{1}{3}, 0, 1\right)$ dans le repère $(E, \overrightarrow{EF}, \overrightarrow{EH}, \overrightarrow{EA})$.

Les triangles ANK et DKL sont homothétiques car $(AN) // (DL)$; donc :

$$\frac{\overline{DL}}{\overline{AN}} = \frac{\overline{KD}}{\overline{KA}}.$$

Soit $\frac{\overline{DL}}{-\frac{1}{3}} = \frac{\frac{2}{3}}{-\frac{1}{3}}$, ou encore $\overline{DL} = \frac{2}{3}$.

Les coordonnées de L sont $\left(\frac{2}{3}, 1, 1\right)$.

3° *a*) Les plans parallèles $(ABFE)$ et $(DCGH)$ coupent le plan (FIK) suivant des droites parallèles, donc $(LM) // (NF)$.

b) Dans le plan $(DCGH)$, les triangles CLM et $CN'G$ sont homothétiques car $(LM) // (GN')$ puisque ces deux droites sont parallèles à (NF).

En outre,

$$\overline{CL} = \overline{CD} + \overline{DL}.$$

Donc :

$$\overline{CL} = -1 + \frac{2}{3} = -\frac{1}{3}.$$

Et, en utilisant les triangles homothétiques $I'N'D$ et $I'HG$, où I' est l'intersection de (GN') et de (DH), on montre que :

$$\overline{DN'} = -\frac{1}{3} \quad (\textit{cf.}\ \mathbf{2°}).$$

Par conséquent, $\overline{CN'} = \overline{CD} + \overline{DN'} = -\frac{4}{3}$.

On en déduit que l'égalité $\dfrac{\overline{CM}}{\overline{CG}} = \dfrac{\overline{CL}}{\overline{CN'}}$ est équivalente à $\dfrac{\overline{CM}}{-1} = \dfrac{-\dfrac{1}{3}}{-\dfrac{4}{3}}$.

D'où $\overline{CM} = -\dfrac{1}{4}$.

Les coordonnées du point M sont $\left(1, 1, \dfrac{3}{4}\right)$.

4° $F(1, 0, 0)$, $I\left(0, 0, \dfrac{3}{4}\right)$, $K\left(0, \dfrac{1}{3}, 1\right)$, $L\left(\dfrac{2}{3}, 1, 1\right)$, $M\left(1, 1, \dfrac{3}{4}\right)$.

Donc : $\overrightarrow{FI}\left(-1, 0, \dfrac{3}{4}\right)$, $\overrightarrow{FK}\left(-1, \dfrac{1}{3}, 1\right)$, $\overrightarrow{FL}\left(-\dfrac{1}{3}, 1, 1\right)$ et $\overrightarrow{FM}\left(0, 1, \dfrac{3}{4}\right)$.

On obtient alors :

$$\overrightarrow{FI} \wedge \overrightarrow{FK}\left(-\frac{1}{4}, \frac{1}{4}, -\frac{1}{3}\right),\ \overrightarrow{FK} \wedge \overrightarrow{FL}\left(-\frac{2}{3}, \frac{2}{3}, -\frac{8}{9}\right) \text{ et } \overrightarrow{FL} \wedge \overrightarrow{FM}\left(-\frac{1}{4}, \frac{1}{4}, -\frac{1}{3}\right).$$

5° Le polygone $IKLMF$ se décompose en trois triangles : FIK, FKL et FLM, d'aires respectives S_1, S_2 et S_3.

L'aire de FIK est donnée par $\dfrac{1}{2} \| \overrightarrow{FI} \wedge \overrightarrow{FK} \|$, donc :

- $S_1 = \dfrac{1}{2}\sqrt{\left(-\dfrac{1}{4}\right)^2 + \left(\dfrac{1}{4}\right)^2 + \left(-\dfrac{1}{3}\right)^2} = \dfrac{\sqrt{34}}{24}$;

- $S_2 = \dfrac{1}{2} \| \overrightarrow{FK} \wedge \overrightarrow{FL} \| = \dfrac{1}{2}\sqrt{\left(-\dfrac{2}{3}\right)^2 + \left(\dfrac{2}{3}\right)^2 + \left(-\dfrac{8}{9}\right)^2} = \dfrac{\sqrt{34}}{9}$;

- $S_3 = \dfrac{1}{2} \| \overrightarrow{FL} \wedge \overrightarrow{FM} \| = \dfrac{1}{2}\sqrt{\left(-\dfrac{1}{4}\right)^2 + \left(\dfrac{1}{4}\right)^2 + \left(-\dfrac{1}{3}\right)^2} = \dfrac{\sqrt{34}}{24}$.

L'aire du polygone est donc :

$$S = \frac{\sqrt{34}}{24} + \frac{\sqrt{34}}{9} + \frac{\sqrt{34}}{24} = \frac{7\sqrt{34}}{36}.$$

D'où, $S = \dfrac{7\sqrt{34}}{36}\, a^2\ \text{cm}^2$.

6° $I\left(0, 0, \frac{3}{4}\right)$, $J\left(\frac{1}{2}, 0, 1\right)$ et $K\left(0, \frac{1}{3}, 1\right)$; donc :

$$\overrightarrow{IJ}\left(\frac{1}{2}, 0, \frac{1}{4}\right) \quad \text{et} \quad \overrightarrow{IK}\left(1, \frac{1}{3}, \frac{1}{4}\right).$$

Les coordonnées du vecteur $\overrightarrow{IJ} \wedge \overrightarrow{IK}$ sont, par conséquent : $\left(-\frac{1}{12}, -\frac{1}{8}, \frac{1}{6}\right)$.

D'où, l'on déduit :

$$\| \overrightarrow{IJ} \wedge \overrightarrow{IK} \| = \sqrt{\left(-\frac{1}{12}\right)^2 + \left(-\frac{1}{8}\right)^2 + \left(\frac{1}{6}\right)^2} = \frac{\sqrt{29}}{24}.$$

Finalement, $S_{IJK} = \frac{1}{2} \| \overrightarrow{IJ} \wedge \overrightarrow{IK} \| = \frac{\sqrt{29}}{48}$, soit $\frac{\sqrt{29}}{48} a^2 \text{ cm}^2$.

7° *a*) $\overrightarrow{AI}$ a pour coordonnées $\left(0, 0, -\frac{1}{4}\right)$.

Donc : $$\overrightarrow{AI} \cdot (\overrightarrow{IJ} \wedge \overrightarrow{IK}) = 0\left(-\frac{1}{12}\right) + 0\left(-\frac{1}{8}\right) + \frac{1}{6}\left(-\frac{1}{4}\right) = -\frac{1}{24}.$$

b) $\overrightarrow{AP}$ et $\overrightarrow{IJ} \wedge \overrightarrow{IK}$ sont colinéaires puisqu'ils sont orthogonaux au plan (IJK).

Or $\overrightarrow{AI} \cdot (\overrightarrow{IJ} \wedge \overrightarrow{IK}) = \overrightarrow{AP} \cdot (\overrightarrow{IJ} \wedge \overrightarrow{IK})$, d'après la définition du produit scalaire.

Donc : $$|\overrightarrow{AI} \cdot (\overrightarrow{IJ} \wedge \overrightarrow{IK})| = |\overrightarrow{AP} \cdot (\overrightarrow{IJ} \wedge \overrightarrow{IK})|$$
$$= \| \overrightarrow{AP} \| \times \| \overrightarrow{IJ} \wedge \overrightarrow{IK} \|$$

D'après les questions précédentes :

$$|\overrightarrow{AI} \cdot (\overrightarrow{IJ} \wedge \overrightarrow{IK})| = \frac{1}{24} \quad \text{et} \quad \| \overrightarrow{IJ} \wedge \overrightarrow{IK} \| = \frac{\sqrt{29}}{24}.$$

Donc, $AP = \| \overrightarrow{AP} \| = \frac{1}{\sqrt{29}}$.

Le volume du tétraèdre $AIJK$ est donc :

$$V = \frac{1}{3} \times \frac{1}{\sqrt{29}} \times \frac{\sqrt{29}}{48} = \frac{1}{144}; \quad \text{soit} \quad V = \frac{a^3}{144} \text{cm}^3.$$

c) Le volume du cube tronqué est :

$$a^3 - \frac{a^3}{144} = \frac{143 a^3}{144} \text{ cm}^3.$$